∪ FYD

∪ GEREDIGION

RHWNG DAU FYD
Y SWAGMAN O GEREDIGION

BETHAN PHILLIPS

CYMDEITHAS LYFRAU CEREDIGION Gyf.

Argraffiad cyntaf: Hydref 1998

Hawlfraint yr argraffiad:
Cymdeithas Lyfrau Ceredigion Gyf © 1998
Hawlfraint y testun: Bethan Phillips © 1998

ISBN 1 902416 01 5 (clawr meddal)
ISBN 1 902416 05 8 (clawr caled)

Dymuna'r cyhoeddwyr gydnabod cymorth
Adrannau Cyngor Llyfrau Cymru.

Cedwir pob hawl. Ni chaniateir atgynhyrchu
unrhyw ran o'r llyfr hwn na'i storio mewn system
adferadwy, na'i drosglwyddo mewn unrhyw
ddull, na thrwy unrhyw gyfrwng, electronig,
peirianyddol, llungopïo, recordio nac mewn
unrhyw ffordd arall, heb ganiatâd ymlaen llaw
gan y cyhoeddwyr.

Cysodwyd ac argraffwyd gan Argraffwyr Cambrian,
Ffordd Llanbadarn, Aberystwyth, SY23 3TN.

Cyhoeddwyd gan Gymdeithas Lyfrau Ceredigion Gyf.,
Ystafell B5, Y Coleg Diwinyddol Unedig,
Stryd y Brenin, Aberystwyth SY23 2LT.

CYNNWYS

I Geraint
Catrin
a Ffion

DIOLCHIADAU

Ffrwyth blynyddoedd lawer o bori yn nyddiaduron Joseph Jenkins, Trecefel, yw'r gyfrol hon. Mae fy nyled yn fawr i Miss Frances Evans, Tyndomen, a Mrs Mair Owen, Penbryn am eu caniatâd i ymgymryd â'r gwaith. Fel gorwyresau i Joseph Jenkins buont yn dra charedig wrth osod deunydd perthnasol at fy ngwasanaeth ac wrth rannu eu gwybodaeth eang am y teulu â mi. Heb eu cymorth hwy ni fyddai wedi bod yn bosibl imi ysgrifennu'r gyfrol. Mae fy niolch yn fawr hefyd i orwyres arall, sef Mrs Beti Evans, Glasfryn, am dynnu fy sylw at lawer o bethau'n gysylltiedig â'r teulu. Bûm yn ffodus iawn i gael amryw o sgyrsiau â'r diweddar Ddr William Evans, Bryndomen, ŵyr y 'Swagman', a'r cyntaf i ddwyn y dyddiaduron i sylw darllenwyr yma ac yn Awstralia drwy gyfrwng ei gyfrol werthfawr *Diary of a Welsh Swagman*. Cefais gymorth parod hefyd gan Mr Gareth a Mrs Beti Davies, Sychbant, a chaniatâd i fenthyca llyfr cofnodion Blaenplwyf a brofodd yn ffynhonnell ddiddorol. Hefyd, yn ystod f'ymweliadau â Blaenplwyf, cefais groeso a llawer o wybodaeth gan Mrs Joyce Jenkins.

Bu nifer helaeth o bobl o gymorth i mi yn ystod fy ngwaith ymchwil, a hoffwn ddiolch yn arbennig i Ceris Gruffudd a Cyril Evans o'r Llyfrgell Genedlaethol, a William Howells a Guto Llywelyn yn Llyfrgell y Sir. Bu Mari Morgan o Lyfrgell Tregaron yn gymwynasgar, yn ogystal ag Emrys Williams, Aberystwyth a'r diweddar Huw Lloyd Williams, Tal-sarn. Mae arnaf ddyled hefyd i'r Dr Ann a Dr Glyn Rhys, Plas Bronmeurig, Ystradmeurig, am roddi i mi lawer o wybodaeth feddygol, ac i'r Dr R. Brinley Jones, Porth-y-rhyd am ei gefnogaeth a'i gyngor. Dibynnais lawer hefyd ar y sefydliadau canlynol: Amgueddfa Ceredigion, Cyngor Llyfrau Cymru, Llyfrgell y Guildhall yn Llundain, Llyfrgell Prifysgol Cymru, Llanbedr Pont Steffan, y Maritime Museum, y Public Record Office a'r State Library of Victoria, Melbourne. Mae fy niolch yn arbennig i Lyfrgell Genedlaethol Cymru ac yn enwedig i staff yr Adran Llawysgrifau.

Cefais gyfle i fynd allan i Awstralia i ddilyn rhai o lwybrau Joseph Jenkins. Hoffwn ddiolch i Paul Turner, y cyfarwyddwr ffilm, am drefnu'r daith honno. Bu'n gyfrifol am fy nhywys i amryw o leoedd y cyfeirir atynt yn y dyddiaduron ac am fy nghyflwyno i lawer o bobl a ymddiddorai yn yr hanes.

I must also record my thanks to many people in Australia who have helped in the preparation of the book. I am greatly indebted to Jock Murphy, Manuscript Librarian at the State Library of Victoria, Melbourne for his generous response to my many requests. He has sent me many valuable illustrations, and it was through his good offices that I managed to obtain a copy of the letter sent by Lewis Jenkins to his father in 1869. I also wish to acknowledge the interest taken in the work by Sara Joynes of the Australian High Commission, and to thank her for letting me have sight of the diaries for 1893 and 1894. During my visit to Australia I gained a great deal of background knowledge from Mrs Frances Gray and Mr John Grigg of Maldon, and Mr Jeff Jones of Bendigo.

Eleni yw canmlwyddiant marwolaeth Joseph Jenkins. Penderfynodd John Lewis, Rhyd-y-bont, ddwyn hynny i sylw Cymdeithas Lyfrau Ceredigion gan awgrymu mai da o beth fyddai nodi'r achlysur drwy gyhoeddi cofiant iddo. Hoffwn longyfarch aelodau'r Gymdeithas am ymateb mewn ffordd mor gadarnhaol, ac ni allaf ond diolch iddynt am roi cyfle i mi ymgymryd â'r gwaith. Bûm yn ffodus iawn i gael cefnogaeth a chymorth parod Dylan Williams, swyddog y Gymdeithas, drwy gydol yr amser y bûm wrthi'n ysgrifennu'r llyfr. Bu ei brofiad o'r pwysigrwydd mwyaf wrth lywio'r gwaith drwy'r wasg, ac ar adegau bu ei amynedd yn ddiarhebol wrth iddo ddisgwyl am y bennod nesaf. Bu'n rhaid i Vera Bowen, a deipiodd y gyfrol, ddangos yr un amynedd ar adegau wrth geisio dehongli ambell lawysgrif. Os oes yn y gyfrol frychau, fy nghyfrifoldeb i ydynt.

Yn olaf, hoffwn ddiolch i Dai Jones a staff Argraffwyr Cambrian am eu gwaith a'u gofal arferol wrth argraffu'r llyfr.

Bethan Phillips
Llanbedr Pont Steffan

CYDNABYDDIAETH LLUNIAU

Gwnaed ymdrech i gysylltu â pherchennog hawlfraint pob llun. Yn yr achosion hynny lle na nodir ffynhonnell, gwerthfawrogir unrhyw wybodaeth berthnasol fel y gellir ei hymgorffori mewn argraffiadau yn y dyfodol.

PENNOD 1

AR Y GROESFFORDD

Gwamal yw cwrs bywyd, ac ni ŵyr dyn beth fydd ei dynged. Ar noson oer o Ragfyr 1868 gwelwyd cerddwr unig ar y lôn a arweiniai o fferm Trecefel, nid nepell o Dregaron. Codai tarth ysgafn o lannau afon Teifi gerllaw a thaflai golau'r lleuad ryw hud dros y wlad o gwmpas. Bu'r gŵr yn cerdded y ffordd hon droeon, mewn storm a hindda, ond heno doedd fawr o sioncrwydd yn ei gam. Cerddai fel petai pwysau'r byd ar ei ysgwyddau, ond nid y ddau 'suitcase' trwm a gariai oedd yn gyfrifol am hynny. Er ei fod dros ei hanner cant, roedd yn dal i fod yn ŵr syth a chyhyrog dros chwe throedfedd o daldra. Tarfai bref ambell ddafad ar dawelwch y nos, ac yng ngolau'r lleuad edrychai'r meysydd a'r perthi cymen ar eu gorau. Er mor annwyl fu'r cyfan yn ei olwg, ac er ei holl lafur dros y blynyddoedd, prin y sylwodd arnynt wrth iddo fynd yn ei flaen. Edrychodd dros ei ysgwydd a gweld yr hen ffermdy urddasol yn graddol gilio o'i olwg, ond nid oedd ganddo'r amser na'r awydd i loetran a gwerthfawrogi'r olygfa.

Enw'r gŵr oedd Joseph Jenkins, a bu am ugain mlynedd yn feistr ar Drecefel. Heno, byddai'n cefnu ar bopeth: ei deulu, ei fferm, a'i gydnabod. Nid oedd yn rhyfedd, felly, fod golwg ofidus arno, er na fu hynny'n ddigon i beri iddo newid ei feddwl. Ni allai unrhyw beth ar y ddaear ei gymell i ailystyried. Gwell oedd ganddo dorri cwys newydd ac ymwrthod â'i orffennol yn llwyr. Roedd wedi hen syrffedu ar gyfyngderau a threialon ei fywyd yn Nhregaron; roedd am ddianc rhag ei broblemau oll gan gredu bod ymwared llwyr yn ei aros ar gyfandir newydd ym mhen draw'r byd.

Mor wahanol oedd y cyfan ugain mlynedd yn gynt wrth iddo ef a'i wraig ifanc deithio'n dalog yn y *springcart* i fyny'r lôn i'w cartref newydd. Edrychent yn bâr delfrydol. Yr oedd cymaint yn gyffredin rhyngddynt, a dymuniadau da eu teuluoedd a'r gymdogaeth wedi coroni eu priodas. Yn eu dilyn i Drecefel roedd chwe wagen o'u heiddo, yn cynnwys yr anrhegion a gawsant yn eu neithior gan eu cymdogion. Onid oeddynt hefyd wedi cael tenantiaeth un o'r ffermydd gorau yn yr ardal? Prin bod cwmwl ar y gorwel wrth iddynt fynd ati i wneud llwyddiant o'r fferm ac i fagu teulu. Bu'r blynyddoedd a ddilynodd yn rhai o hau a medi, o adeiladu ac, ar adegau, o ddymchwel – a hefyd cafwyd cyfnodau anochel o dristwch mawr. Ond ni fyddai neb wedi dychmygu y pryd hynny y byddai'r cyfan yn dod i ben yn y modd hwn.

Un peth a reolai holl feddyliau Joseph Jenkins yn awr, sef yr awydd i ddianc. Cyrhaeddodd Bont Ffrainc a phwyllodd am ychydig. Erbyn hyn, roedd yn dechrau teimlo pwysau'r bagiau llwythog. Yma, yn nhawelwch y nos, cafodd gyfle i adolygu'r sefyllfa, ond anobaith a dicter oedd y teimladau a gronnai yn ei galon. Nid oedd yn rhy hwyr i ddychwelyd i gynhesrwydd aelwyd Trecefel, ond byddai hynny'n galw am faddeuant a chymod, ac yr oedd yn berson rhy falch i fedru ystyried y naill na'r llall. Ailgydiodd yn y bagiau a mynd yn ei flaen.

Cyrhaeddodd y banc a arweiniai at y rheilffordd; llithrodd i lawr a cherdded ar hyd y lein tuag at stesion Tregaron. Gwyddai am bob troedfedd ohoni gan iddo dreulio oriau yng nghwmni'r peirianwyr a'i gosododd yn ei lle. Yn wir, fe fu'n ymgyrchu'n frwd dros gael y rheilffordd yma yn y lle cyntaf, oblegid roedd yn ddigon craff i weld y manteision economaidd. Yr eironi heno oedd mai'r union reilffordd honno fyddai'n ei gludo i ffwrdd. Cyn bo hir byddai'n clywed sŵn y trên wrth iddo adael Pont Llanio am 8.42 p.m. a dringo'r inclein i fyny i Dregaron. Gosodai cwmni'r Manchester and Milford Line, a adwaenid fel yr 'M&M', gryn bwyslais ar brydlondeb eu trenau, felly byddai'n sicr o gyrraedd mewn pryd. Wrth gyrraedd y stesion, diolchodd nad oedd neb arall yno; anodd fyddai ceisio esbonio'r cyfan wrth unrhyw un o'i gydnabod. Roedd Benbow, gyrrwr y trên, yn hen ffrind iddo, ac wedi rhoi cyfle i Joseph gael ei gario ar *footplate* yr injan droeon, ond gwyddai na fyddai fawr o amser ganddo ef i'w groesholi am y byddai'n awyddus iawn i adael yn brydlon.

Cyrhaeddodd y trên, a gadael yn union am 8.52 p.m. Llwyddodd Joseph i gael sedd ar ei ben ei hun heb orfod torri gair â neb arall. Cyn bo hir byddai'n croesi ymyl Cors Caron lle bu'n torri mawn lawer o weithiau ar yr erwau diffaith; yna âi'r trên yn ei flaen heibio Allt-ddu, Strata Florida, Trawsgoed a Llanilar – pob erw'n ei ddwyn ymhellach oddi wrth ei geraint a'i gynefin.

Wedi cyrraedd Aberystwyth, rhaid oedd cael llety, ac er ei bod hi'n hwyr iawn, llwyddodd i gael gwely am y nos. Tybed a fyddai cysgu mewn gwely dieithr a gweld gwawr newydd yn torri yn gwanhau ei benderfyniad? Ond wrth adael y llety'n gynnar y bore wedyn, troi ei gamre am y stesion a wnaeth a gofyn am docyn trên i Lerpwl. Oddi yno bwriadai hwylio i ben arall y byd, i Awstralia, ac yn ystod y blynyddoedd nesaf byddai digon o amser ganddo i bwyso a mesur doethineb y penderfyniad hwnnw, gan yr âi chwarter canrif heibio cyn y byddai'n troedio daear Cymru eto. Yn ôl yn Nhrecefel câi Betty, ei wraig, hefyd, ddigon o amser i geisio deall pam y gadawodd ei gŵr yr aelwyd a'i wyth o blant heb unrhyw ymgeledd.

Drwy gydol ei oes yng Ngheredigion ac Awstralia, cadwodd Joseph Jenkins ddyddiaduron manwl lle y cofnododd ei deimladau dyfnaf yn ogystal â'r helyntion a ddaeth i'w ran. Trwy'r dyddiaduron hyn cawn olwg ar y gŵr cymhleth, ystyfnig a diddorol hwn, a dadlennant hefyd rai o'r rhesymau am y cam tyngedfennol a gymerodd ar y noson rewllyd honno, 8 Rhagfyr 1868.

PENNOD 2

DYMA FYDD FY NGHOFEB

Ar ben lôn gul uwchben pentref Tal-sarn ym mhlwyf
Llanfihangel Ystrad, Ceredigion, saif ffermdy gwyngalchog
Blaenplwyf. Yma ar ddydd Gwener, 27 Chwefror 1818, y ganed
Joseph Jenkins. Cafodd ei eni a nam ar ei wefus, a thrwy ei oes
priodolodd hynny i'r ffaith iddo gael ei eni ar ddydd Gwener
anlwcus a'i fod wedi ei wasgu yng nghroth ei fam. Drwy gydol
ei fywyd fe'i poenwyd yn fynych gan iselder ysbryd, a chredai'n
wirioneddol mai dyddiad ei enedigaeth oedd wrth wraidd y
cyfan. Meddai, 'I was doomed from the start! If I happen to be
reborn, I hope it will be on a more lucky day and under a brighter
star'. Dioddefai ei frawd, John, sef y bardd Cerngoch, o'r un
nam, ond yr oedd ef yn gymeriad tawelach wrth natur, ac ni
chafodd ei boeni gan yr un cyfnodau o anobaith.

Joseph oedd pedwerydd plentyn Jenkin ac Elinor Jenkins.
Dyma gyfnod y teuluoedd mawr, a ganwyd tri ar ddeg o blant i
Elinor. Yn ôl pob sôn, yr oedd ei gŵr, Jenkin, yn gymeriad cryf,
awdurdodol a gymerai ran amlwg ym mywyd y gymuned
wledig. Undodiaid a fynychai Capel Ystrad (Rhyd-y-gwin) oedd
y teulu, a chymerent ran flaenllaw yn y gweithgareddau. Roedd
Jenkin yn aelod o'r Board of Guardians oedd â chyfrifoldeb am
dlodion y plwyf. Mae'n debyg ei fod hefyd yn ynad, oblegid ceir
sôn amdano'n eistedd yn fynych gyda'r Barnwr ym mrawdlys

Aberteifi. Mewn oes pan oedd cyfleusterau addysg yn brin, mynnodd fod ei blant yn cael dysgu darllen y Beibl ac ysgrifennu, a chyflogodd diwtor preifat i ymweld â Blaenplwyf i hyfforddi'r plant. Jac Llwyd, crydd a daliwr gwaddod oedd yr athro, ac fe'i talwyd am ei wasanaeth â chig, tatws ac wyau. Ond yn ôl dyddiadur Joseph Jenkins, 'Jac Llwyd used more of the birch than the Bible'. Ar yr aelwyd, cafodd y plant eu magu i barchu'r egwyddorion hynny sy'n rhoi pwyslais ar waith caled ac ymroddiad llwyr.

Hanai Elinor Jenkins o deulu fferm Coedparc ger Betws Bledrws ac roedd yn nith i'r enwog Dafydd Dafis, Castellhywel. Yn ei ddydd ystyrid Dafis yn weinidog o gryn ddylanwad ac yn fardd a llenor o fri. Ef oedd cyfieithydd 'Gray's Elegy' i'r Gymraeg, a mynnai rhai o'i edmygwyr fod y cyfieithiad yn rhagori ar y gwreiddiol. Roedd hefyd yn athro o ran argyhoeddiad ac agorodd academi yng Nghastellhywel i ledaenu dysg ymhlith ieuenctid yr ardal. Felly, yr oedd gwreiddiau go sicr gan deulu Blaenplwyf, ac egwyddorion crefydd, dysg a diwylliant wedi eu plannu'n ddwfn ar yr aelwyd.

Yr oedd yr awydd i wella'i addysg yn gryf yng nghyfansoddiad Joseph Jenkins. Er mwyn meistroli'r iaith Saesneg yn bennaf, penderfynodd fynd ati'n gynnar yn ei fywyd i gadw dyddiadur manwl o ddigwyddiadau'r dydd. Cychwynnodd pan oedd yn un ar hugain oed gyda'r cofnod canlynol:

1 January 1839
A book of Diaries made by Joseph Jenkins Blaenplwyf, Ystrad Cardiganshire commencing in the year 1839 at my father's residence at Blaenplwyf.

Tuesday 1st 1839
John and I thrashing. After breakfast – hauling stones.
My father was at Pentrefelin. John Jones and Thomas
Jones were measuring walls. 189 children called for new
year's gifts.

Byddai'r nodyn syml hwn yn arwain at gyfrolau swmpus.

Blaenplwyf, Llanfihangel Ystrad; man geni Joseph Jenkins

I ni heddiw, mae'n rhyfedd gweld gŵr a fagwyd mewn
cymdeithas a oedd i bob pwrpas yn uniaith Gymraeg, yn troi at
yr iaith fain er mwyn mynegi ei deimladau dyfnaf a'i brofiadau
personol; ond ar wahân i'r cymhelliad i wella'i Saesneg, mae'n
rhaid cofio bod yna ymdeimlad cryf yn y cyfnod hwnnw mai
Saesneg oedd yr iaith addas i gofnodi popeth cyfreithiol neu
swyddogol. Yn hyn o beth roedd Joseph Jenkins yn adlewyrchu'r
gred a fodolai yn Oes Victoria mai'r iaith Saesneg fyddai'n
goroesi yn y pen draw. Mae'r dyddiaduron yn rhychwantu yn

agos i drigain o flynyddoedd, ac yn pontio dau gyfandir, felly
safant yn gronicl cyflawn a gwerthfawr, nid yn unig o hanes ei
fywyd ef ei hun, ond hefyd o hanes y cylchoedd y bu'n troi
ynddynt.

Mae un o'i gyfoeswyr yn ei ddisgrifio'n mynd ati i'w
ddiwyllio'i hun nos ar ôl nos ar ôl cyflawni gorchwylion caled y
fferm:

> ... gyda dicsionari wrth ei ochr, yngoleu cannwyll yn y
> 'rŵm dan storws, treuliau oriau bob nos ar ôl swper i
> ddarllen ac ysgrifenu. Ni wyddai y tad am y gwastraff
> hyn ar amser a goleu. Drwy yr hunan ddiwylliant hyn
> daeth i deimlo heb fod yn hir, y gallai sgrifenu a spelian
> Saesneg yn weddol gywir.[1]

Flynyddoedd yn ddiweddarach, ac yntau dros bymtheng mil o
filltiroedd o Gymru, cyfeiriodd Joseph Jenkins at yr ymdrechion
cynnar hyn:

> 1 January 1880 Australia
> This is my 41st diary ... having commenced my 1st diary
> in 1839 in Wales. And when my MSS will be brought to-
> gether, not a blank day can be found since ... I had very
> little idea of either spelling or writing the English
> language. I had educated friends in London. I took
> advantage of Sir Rowland Hill's penny postage Scheme
> as well as my own exertions ... And through this I
> became able to ... correspond and contribute to the most
> critical daily and weekly Journals in both Welsh and
> English.

Yr oedd cadw'r dyddiaduron hyn yn fath o gatharsis. Gallai
arllwys ei holl bryderon a'i ofidiau iddynt, a bron na allai yntau
ddweud fel y gwnaeth y bardd Byron, 'This Journal is a relief ...

---

[1] *Cerddi Cerngoch*, Cwmni y Wasg Eglwysig Gymreig, Llanbedr Pont Steffan, ail
arg. (1904), t. xxiv.

down goes everything'. Wrth iddo eistedd ar graig yn y *bush* yn Awstralia un min nos i gofnodi helyntion y dydd, gofynnwyd iddo gan un o'i gydweithwyr pam y trafferthai ddilyn y fath arferiad. Ei ateb yn syml oedd, 'This shall be my monument, for better or worse'.

Mae'r dyddiaduron cynnar yn rhoi inni ddarlun byw o'r math o fywyd a ffynnai yn y gymdeithas wledig yng Ngheredigion. Dyddiadur 1845 yw'r un cyflawn cyntaf sydd ar gael. Bu hon yn flwyddyn eithriadol o anodd ar y tir. Ar ei orau roedd bywyd ar y ffermydd yn gallu bod yn galed, ond i deulu Blaenplwyf, fel i'r mwyafrif o amaethwyr Cymru, roedd hanner cyntaf y ganrif ddiwethaf yn gyfnod o gryn galedi. Yn sgil Rhyfel Napoleon bu dirwasgiad a barhaodd hyd ail hanner y ganrif, felly brwydr gyson am gynhaliaeth fu bywyd i amryw o ffermwyr. Gwaethygwyd y sefyllfa gan y mynych glefydau a oedd yn gyffredin ymhlith y bobl yr adeg honno, ond er hyn oll, gosodwyd cryn bwyslais ar 'gymdogaeth dda' wrth i deuluoedd a chymdogion gynorthwyo'i gilydd mewn cyfnodau anodd. Pan drawyd un o forynion Blaenplwyf yn sâl, sonia Joseph Jenkins am yr ymdrechion i'w gwella:

> 9 January 1845 Blaenplwyf
> Saddled the horse and went for the doctor. Mary Cefnbysbach is very ill. Went to Lampeter for the Union Doctor – Thence to Cillgell for Certificate from Relieving Officer ... came back accompanied by the Doctor and thence to Lampeter for the drugs.

Mynych, serch hynny, oedd yr angladdau o fewn y fro am fod afiechydon yn rhemp a'r gofal meddygol yn brin. Yr oedd anhwylderau'r frest a'r gwynegon yn bla, yn ogystal â llu o afiechydon eraill, megis colera, diptheria a'r dwymyn goch. Mae'r dyddiadur ar gyfer tri mis cyntaf 1845 yn sôn am ryw dri angladd yr wythnos ar gyfartaledd o fewn y fro. Roedd yn ddyletswydd ar deuluoedd i fynychu angladdau eu cymdogion fel arwydd o barch ac er mwyn rhoi cynhaliaeth i'r rhai oedd yn galaru. Mae Joseph Jenkins yn cofnodi'r marwolaethau a fu yn yr ardal, ac adlewyrchir yn y dyddiadur y golygfeydd trist a welwyd bron yn feunyddiol yng nghefn gwlad Ceredigion:

2 January 1845
There are 3 funerals ... one of a child.

22 January 1845
John and I ploughing. My father at the funeral of Jac Carn. I myself feel unwell.

28 January 1845
Father and John at John Vaughan Esquire Brynog's funeral. The brethren of Ystrad Benefit Society were requested to meet the funeral at the Lodge. Heavy shower of snow.

8 February 1845
Funeral of John Walters, Garthenor.

9 February 1845
Jenkin Jenkins Pentrefelin very ill ... seized by spotted fever.

Gallai'r heintiau hyn daro'n greulon o sydyn ac yr oedd y plant yn arbennig mewn perygl mawr.

12 February 1845
Funeral of the child of David Carpenter, Silian. Hail and snow.

15 February 1845
My mother and John at the funeral of the daughter of Daniel Evans who died after being confined in bed for a few days by the fever which rules this vicinity.

17 February 1845
David Davis, Servant, died to-day aged 39 years after a
very short illness. He was quite well last Thursday.

18 February 1845
My nephew at Pentrefelin is very sick.

19 February 1845
Went to David Parcneuadd funeral ... my father went to
the funeral of David Davies, Red Lion, Talsarn.

21 February 1845
John and I went to meet the bier for carrying the child of
William Smith. We went with the funeral to Llangeitho.
Thomas Evans Blaencwm aged 14 died of the spotted
fever.

Yr oedd Thomas Evans, Blaencwm, yn blentyn i un o weision
Blaenplwyf, felly ymgymerodd y teulu â'r cyfrifoldeb o gynnal
y rhieni trallodus. Aeth Elinor Jenkins i 'wylied' y corff ac i
gynnal gwylnos y noson cyn yr angladd, a Joseph a'i frawd John
a aeth i mofyn yr elor:

26 February 1845
John and I went for the bier for carrying the corpse of
Thomas Blaencwm.

Hwythau hefyd, ynghyd â chymdogion eraill, a gludodd yr arch
i'r fynwent ar ddiwrnod oer o eira a chesair.

Parhaodd y clefydau a'r marwolaethau mewn grym drwy
gydol y gaeaf, fel y tystia'r dyddiadur am fis Mawrth 1845:

1 March 1845
Mother at the funeral of the daughter of Trefynor.

2 March 1845
A boy died at Spite again this morning after a very short
illness.

4 March 1845
The old Tim Cribyn died yesterday – it freezes very hard.

5 March 1845
Father at Timothy Davies' funeral.

25 March 1845
My father meeting the funeral of daughter of John Hughes.

3 April 1845
Father at the funeral at Cwm Bettws of a young girl died of consumption after a long illness.

Mae cyfeiriadau at y 'consumption', neu'r dicáu, yn ymddangos yn gyson iawn yn y dyddiaduron, a phrin y medrodd yr un teulu ddianc rhag effeithiau arswydus y clefyd hwn. Trawodd y T.B. dri o blant Joseph Jenkins ei hun, a bu nifer o'i berthnasau farw o ganlyniad iddo. Yr oedd teulu Blaenplwyf hefyd yn hen gyfarwydd â thrallod. Bu Griffith, y cyntaf-anedig, farw, a chollwyd Esther, y ferch ifancaf, yn naw oed o'r dwymyn goch (*scarlet* neu *spotted fever*). Bu cysgod y dicáu yn hofran uwchben y teulu ar hyd y blynyddoedd; wedi cystudd hir a phoenus bu Anne, chwaer arall, farw pan oedd yn ddeg ar hugain oed.

Yn y 'Seventh Report of the Medical Officer of the Privy Council', 1864, cyfeirir at y dicáu fel 'the plague of Cardiganshire'. Disgrifir y clafdy yn Aberystwyth fel lle oedd yn 'always full of scrofula' (sef term arall am T.B.). Priodolir y clefyd i'r dull o fyw yn y sir, a deilliai o dlodi, prinder bwydydd maethlon, a thai llaith a thywyll heb ddigon o awyr iach ynddynt. Ceir peth awgrym hefyd bod yr arfer o deuluoedd yn priodi ymysg ei gilydd yn cyfrannu at ledaeniad y clefyd.

Er bod ffermydd canol Ceredigion yn cynhyrchu bwydydd da, rhaid oedd gwerthu'r rhan fwyaf o'r cynnyrch er mwyn cael dau ben llinyn ynghyd. Mae Joseph Jenkins yn sôn am werthu cannoedd o bwysi o gaws a menyn yn y marchnadoedd. Felly hefyd yr anifeiliaid: yr ŵyn, eidionnau, yr ieir a'r moch. Mae adroddiad y Cyfrin Gyngor yn nodi:

Nothing but the sternest frugality ever hope to find gain ... the farmer himself does not eat fresh meat once a month ... his meal is the leanest cheese or lean beef or ham salted and to the texture of mahogany, and hardly worth the difficult process of assimilation.

Os mai dyna'r arlwy a welid ar fyrddau'r ffermwyr, yr oedd sefyllfa'r gweision a'r morynion yn eu bythynnod tlawd yn waeth o lawer. A dyfynnu eto o'r un adroddiad:

A morsel of salt meat or bacon is used to flavour a large quantity of broth or gruel of meat and leeks, and day after day this is the labourer's dinner.

Felly'r darlun cyffredinol a geir yw un o dlodi enbyd yn achosi afiechyd a marwolaethau cynnar. Dyma ddisgrifiad swyddog meddygol o amaethwr yn y cyfnod hwn:

A farmer in Cardiganshire must be taken to mean a person badly lodged, and insufficiently fed and clothed. There were hungry people pining for want of food as soon as weaned ... The physical condition of the people was declining, tuberculosis and scrofula were the scourges of the rural society.

Meddai'r Athro Ieuan Gwynedd Jones wrth gyfeirio at gyflwr y bobl:

... the condition of the people was so appalling that

religion was their penultimate refuge, the ultimate refuge was emigration.[1]

Fe ddewisodd miloedd o drigolion y sir ddianc, naill ai i ardaloedd diwydiannol y de, neu ar draws y môr i diroedd pellennig er mwyn ceisio bywyd gwell.

Yr oedd Blaenplwyf yn fferm gymharol fawr o ryw 233 o aceri. Rhedai afonydd Denis a Dyfel drwyddi, ond eto yr oedd rhan helaeth ohoni'n gorstir. Tenant oedd Jenkin Jenkins i deulu Lisburne, Trawsgoed, ac o'u cymharu â thrwch eu cymdogion, roedd teulu Blaenplwyf yn eithaf cyfforddus eu byd. Rhannwyd y fferm yn 64 o gaeau mawr a bach, ac roedd yna bump o fythynnod ar gyfer y rhai a wasanaethai ar y tir. Enwau'r bythynnod oedd Gwargors, Banc, Cefnbysbach, Blaencwm a Phenrhiw.

Darlun o lafur a chaledi a geir yn nyddiaduron Joseph Jenkins. Codi am chwech y bore, yna gweithio hyd wyth cyn cael brecwast. Seibiant pellach ar gyfer cinio ganol dydd, ac yna gweithio hyd tua wyth o'r gloch y nos. Byddai galw ar bob aelod o'r teulu i wneud ei ran ym mywyd y fferm:

28 January 1845
At the mill grist with the corn. Produced 44 bushels of pilcorn.

8 March 1845
John and I enlcosing and threshing ... Brother David at Lampeter Mill with 2 bushels of wheat.

14 March 1845
Freezing hard. It was with great difficulty that I cut the ice for having some water to the horses. My sister Jane to Lampeter for selling butter.

---

[1] 'The Elections of 1865 and 1868', *Transactions of the Honourable Society of Cymmrodorion* (1964), tt. 41-56.

Cyfrifid Jenkin Jenkins, Blaenplwyf, yn feistr llym ond teg. Yr oedd yn amaethwr dawnus, a chyflwynodd y grefft i'w feibion. Dysgodd iddynt sut oedd sychu'r tir drwy agor ffosydd, sut oedd plannu perthi dwbl, sut oedd rhoi achles i'r tir a hefyd sut i ofalu am yr anifeiliaid. Wrth ymgyfarwyddo â llafur caled, ac wrth ddysgu am hanfodion amaethu, cafodd Joseph Jenkins baratoad a fyddai o fudd mawr wrth iddo wynebu treialon y dyfodol.

Nid y dynion yn unig a lafuriai o fore tan nos, oherwydd yr oedd economi'r fferm yn dibynnu llawer ar y gwragedd. Byddai Elinor Jenkins, y merched a'r morynion, wrthi'n ddi-baid yn nyddu ac yn gwau sanau llathed o hyd er mwyn eu gwerthu yn y ffeiriau. Mae llun a dynnwyd o Elinor Jenkins yn ei henaint yn ei dangos a gweill yn ei dwylo yn dal i wau. Y gwragedd hefyd oedd yn gyfrifol am wneud y caws a'r menyn.

Erbyn hyn, roedd galw mawr am gynnyrch ffres o'r wlad yn ardaloedd diwydiannol y de, megis Merthyr Tudful a'r Rhondda, ac mae'r dyddiaduron yn sôn yn aml am bwysigrwydd y *carrier* a fyddai'n teithio o gwmpas y ffermydd yn casglu'r bwydydd i'w cludo i'r ardaloedd poblog. Roedd ambell un o'r rhain yn dipyn o gymeriad, megis John, Llwynbrain, a deithiai o gwmpas canolbarth sir Aberteifi. Galwai ym Mlaenplwyf yn gyson, ac yna, wedi llwytho'i gert – y 'cardicart' – ag wyau, menyn, caws a bacwn, teithiai'r holl ffordd i Ferthyr. Yno disgwyliai llu o alltudion o'r ardaloedd gwledig yn awchus, nid yn unig am y bwyd maethlon o Geredigion, ond hefyd am y newyddion diweddaraf o'r hen sir. Mae'r bardd Sarnicol yn rhoi darlun o daith ac arferion y *carrier*:

SIWRNAI'R CARIER I FERTHYR
Dacw fe'n mynd y bore bach
Yn y cart i Ferthyr tan ganu'n iach,
O Dalfan, Caericed, neu Cynycwm,
A'i galon yn ysgawn, a'i lwyth yn drwm.

Cyrhaedda Lambed rhwng naw a deg
A'i enau'n sych gan y tywydd teg;
Ac yn y Bush y mae'n tynnu lawr
I'r ceffyl gael ffido am ryw awr.

Ar 3 Mai 1845 aeth Joseph a'i frawd i gwrdd â John
Llwynbrain â chyflenwad o gynnyrch Blaenplwyf:

> Jenkin and I went with two loads of butter to be taken to
> Merthyr by John Llwynbrain who has sold them there for
> eight pennies and three farthings per lb.

Ond bum mis yn ddiweddarach, cofnod trist a geir am John,
Llwynbrain. Yn anffodus, roedd yn or-hoff o'r ddiod ac weithiau
dibynnai ar ei geffyl i ddod o hyd i'r ffordd. Un noson, ar siwrnai
i Ferthyr, ac yntau yn ymyl Tafarn Jem, bu damwain echrydus:

> As John Jones Llwynbrain this evening was going to-
> wards Merthyr with a load of butter and a dead pig, he
> met his instant death. He drank rather heavily at
> Troedrhiw, Lampeter – He proceeded on his journey as
> far as Tŷ Gwilym when the horse suddenly turned right
> ... the cart was upset and the deceased suffered his death.

Er nad oedd fawr o gyfle i drigolion y cylch ymweld ag
ardaloedd dieithr, byddai'r gwŷr ieuainc, ar adegau, yn cael
teithio cyn belled â'r Mynydd Du, sir Gâr i mofyn calch. Byddai
bechgyn Blaenplwyf yn cystadlu ymhlith ei gilydd am y cyfle i
fynd ar y daith hon, oblegid roedd yn golygu cyfnod byr yn
rhydd o alwadau caeth y fferm. Tro Cerngoch oedd hi ym mis

Mai 1845:

26 May 1845
My brother John went for a load of lime to
Carmarthenshire.

27 May 1845
He arrived home from the Kilns about 7 o'clock.

Yr oedd yn rhaid dechrau ar y daith tua phedwar o'r gloch y
bore, ac ambell waith fe fyddai'n ras er mwyn bod y cyntaf i
gyrraedd yr odynnau. Costiai llwyth o galch hanner coron, a
rhoid tair ceiniog i'r gyrrwr am ei gynhaliaeth yn ystod y daith.
Byddai'n rhaid talu wrth y tollbyrth hefyd, arfer a fu mor wrthun
i Ferched Beca. Weithiau fe fyddai prinder calch, ac yna
dychwelid â llwyth o lo:

30 May 1845
John and David went for 2 loads of lime to
Carmarthenshire but were obliged to come home with 2
loads of coal ... It was very hard to have lime below
Llandeilo.

Bu'n rhaid i Joseph Jenkins fodloni ar fynd i mofyn llwyth o
galch o Aberaeron a gludwyd yno gan longau. 'Jenkin, Timothy
and Brother Benjamin came with me to Aberayron for a load of
lime in the kilns there.'

Diwrnod cyffrous yn hanes teulu Blaenplwyf oedd diwrnod
cneifio, a gynhaliwyd fel arfer ar 10 Gorffennaf. Cadwyd y
defaid ym Mronbyrfe ar y mynydd uwchben Llanddewibrefi, a
chychwynnodd rhyw ugain o bobl ar gefn ceffylau o Flaenplwyf
am bump o'r gloch y bore i'w nôl. Yn eu plith roedd ambell ŵr
amlwg fel y Parch Evan Evans, Hafod, a J.E. Rogers,
Abermeurig. Roedd y rhain â'u llygaid yn fwy ar gael diwrnod o
hamdden na diwrnod o waith caled â'r gwellau. Tra cneifiai'r

gweithwyr, treuliai'r rhain eu hamser yn pysgota gan ddal 'many black trout in the streams'.

Wedi cwblhau'r cneifio, byddai'r gwŷr yn marchogaeth i Landdewibrefi, ac yn chwarae math o bêl-droed draddodiadol yno yn erbyn y pentrefwyr. Ar ôl dychwelyd i Flaenplwyf gyda'r nos, byddai gwledd o gawl bresych a thato newydd yn eu haros, wedi ei pharatoi gan Elinor a'r merched.

Er bod yna gyfnodau prin o adloniant, brwydr gyson yn erbyn yr elfennau oedd bywyd ar y fferm. Brithir dyddiaduron Joseph Jenkins â chyfeiriadau at y tywydd a'i effaith andwyol ar ddyn, creadur a chnwd. Bu chwe mis cyntaf 1845 yn gyfnod eithriadol o anodd, a cheir cyfeiriadau bron yn ddyddiol at eira, glaw, a chesair di-baid. O ganlyniad, roedd prinder dybryd o fwyd ar gyfer yr anifeiliaid. Teimlir yr ing a'r gofid yn ei gofnod ar Ddydd Gŵyl Dewi:

1 March 1845
What shall we do with beasts, horses and horned cattle ... The fodder is entirely out in many places and will out soon almost through the whole kingdom ... The voice which enters my ears is my beasts will starve to death if the Spring is not at hand. Money is dear ... but not half as dear as fodder this season.

Parhau'n ddrwg a wnaeth y sefyllfa drwy gydol y gwanwyn a'r haf, a cheir nodau o anobaith llwyr yn y dyddiadur yn aml. Erbyn mis Tachwedd roedd pethau'n dal yn drychinebus:

November 1845
We are behind with our work this year on account of the severe frost ... so that stacks remain unthatched, potatoes remain in the drills and the wheat is unsown and in sacks.

Rhoddodd Joseph Jenkins fynegiant llwyr i'r teimladau o

ddigalondid ac anobaith a ddeuai i ran yr amaethwyr wrth weld
y fath sefyllfa argyfyngus:

> What can be more miserable by any man than to see his
> dumb creatures starving to death in need of food? May
> God help his creation!

PENNOD 3

TEULU BLAENPLWYF

Er bod y dyddiaduron yn llawn cyfeiriadau at galedi bywyd beunyddiol amaethwyr Ceredigion yn ystod y ganrif ddiwethaf, mae yna ddarlun hefyd o gymdeithas glòs a chymdogol. O'i mewn, roedd yna barch at grefydd a diwylliant, a rhoddwyd pwyslais mawr hefyd ar gadw'r hen arferion. Amlygwyd y nodweddion hyn ar aelwyd Blaenplwyf, a rhoddwyd lle pwysig i addysg, er bod y cyfleusterau'n brin.

Yr oedd i'r bardd gwlad statws arbennig o fewn y gymdeithas. Ymrôdd Joseph Jenkins a'i frawd, John, yn gynnar i feistroli cyfrinion cerdd dafod. Byddent yn ymarfer y gynghanedd wrth lafurio yn y caeau, gan gyfansoddi penillion ac englynion i ddifyrru'r cwmpeini. Disgwylid i unrhyw lasfardd ac uchelgais ganddo fabwysiadu enw barddol, a dewisodd Joseph Jenkins yr enw Amnon II. Rees Jones, Pwllfein, hen fardd gwlad, oedd Amnon I, ac fe gymerodd Joseph yr enw rhag iddo fynd i ebargofiant. Cymerodd John yr enw Cerngoch – am resymau corfforol amlwg – a daeth ef yn ei dro'n fardd poblogaidd iawn yn yr ardal. Ni chafodd yr un ohonynt fawr o addysg ffurfiol, ac yn sicr, ni chawsant ddim hyfforddiant yn eu mamiaith. Yn 1886 mae Joseph Jenkins yn nodi; 'I had only two quarters of English schooling when I was 13. I never had a single day in my native language'. Nid peth anghyffredin oedd hynny, ond bu dylanwad y capel a chryfder naturiol yr iaith yn y gymdeithas yn fodd i'w trwytho yn y Gymraeg.

Gwelsom eisoes i'w tad drefnu i'r plant gael eu haddysg ar aelwyd Blaenplwyf, ond pan agorodd y Parchedig Rees Davies, gweinidog Capel y Groes ac Ystrad, ysgol yn Llanwnnen, danfonwyd Joseph a'i frawd, Griffith, yno am ysbaid. Aethant bob bore Llun 'gyda phob i dorth farlus a thipyn o enllyn mewn cwdyn ar eu cefnau', a lletyent gyda'r athro yn Llwyngroes. Pan symudodd Rees Davies i Benbryn, Cribyn, danfonwyd Joseph a John yno, a bellach roedd modd iddynt deithio'r tair milltir a hanner yn ddyddiol. Mawr oedd parch Joseph Jenkins at ei athro; yn wir cyfeiriodd ato fel 'athro heb un eithriad'. Serch hynny, ei addysgu ei hun a wnaeth yn bennaf. Ceisiodd wella'i Saesneg drwy ddarllen llyfrau a phapurau, a hynny â chymorth geiriadur gyda'r nos wrth olau cannwyll. Darllenodd bopeth a ddaeth i'w afael er mwyn ehangu ei orwelion, ac anfonai am lyfrau o Lundain. Deuai parseli o'r ddinas honno i Blaenplwyf yn aml, ac er i Joseph Jenkins gwyno y gallai costau postio fod mor uchel â dau swllt a naw ceiniog, credai nad oedd dim yn ormod i'w dalu er mwyn cael addysg. Ymddiddorodd mewn sawl agwedd ar lenyddiaeth Saesneg, gan ddarllen gweithiau Shakespeare a Dickens, ac ymgyfarwyddo â barddoniaeth Milton, Keats a Wordsworth. Fe'i disgrifiwyd gan ei deulu fel 'un a'i ben yn gyson mewn llyfrau'.

Mae'r dyddiaduron yn frith o gyfeiriadau at glefydau a salwch, at farwolaethau ac angladdau, ond ceir hefyd gyfeiriadau at ddigwyddiadau hapusach. Yr oedd priodasau'n achlysuron hapus, ac roedd llawer o arferion yn gysylltiedig â hwy. Sonnir yn aml am y teulu'n mynychu'r *bidding*.

17 January 1845
My sister Jane has been at Penbont's Trefinfach bidding.

14 February 1845
Jane and John at the bidding at Pencarreg. Snow and hail.

Pan fyddai dydd y briodas yn nesáu, danfonid y Gwahoddwr o gwmpas yr ardal i gyhoeddi'r achlysur. Cariai ffon wedi ei haddurno â rubanau amryliw, a'i swyddogaeth oedd gwahodd y cymdogion i'r neithior, neu'r wledd briodas. Erfyniai hefyd am roddion i'r pâr priodasol. Roedd y neithiorau'n ddigwyddiadau o bwys ac yn gyfle i'r gymdogaeth ddangos ei chefnogaeth i'r priodfab a'r briodferch. Ceid cryn dipyn o ddifyrrwch ynddynt, a cheir llu o gyfeiriadau atynt yn nyddiaduron cynnar Joseph Jenkins:

28 November 1845
I went to the bidding at Penbryn. I went in the morning for a load of chamber utensils to Tynygwndwn. We were four men with carts. We spent a very merry day at Penbryn – about 50 chambermaids were present. 19 cheese moulds were presented to the young pair.

Mae llyfr cyfrifon Blaenplwyf[1], sy'n rhoi manylion am ddyledion a thaliadau'r teulu, yn cynnwys amryw o gyfeiriadau at yr haelioni a ddangoswyd ganddynt yn y *biddings*.

27 January 1846
Paid at Bwlchwernen bidding 1-6.

5 November 1846
To Jane and David Thomas, Rhos, bidding 5-0.

10 November 1846
To Jane at Gelliglo bidding 4-6.

21 November 1846
To Jane for bidding 6-0.

---

[1]   Trwy garedigrwydd Gareth a Beti Davies, Sychbant, Tal-sarn, Ceredigion.

Arferiad cyffredin arall oedd y 'pyncio' neu'r 'pwnco', lle câi'r beirdd gwlad gyfle rhagorol i ymarfer eu doniau. Bu galw mynych ar Amnon II a Cherngoch i wasanaethu mewn priodasau, a thrwy hynny tyfodd eu henwogrwydd fel beirdd o fewn y gymdeithas. Rhigymwyr oedd y beirdd gwlad gan fwyaf, ond ar yr un pryd perthynai iddynt awen barod a allai fod yn ddifyr neu'n ddeifiol. Er nad oeddynt yn anelu at gynhyrchu barddoniaeth fawr, gallent ar adegau roi mynegiant i deimladau'r gymdeithas, boed y rheini'n rhai hapus neu'n rhai trist. Yn eu cerddi dychan gallent ddinoethi pob math o ragrith a thaeogrwydd a hynny mewn modd difyr a doniol.

Cynhelid y pyncio ar fore'r briodas pan gaeid y briodferch o fewn y tŷ yng nghwmni un o'r beirdd gwlad. Yna fe ddeuai'r priodfab a'i ffrindiau i'w chyrchu – ac wrth gwrs fe gaent ddrws wedi ei gloi yn eu herbyn. Byddai bardd arall yn eu cwmni hwythau ac eid ati i gynnal cystadleuaeth farddol rhwng y ddau fardd. Yn ffodus, mae llawer o'r penillion 'pen drws' hyn wedi goroesi, ac yn eu plith y rhai a ganwyd ym mhriodas David Hughes, saer o'r Banc, ac Elisabeth Evans o Flaencwm. Yn y briodas hon bu Amnon II yn cynrychioli'r briodferch y tu mewn i'r tŷ, a'i frawd Cerngoch y tu allan gyda'r priodfab. Mae Cerngoch yn mynd ati i glodfori'r stad briodasol:

Y MAB: Addefa pawb fod priodas
     I ddyn yn ddefod addas,
     Er byw mewn undeb diwahan
     Mewn parch a glân gymdeithas.

Ond mae Amnon II yn dadlau ar ran y briodferch:

Y FERCH: Pa'm daethoch mor ddig'wilydd
     O galon efo'ch gilydd;
     Dros y saer, er maint ei serch
     I ddwyn y ferch ar Dafydd.

Ar ôl rhestru rhinweddau'r priodfab, mae Cerngoch yn gofyn:

Y MAB: Pa'm rhwystrwch ni ar ein siwrnai
                Os felly ceir meddianau;
                Mae gyda Deio dros dri chant
                I roi i'r plant a hithau.

Mae'n amlwg fod y ddadl hon a'r cyfeiriad at gyfoeth y
priodfab wedi taro'r cywair priodol, oherwydd mae Amnon II yn
ildio gan roi mynediad i'r tŷ i osgordd y priodfab:

Y FERCH: O! dowch i mewn, gyfeillion,
                Mae'r drws ar 'gored ddigon;
                Cewch fwyd a diod yn ddi-lai,-
                Mae arian yn rhai purion.

                Mae Betti wedi'i dysgu
                I hela bara a golchi,
                Fe odra'r fuwch, fe hil y lla'th,-
                'Does dim o'i bath yng Nghymru.[1]

Yn ystod yr ymryson barddol hwn, canwyd saith ar hugain o
benillion byrfyfyr sy'n dangos inni ddawn barod y bardd gwlad.
Ar ddiwedd ei oes cyfaddefodd Joseph Jenkins fod ei frawd
Cerngoch 'yn llawer cyflymach na mi mewn prydyddiaeth', ond
bu'r ddau wrthi'n barddoni drwy gydol eu hoes. Mae toreth o
gerddi caeth a rhydd o'u heiddo ar glawr, a chynhwyswyd llawer
ohonynt yn y gyfrol *Cerddi Cerngoch*.

Erbyn 1845 roedd Cerngoch wedi dechrau caru merch leol,
Margaret Evans, Tyngwndwn. Mae Joseph Jenkins yn adrodd sut
y bu i'w dad ymweld â rhieni'r ferch er mwyn taro'r fargen
briodasol, a phenderfynwyd fod y pâr ieuanc i wneud cynnig am
denantiaeth fferm Penbrynmawr a oedd yn wag ar y pryd. Mae'n
amlwg fod yna beth brys wrth wneud y trefniadau, oblegid bu'n

[1]   *Cerddi Cerngoch, op. cit.* tt. 145-149.

rhaid i Cerngoch geisio trwydded yn ddiymdroi:

5 May 1845
My brother John labours to-day for a licence to marry.
He found it at Llanarth ...

Y diwrnod canlynol nodir:

6 May 1845
My brother John went down to Ystrad to be married to-
day accompanied by my father and John Davies Ty'n
rhos.

Er bod Joseph a'i frawd yn agos iawn, ni chafodd fynychu'r
briodas, a hynny, yn ôl Joseph, 'owing to the unfriendliness of
my father'. Daw'r rheswm am y brys yn amlwg ymhen byr
amser:

31 May 1845
News came that the wife of my brother John is unwell.

A'r diwrnod wedyn, 'My sister in law has safely delivered of
a son at about 3 o'clock'. Fe enwyd y baban yn Jenkin ar ôl ei
dad-cu. Etifeddodd ddawn farddonol ei dad a daeth yn fardd
gwlad enwog gan gymryd yr enw barddol Aeronian; ond fel y
gwelir, ni fu cwrs bywyd yn garedig wrtho.

Wedi ymadawiad ei frawd, John, â Blaenplwyf, treuliodd
Joseph gryn dipyn o amser ar fferm Clwtypatrwn, Llanfair
Clydogau, lle'r oedd ei chwaer Margaret yn byw. Dechreuodd
amlygu'r ddawn i wella anifeiliaid, ac ym mis Awst 1845 aeth
yno 'to bleed a mare ... and to twist a stool for my sister'.

Yr oedd i'r capeli le amlwg yn y gymdeithas a phrin y
byddai'r teuluoedd yn esgeuluso'r moddion ar y Sul. Serch
hynny, cafwyd cyfle yn awr ac yn y man i ymlacio yn y ffeiriau
a gynhelid o bryd i'w gilydd. Y mwyaf nodedig oedd Ffair Dalis,

Llambed, Ffair Garon, Tregaron, a Ffair Tal-sarn. Mae llyfr cyfrifon Blaenplwyf a gadwyd gan Joseph yn nodi'r arian a roddwyd i aelodau'r teulu er mwyn mynychu'r gwahanol ffeiriau a frithai'r sir:

1846		£	s	d
8 September	Expenses at Talsarn fair	0	2	0
8 September	Expenses at fair for Jenkin and Joseph	0	4	0
12 October	At Pencarreg fair, gate and expenses	0	2	8
14 November	At Lampeter fair, beer, fancy biscuits	0	3	6
1847				
11 January	Paid to Jane Jenkins at fair		5	0
11 January	Paid to Joseph at the fair		1	0
16 January	Paid to brother David as expenses at fair		2	6
17 January	Paid at Llanarth fair		1	6

Yr oedd y ffeiriau'n bwysig o safbwynt yr economi. Yn Ffair Tal-sarn cafwyd arwerthiant o 'cattle heifers and bulls only'. Yn Ffair Garon mae Joseph yn nodi iddo werthu '9 casks of butter', ac yr oedd Ffair Dalis yn enwog am arwerthiant ceffylau.

I'r ffeiriau hyn hefyd y deuai'r gweision a'r morynion a fynnai gael gwaith. Cynhelid y ffeiriau cyflogi ym mis Hydref gan amlaf, a gwnaed cytundebau am flwyddyn. Wedi cytuno telerau, telid blaendal neu 'earn' o ryw hanner coron i selio'r cytundeb. Caed stondinau yn y ffeiriau hefyd, a phedleriaid o bell yn gwerthu nwyddau, a baledwyr yn canu baledi am ddigwyddiadau cyffrous. Byddai'r tafarnau'n orlawn, ac yn Ffair Tal-sarn ym mis Medi 1845, treuliodd Joseph Jenkins a'i frodyr ran helaeth o'r dydd yn y Blue Bell a'r Red Lion a hefyd yn y babell a godwyd er mwyn gwerthu cwrw:

> 8 September 1845
> I and David were at Talsarn Fair ... I did drink rather
> heavy there which caused me to promise and engage
> myself to abstain from drinking drunken spirits, Ale,
> beer, porter, cider, and every other spiritous liquers to
> appease my thirst – also to hate and leave smoking and
> chewing tobacco.

Byddai'r ddiod yn broblem iddo weddill ei oes, ac er iddo
addunedu droeon i'w gochel, fe welir mai'r wers a ddysgir o
olrhain hanes bywyd Joseph Jenkins yw – haws gwneud adduned
na'i chadw.

Cyn bo hir teimlodd Joseph Jenkins yr awydd i ddilyn ei
frawd, John, a mentro i'r stad briodasol. Roedd ei lygad ar ferch
ieuanc ddwy ar bymtheg oed, Elisabeth Evans, Tynant, Ciliau
Aeron, a hanai o deulu Undodaidd parchus gweddol gyfforddus
eu byd. Er ei fod ddeng mlynedd yn hŷn na hi, ymddangosai'r
uniad yn un perffaith. Roedd eu teuluoedd yn arddel perthynas o
fath, ac yn perthyn i'r un enwad, ac roedd Joseph a'i ddarpar
dad-yng-nghyfraith, Jenkin Evans, Tynant, ar yr un donfedd, ac
yn amlwg ym mywyd Capel Ystrad:

> 26 January 1845
> Went to Cefn Ystrad for dinner. Thomas Jenkins came
> with me to the meeting. There was no preacher. Jenkin
> Evans, Tynant, knelt to pray followed by myself – so the
> meeting was closed.

Roedd gan Elisabeth Evans atyniadau ychwanegol hefyd:
roedd ei thad yn berchen ar ddwy fferm, sef Tynant a Chaemawr,
a bu meddwl am ei gwaddol yn fodd i ddeffro awen Joseph
Jenkins:

I'W GARIAD

Dynes fach net, net yw Betti, – ei gwedd
A'i gwaddol wy'n hoffi;
O! pywylled [sic] hon, palled hi,
'E garaf fo'n rhagori.

Ei chusan sy'n achosi – i'r galon
O'i gwaelod arferwi;
Mewn serch myna'i pharchu,
O! gad fam, daw gyda fi.[1]

Priodwyd hwy ar 31 Gorffennaf 1846. Roedd Joseph yn 28 mlwydd oed a Betty'n 18 – ac yn feichiog. Derbyniodd Betty swm o £500 gan ei thad, a dengys llyfr cyfrifon Blaenplwyf y swm a dalwyd i Joseph:

2 July 1846
Paid to Joseph as part of his marriage portion, the sum of £200.

Wedi'r briodas, arhosodd Betty yn Nhynant gyda'i thad tra oedd Joseph yn dal i helpu ym Mlaenplwyf oherwydd bod ei dad yn anhwylus. Yn ystod yr hydref dirywiodd iechyd yr hen Jenkin Jenkins, a chadwodd Joseph gyfrif manwl o gost ei driniaeth hyd ddiwrnod ei angladd.

		£	s	d
2 October	For drugs at Dr. Evans' command		3	0
4 October	At Lampeter for drugs and gate (toll)		2	$1^1/_2$
13 October	At Lampeter to Dr S. Davies for pills		2	0
13 October	To Dr Evans, Lloydjack by father	1	0	0
13 October	For one bottleful of olders port wine		5	0

[1] *ibid.*, t. 168.

2 November	To David, servant, for watching	1	0
16 November	For grinding Father's razor		3
19 November	Father died to-day		
21 November	Paid to David, Servant,		
	for his fidelity at request of Father	1	0
23 November	Paid to gravedigger	4	6
23 November	For carrying bier over croidyn	4	0
23 November	To Rees Davies for preaching	1	0	0
23 November	For nourishment at Abercerdinen	1	0	0
2 December	Due to Joseph from Father	1	7	6
5 December	Paid for ale – funeral expenses	2	0

1847

13 January	Paid Thomas Howells, Carpenter		
	for shaving Father and for coffin	3	0
13 January	Paid Jenkin Mason for walling grave	6	0
13 January	Paid Thomas Thomas, Pencader		
	for funeral	10	0
13 January	Paid at the Benefit for		
	dinner and beer	2	0

Bu Jenkin Jenkins, Blaenplwyf, farw am 4 o'r gloch y bore, 19 Tachwedd 1846, yn ddeg a thrigain oed. Gadawodd un ar ddeg o blant; yr hynaf, Margaret, yn 32 mlwydd oed a'r ieuengaf, Benjamin, yn saith. Roedd ei weddw, Elinor, ddwy flynedd ar bymtheg yn iau nag ef. Ymhen deng mlynedd byddai'r plant i gyd wedi ymadael â Blaenplwyf, ac eithrio'r pumed mab, Jenkin, a arhosodd gartref gyda'i fam i ofalu am y fferm.

Ymfudodd dau o'r bechgyn i America. Hwyliodd David o borthladd Aberaeron yn 1852 er mwyn dal llong o Lerpwl i Efrog Newydd, a dwy flynedd yn ddiweddarach fe'i dilynwyd gan Timothy. Ymfudodd y ddau i Wisconsin ac mae eu disgynyddion yn dal i fyw yno. Enillodd Benjamin gymwysterau cyfreithiwr a sefydlodd fusnes llewyrchus yn Llambed. Gwnaeth

Jenkin Jenkins, y mab a arhosodd gartref ar y fferm, farc ym myd llywodraeth leol. Cafodd ei ethol yn Henadur a bu'n aelod amlwg o'r Cyngor Sir. Ysgrifennodd ei frawd, Cerngoch, benillion ar gyfer ei ymgyrch etholiadol:

ETHOLIAD
CYNGHOR SIROL
SIR ABERTEIFI

AT ETHOLWYR ETHOLBARTH
YSTRAD A THREFILAN.

FY ANWYL GYFEILLION,
　　trwy 'mywyd o'r bron,
Llafuriais yn galed gael Cyfraith fel hou;
A Chyfraith naturiol i'r Werin oll yw,
A *chwi* sy'n ei gwneuthur o dani gael byw.

Cydgan : Ymdrechod pob un,
　　　　Yn ddewr dros ei ddyn.
　　　　Yn ol ei gydwybod —
　　　　Am Aelod ei hun.

Tretbdalwyr a gweithwyr, gweithredwch heb fraw,
Mae'r Gyfraith bresenol yn *llwyr* yn eich llaw ;
Os hir mewn caethiwed y buoch dan draed,
Byth mwy ni raid ofni na chyfoeth na gwaed.

Yn awr mae'r Heolydd a'r Pontydd yn nghyd,
A'r llwybrau 'n eich ardal i'ch gofal i gyd ;
Er mwyn eich cyfleustra cewch wella rhai gwael,
Os am rai newyddion, fe ellwch eu cael.

Cewch ddewis Swyddogion i lauw pob swydd,
A gwel'd eu diffygion a'u rhin ddigon rhwydd ;
Ar ol eu cyflogi a thalu pob peth,
Cewch gyfrif o'ch arian heb geiniog ar feth.

Pysgota 'r afonydd, eich rhyddid a gewch,
Os peidio difrodi eu hâd ynddynt wnewch ;
A'r llwn fo a'i anian caiff gyfran o dir,
A buwch gael ei godro fedd pawb cyn bo hir.

Yn rhadlawn cewch ddysgu celfyddyd i'ch plant,
A hono'r gelfyddyd fo'r plentyn a'i chwant :
Os doeth y cydunwn, fe welwn, cyn hir —
Awdurdod *yn rhagor* o GYNGOR Y SIR.

Trefilan ac Ystrad, eich cariad, os caf,—
Amddiffyn eich breinian fy nghoreu a wnaf.
Tylawd a chyfoethog---- *Pob cyflwr o ddyn,*
Dymunwn eu gweled fel gwelaf fy hun.

'Rwy'n teimlo 'n anrhydedd i fod dan eich llaw,
Ac am eich llesoli yr amser a ddaw.
Gwnewch 'nol eich cydwybod ddiwrnod y *Poll,*
Ac wrthych *ni ddigiaf* os byddaf ar ol.

Eich Ffyddlon Wasanaethwr,

JENKIN JENKINS,

Blaenplwyf, Rhagfyr 24ain, 1888.

Argraffwyd a Chyhoeddwyd gan JENKIN DAVIS, Heol Fawr, Llanbedr.

Cofir amdano hefyd fel perchennog y ferlen nodedig honno, Nans o'r Glyn. Bu hon yn enwog am ei chyflymder, gan ennill llu o rasys ar hyd a lled Prydain. Roedd hi'n amlwg bod aelwyd Blaenplwyf yn fagwrfa i wŷr a feddai ddoniau arbennig mewn sawl maes, ond o'r plant i gyd, Joseph Jenkins a gafodd y bywyd mwyaf diddorol a chyffrous.

Dair wythnos wedi claddu ei dad, ganed mab i Joseph Jenkins a Betty ei wraig ar 14 Rhagfyr 1846, a chafodd yr enw Jenkin ar ôl ei ddau dad-cu. Treuliodd Joseph y deunaw mis nesaf yn helpu ei fam ym Mlaenplwyf ac yn gweithio'n achlysurol yng Nghlwtypatrwn gyda'i chwaer Margaret. Arhosodd Betty a'r baban yn Nhynant a dychwelai ei gŵr yno ar y penwythnosau. Nid oedd y sefyllfa'n ddelfrydol, yn enwedig i rywun mor uchelgeisiol â Joseph Jenkins. Cawsant waddol go dda gan Jenkin Evans, Tynant, a phan ddaeth tenantiaeth Trecefel, fferm ar lannau'r Teifi, nid nepell o Dregaron, yn rhydd, buont yn ffodus i gael ei chynnig.

Yn awr gallai Joseph Jenkins wthio'r teimlad iddo gael ei eni i anlwc i gefn ei feddwl. O'r diwedd, edrychai'r dyfodol yn ddisglair wrth iddo agor pennod gwbl newydd yn ei hanes.

PENNOD 4

MEISTR TRECEFEL

Ar 28 Gorffennaf 1848 symudodd Joseph Jenkins, ei wraig Betty, a'u mab bychan, Jenkin, i Drecefel. Yr oedd y ddau deulu wedi croesawu'r briodas, ac roedd yr argoelion yn dda am fywyd hapus a llewyrchus. Gan fod y ffermdy urddasol tri llawr yn sefyll ar ddolydd breision Dyffryn Teifi, roedd yna gyfle gwych i Joseph Jenkins brofi ei ddawn fel amaethwr, ac roedd yn fwy na pharod i lafurio'n galed er mwyn llwyddo. Er hynny, mae'n debyg na chafodd y teulu groeso cynnes iawn gan eu cymdogion yn ystod y misoedd cyntaf. Yr oedd y rhan hon o Geredigion yn gartref i Fethodistiaeth, ac roedd teulu Trecefel yn Undodiaid. Yn y cyfnod hwn edrychai'r Calfiniaid ar y Sosiniaid â chryn ddrwgdybiaeth a gallai dylanwad enwadaeth arwain, ar adegau, at elyniaeth. Mae'n debyg mai teulu Trecefel oedd yr unig deulu Undodaidd yn y cylch. Ar y dechrau, daliai Joseph Jenkins i deithio cryn bellter ar y Sul i fynychu gwasanaethau yng Nghapel Rhyd-y-gwin, a bu hynny'n rhwystr i'r teulu ymdaflu'n llwyr i fywyd y gymdeithas newydd, gan fod cymaint o'r bywyd cymdeithasol yn troi o amgylch y capel neu'r eglwys. Buan y sylweddolodd Joseph fod hyn yn broblem, a bu'n ddigon rhyddfrydig i annog ei weision a'i forynion i fynd at y Methodistiaid neu i'r eglwys.

Perchennog Trecefel oedd y Parchedig Latimer Jones, Ficer

Sant Pedr, Caerfyrddin. Daeth y fferm hon, yn ogystal â Thyndomen a Phenrallt, y ffermydd cyfagos, i'w feddiant wedi iddo briodi Miss Hughes, dynes gyfoethog o Bantgwyfol, Llanilar.

Bellach, yn lle gweini fel gwas ym Mlaenplwyf, a theithio'n ôl a blaen i Glwtypatrwn, yr oedd gan Joseph Jenkins statws newydd, ond law yn llaw â'r statws hwn daeth cyfrifoldebau a gofidiau newydd. Yn ogystal â'i gyfrifoldebau teuluol roedd yn rhaid iddo lwyddo fel amaethwr. Ar 3 Tachwedd, cynhaliwyd ffair gyflogi yn Nhregaron, ac mae Jenkins yn sôn amdano ef a'i wraig yn teithio fel 'minor gentry' yn y 'light trap' i'r ffair i gyflogi gweision a morynion. Wedi cerdded i fyny ac i lawr y rhes, trawyd bargen â chwech ohonynt: tri gwas a thair morwyn. I'r 'gwas mawr' cynigiodd gyflog o £11 y flwyddyn, tir i blannu 'bushel' o datw, a digon o achles ar gyfer hynny. Fel arwydd o ewyllys da rhoddwyd 'earn' iddo o hanner coron ymlaen llaw. Cafodd yr 'ail was' £6 y flwyddyn, a'r 'gwas bach' £3. Cyflog y 'forwyn fawr' oedd £6, a thalwyd £4 i'r ail forwyn a £3 i'r 'forwyn fach'.

Trecefel; cartref priodasol Joseph a Betty Jenkins

Mae'n amlwg bod Joseph Jenkins yn cymryd ei safle fel 'meistr Trecefel' o ddifrif. Yn ddeg ar hugain oed, roedd ganddo brofiad helaeth o amaethu, a bu ei dad yn athro penigamp. Maint y fferm oedd 180 o erwau; cyfran helaeth ohoni'n dir ffrwythlon ond rhan ohoni'n dir corsiog, ac aeth Joseph Jenkins ati ar unwaith i sychu'r tir llaith drwy ailgyfeirio afon Teifi o'i chwrs arferol. Roedd hon yn dasg anferth ond yr oedd yn ŵr o ymroddiad llwyr na fynnai ddianc rhag gwaith caled. Torrwyd ffos chwe throedfedd o led a llathen o ddyfnder er mwyn creu clawdd i ddal y dŵr, a gellir gweld yr olion o hyd. Aeth ati hefyd i blannu perthi dwbl o'r ddraenen ddu a'r ddraenen wen er mwyn nodi'r ffin rhwng y caeau a rhoi cysgod i'r anifeiliaid. Mynnodd fod y tir yn cael gwrtaith digonol, ac yn ymyl y lôn a arweiniai at y fferm neilltuodd ddarn o dir er mwyn cynhyrchu compost. Ni wastraffwyd dim; rhoddwyd tail anifeiliaid, llaid o'r ffosydd, a phridd ar y domen. Drwy gydol y flwyddyn byddai'r domen hon yn cael ei throi yn rheolaidd er mwyn sicrhau bod cyflenwad parod o wrtaith ar gael, ac o ganlyniad, gweddnewidiwyd y fferm a daeth yn enwog drwy'r sir am ffrwythlondeb ei chnydau a chyflwr ei hanifeiliaid. Enillwyd amryw o wobrau mewn sioeau ar draws Ceredigion, gan gynnwys y wobr am yr hwrdd gorau a'r tarw gorau yn Sioe Llambed yn 1852.

Erbyn hyn roedd y teulu'n dechrau cynyddu. Bron flwyddyn ar ôl symud i Drecefel ganed yr ail fab, Lewis. Nodir yr achlysur gan Joseph yn ei ddyddiadur:

4 March 1849
Sunday – my wife began to complain about 11 o'clock. Monday – my wife began to complain loudly about 12 o'clock. I sent David the servant to Maesygalen and Lewis the servant to Tynant. She was delivered of a child about 2 o'clock. Only myself was in the room with her.

Ymhen ychydig ddyddiau wedi'r enedigaeth, roedd Betty wrthi eto'n paratoi menyn a chaws ac yn trefnu gwaith y tŷ.

Yn ei ddyddiaduron rhoddodd Joseph Jenkins ddarlun cyflawn inni o fywyd ar y fferm, a phrin fod yna awr segur yn ystod y dydd. Disgwylid i weision Trecefel weithio'n galed, ond ni weithiai neb yn galetach na'r meistr ei hun. Codai gyda'r wawr a cherdded ar hyd y caeau ar ei ben ei hun bob bore i gadw golwg ar y perthi a'r creaduriaid cyn galw'r gweision a'r morynion am chwech o'r gloch. Ar nosweithiau yn y gaeaf, wedi diwrnod caled yn gweithio mas, mae Joseph yn sôn am y dynion yn dal wrthi: 'The men made brushes, wove ropes and made cattle ties before supper'.

A hyd yn oed ar Ddydd Nadolig nodir: 'our women were making candles before supper'. Gwnâi'r menywod 500 o ganhwyllau'r wythnos yn ogystal â'u gwaith arferol o gynhyrchu menyn a chaws i'w gwerthu yn y marchnadoedd a'r ffeiriau.

Ond yn ogystal â'r gwaith caled, mae'r dyddiaduron yn cyfeirio hefyd at arferion tipyn mwy pleserus. Ceir llawer o gyfeiriadau at bleserau pysgota yn afon Teifi ym mhumdegau'r ganrif ddiwethaf – a'r pysgod yn dipyn mwy lluosog na heddiw. 'I went to net fish down in the Teify and landed forty pounds of trout. I drank freely from a whisky bottle during the exercise'; a 'The Rev John Hughes and Mr Francis caught 56 pounds of trout in the Teify'. Roedd yna ddigonedd o adar i'w saethu hefyd, a noda Joseph Jenkins: 'Col. Powell's keeper Tom Arch shot 27 partridges and 2 hares at Trecefel'. Roedd Joseph ei hun yn saethwr medrus. 'I went with Richards Waunfawr to shoot for a few hours. We put up some 15 o brace of partridge and shot 12 brace. The meadows were full of wild geese.' Hefyd yr oedd hela sgwarnogod mewn bri. 'I went coursing at Lampeter where we dislodged 45 hares but only killed 8.'

Roedd yr hen arferion yn dal i fod mewn grym. Ar Ddydd Calan âi llu o blant ac oedolion o gwmpas y ffermydd i hel calennig. Gwelwyd eisoes fod 189 o blant wedi galw ym Mlaenplwyf yn 1839, a nodir bod rhwng tri a phedwar cant wedi galw heibio i Drecefel yn 1850, a phob un yn cael cynnig bara a chaws yn ogystal â cheiniogau newydd. Ceir disgrifiad hudolus o'r plant yn barod i gasglu'r arian:

1 January 1850
All the children carried little calico bags to hold the gifts
of newly minted pennies.

Ond nid oedd bywyd yn fêl i gyd. Ar wahân i afiechydon, roedd damweiniau ar y fferm yn gyffredin, a rhai weithiau'n ddifrifol. Ar 18 Medi 1849 lladdwyd ewythr i Joseph Jenkins wrth iddo syrthio dan olwynion y wagen ar ei ffordd i Lundain-fach. Yn 1850 lladdwyd merch fach ar glos fferm Abercarfan pan syrthiodd llwyth o fawn ar ei phen.

Gwelsom eisoes fod Joseph Jenkins yn hoff o fynychu'r ffeiriau. Yn awr byddai'n eu mynychu er mwyn prynu a gwerthu anifeiliaid ar gyfer ei fferm ei hun. Yn Ffair Tal-sarn yn 1851 prynodd ddau fustach blwydd am £4-14-0, ac ystyriai hynny'n fargen go dda. Yn anffodus, fe gollodd un ohonynt ar y ffordd adref! Er nad yw'n nodi'r rheswm am hyn, hawdd dyfalu ei fod, efallai, wedi dathlu'r fargen yn ormodol cyn cychwyn yn ôl i Drecefel.

Ym mis Ionawr 1851 lladdwyd tarw ac aeth Joseph Jenkins â'r croen i Dregaron i'w werthu, ond methodd â chael mwy nag un geiniog y pwys amdano. Cafodd well elw o'i ddefaid, oherwydd yn Ffair Wlân Pontrhydfendigaid gwerthodd '7 1/2 stone of wool for 13/- per stone'. Ym mis Mai aeth i sêl Cilpill a phrynu llwyth o wair am £17-15-0, ond cafodd anffawd eto. Ar y ffordd adref bolltodd y ceffyl a dymchwel a dinistrio'r gert. Bu'n rhaid iddo dalu £14-16-0 am gert newydd. Efallai bod yna beth sylwedd i'w gŵyn ei fod wedi cael ei eni ar ddiwrnod anlwcus wedi'r cwbl, oherwydd ar 27 Ionawr cafodd anffawd pellach. 'I attended an otter hunt at Lampeter on the Teify, on the way home I got thrown from my horse on the icy roads and bled profusely.'

Felly, mae'r dyddiaduron yn rhoi darlun lliwgar inni o fywyd gwledig y cyfnod, pan oedd cefn gwlad yn fwrlwm o wahanol weithgareddau. Disgrifir adeg cynhaeaf llafur ar feysydd Trecefel: '22 reapers are in the Trecefel field using hooks to cut the corn', ac yn ogystal â'r gweithwyr, byddai'r teulu cyfan a hefyd y cymdogion wrthi yn y caeau, gan fod pwyslais mawr ar gydweithrediad. Roedd yna orchwyl arbennig ar gyfer pob un. Casglai'r menywod a'r plant y cerrig o'r caeau yn eu ffedogau a'u gosod mewn tomenni er mwyn iddynt gael eu chwalu gan y tlodion yn y wyrcws a'u defnyddio i drwsio'r heolydd.

O bryd i'w gilydd byddai'r boneddigion yn dathlu achlysuron arbennig, a châi'r gymdogaeth gyfle i ymuno. Trefnid dathliadau arbennig pan fyddai meibion y teuluoedd hyn yn cael eu pen blwydd yn un ar hugain oed. Ar 15 Ionawr 1850 deuai tipyn o dwrw o gyfeiriad plasty Deri Ormond, fel y dengys y dyfyniad hwn o'r dyddiadur:

15 January 1850
I heard the cannons being fired all day on the occasion of the twenty first birthday of the son of John Inglis Jones of Derry Ormond Mansion. At night a huge bonfire was lit and many neighbours were invited to a celebration dinner.

Ymhen ychydig fisoedd wedi i'r teulu ymsefydlu yn Nhrecefel, penderfynodd Joseph Jenkins gymryd cam go bwysig. Drwy ei oes, bu'n Undodwr ffyddlon fel aelod o deulu selog iawn, ac roedd hynny'n wir hefyd am ei wraig Betty a'i theulu hithau. Soniwyd eisoes fod yna ragfarn yn erbyn yr Undodiaid ymhlith y Calfiniaid, a bod hynny wedi creu anawsterau pan symudodd y teulu i Drecefel yn y lle cyntaf. Er i Joseph Jenkins barhau i deithio ar y Sul i gapel Undodaidd Rhyd-y-gwin, dechreuodd fynd yn achlysurol i Eglwys Sant Caron yn Nhregaron. Daeth yn gyfeillgar iawn â'r ficer ar y pryd, y Parchedig John Hughes, ac fe'i perswadiwyd ganddo i ymaelodi yn yr eglwys. Cafodd ddyrchafiad buan, oblegid ymhen blwyddyn fe'i hetholwyd yn Warden a chymerodd lw fel Cwnstabl y Plwyf. Cododd ei stoc o fewn y gymdogaeth, a bellach ystyrid ef yn ŵr o ddylanwad. Fel Cwnstabl, ef oedd yn gyfrifol am gyfraith a threfn, a gelwid arno i gymodi pan fyddai cymdogion yn anghydweld. Dechreuodd fynychu'r gwahanol gyfarfodydd eglwysig yn Sant Pedr, Caerfyrddin, gan gynnig ei wasanaeth fel prisiwr eiddo a chanolwr. Hefyd medrai gynghori ei gyd-aelodau ynglŷn ag ewyllysiau a chytundebau cyfreithiol eraill, a dyma enghreifftiau o'r math hwn o weithgarwch yn ystod y flwyddyn 1851:

> In town settling dispute between Tim Davies and Mr Hughes.

> Writing conveyance of sale between David Jenkins and Daniel Jones of Tregaron.

> Prepared an agreement between William and Mary James over the long disputed stable.

Roedd hefyd yn bresennol yn go aml yn y gwahanol lysoedd:

> At Aberayron Quarter Sessions. Four prisoners transported for felony.

Dechreuodd gael ei gydnabod fel gŵr galluog, parod ei

gymwynas, ac o'r herwydd tyfodd yn un o bileri'r gymdogaeth.
Ar adegau, gallai fod yn hallt ei feirniadaeth, yn enwedig ar safon
ambell bregeth ac ar rai o arferion y to ieuanc a fynychai'r
eglwys:

> The young girls have drawn my notice at church. They
> have some sort of horns attached to the borders of their
> caps – spreading out like porcupine feathers.

Roedd o ddifrif ynghylch ei swydd fel Cwnstabl y Plwyf, a
gallai hynny olygu ei fod yn gorfod ymwneud â digwyddiadau
trist. Ym mis Ionawr 1850, wedi cyfnod o law di-baid, gorlifodd
afon Brenig ei glannau. Yn gynharach y noson honno gadawsai
Thomas Jenkins, Swyddog y Tollau o Dregaron, westy'r Talbot
a throi am adref, ond yn anffodus ni chyrhaeddodd yno. Mawr
fu'r gofid amdano, a danfonwyd i Landysul am bedwar cwrwg i
chwilio glannau afonydd Brenig a Theifi. Ar ôl pedwar diwrnod,
cafwyd ei gorff yn afon Teifi rhwng Pantyblawd ac Abercarfan.
Fel Cwnstabl y Plwyf, bu'n rhaid i Joseph Jenkins fod yn
bresennol yn y cwest, ond ni chafwyd unrhyw dystiolaeth ynglŷn
â sut y syrthiodd Thomas Jenkins i'r afon.

Yn 1851 bu'n rhaid iddo fod yn bresennol mewn cwest yn
dilyn digwyddiad trist arall, y tro hwn ar fferm Llanio Fawr lle
troesai ffrae rhwng dau o'r gweision yn chwerw. Taflwyd carreg
gan un ohonynt a tharo'r llall ar ei ben a'i ladd. Cafwyd
dyfarniad o ddyn-laddiad yn yr achos hwn. Yna yn 1857 bu'n
rhaid iddo gymryd rhan mewn cwest a gynhaliwyd wedi i
berthynas iddo, John Evans, Gogoyan, gael ei gornio gan darw
a'i ladd. 'John Evans Gogoyan was gored to death by a bull.'

Er bod gan Joseph Jenkins y ddawn i gymodi rhwng eraill pan
fyddai anghytundeb, bu mewn trafferthion ei hun yn aml iawn,
ac er bod ganddo ddoethineb cynhenid, gallai hefyd fod yn

ffraellyd a dadleugar. Ar 9 Medi 1851 ffraeodd â chymydog iddo, George Richards. Nid yw achos y ffrae'n wybyddus, ond arweiniodd at ymosodiad corfforol arno, a nododd yn ei ddyddiadur: 'I received a black eye from Richards Waunfawr'. Yn anffodus ceir cyfeiriad pellach at y gŵr ymhen tri mis:

Richards of Waunfawr has committed suicide at the age of thirty nine by cutting his throat with a razor ... He was buried at St Caron's Church burial ground on the west side of the steeple. His tenants attended the funeral on horseback.

Bu digwyddiad tebyg ddeng mlynedd yn ddiweddarach. Tra oedd yng Nghaerfyrddin yn rhoi tystiolaeth mewn rhyw achos yn ymwneud â Thregaron, bu ffrwgwd rhyngddo a thyst arall yn un o dafarnau'r dref a chyfaddefodd:

10 July 1862
I received a black eye for trying to interfere at the White Horse Carmarthen.

Y diwrnod canlynol bu'n ceisio gwella'i lygad:

11 July 1862
Got up early and did apply some leeches to my eyelid. My eye was black. I did not attend the Hall to-day. Moved from the White Horse to the Stag and Pheasant.

Er gwaetha'r agweddau dadleuol, lletchwith ac ymosodol o'i gymeriad, meddai Jenkins ar ddoniau arbennig a gwnaeth gryn argraff ar rai o wŷr bonheddig yr ardal. Yn 1852 fe'i penodwyd yn asiant ac yn ymgynghorydd ar amaeth i ystad Nanteos gan Gyrnol Powell i olynu ei dad, Jenkin Jenkins. Ymwelodd nifer o foneddigion â Threcefel er mwyn cael cyngor ganddo:

Mr Vaughan, the young Lord Lisburne called to-day ...

Captain John Inglis Jones of Deri Ormond sought advice on the diversion of lake water to the lead mines above Llanddewi.

Mae'n amlwg bod ei gyfeillgarwch â'r bobl hyn yn ei blesio'n arw, ac yn ei sgil daeth llu o wahoddiadau i achlysuron cyffrous, megis gwahoddiad gan Gyrnol Powell i'r 'beagle hunts and hare coursing'. Yn dilyn y rhain, ceid ciniawau swmpus yng ngwesty'r Talbot, Tregaron, lle byddai yna ddigonedd o fwyd ond hefyd mwy na digon o ddiod. Ar y byrddau byddai 'silver punch bowls Nanteos' yn llawn hyd yr ymylon, er mwyn i'r helwyr gael cynhesu wedi'r helfa. Ceir disgrifiad manwl gan Joseph Jenkins o gwrsio sgwarnogod ar dir Nanteos ac o'r wledd a ddilynodd:

I joined Colonel Powell of Nanteos to course hares. There were over 200 followers. 28 hares were started; 14 greyhounds slipped off 8 times, but only 2 hares were killed. After the coursing we adjourned to the Talbot Hotel at Tregaron. There we partook of a grand dinner with 24 of us in the party. There was plenty of champagne, wine and a punch bowl to keep us merry.

Fe fu llawer o ddyddiau tebyg, a dechreuodd meistr Trecefel ymhyfrydu'n ormodol yn ei gysylltiadau â'r teuluoedd bonheddig. Agorwyd gorwelion newydd iddo a chafodd flas anghyffredin ar y cyfan, ond arweiniodd yr holl ddiota, a oedd yn rhan anochel o'r achlysuron hyn, at broblemau mawr. Ar ôl cyfnodau o or-yfed, deuai cyfnodau o euogrwydd ac edifeirwch, ac addunedodd dro ar ôl tro 'to abstain from all spirits...' gan ychwanegu 'I am in earnest'. Yn anffodus parhau wnaeth y temtasiynau, a daeth yn fwyfwy anodd iddo ymwrthod â hwy.

Ond ym mis Mawrth 1854 daeth trychineb annisgwyl o gyfeiriad ei deulu-yng-nghyfraith i dorri ar draws esmwythyd bywyd Joseph Jenkins. Cafodd teulu Tynant ergyd greulon wrth iddynt golli eu mab Lewis, brawd Betty, yn un ar hugain oed. Clwyfwyd Betty i'r byw, oherwydd Lewis oedd ei hoff frawd, ac roedd wedi enwi ei hail fab ar ei ôl. Dengys y dyddiaduron sut y bu Joseph yn gefn iddi hi a'i theulu yn ystod y cyfnod anodd a thrist hwn:

27 March 1854
The servant at Tynant came up here about 4 o'clock with the mournful news that my brother in law Lewis has committed a daring suicide by drowning himself at Gors y Gelad ... He wrote a letter to his parents ... He was so determined that he tied a stone about 32lbs weight to both hands and neck by means of a knot. There was not much above 2 feet of water, but in that condition no man could rise from dry ground. He was found the next morning by his lamented [sic] father. He was about to be married to Elinor, the daughter of Gilfach Frân.

Daeth Joseph o hyd i lythyr olaf Lewis Evans ac fe'i copïodd i'w ddyddiadur:

26 Mawrth 1854
Fy Annwyl Rieni,
Yr wyf gwedi mynd i'r fath amgylchiadau fel nas gallaf yn bosibl ei gwrthsefyll, gan fy mod braidd yn sicr, pe bawn yn ei chymryd, priodi, na byddwn byw nemawr o amser achos fy iechyd. Mae hyn a llawer o bethau eraill yn fy nhemtio i gynorthwyo natur i'm symud o'r byd helbulus hwn, gan fawr hyderu y bydd i'r Hollalluog Dad faddau i mi'r fath erchyll waith.

    Fy rhieni annwyl, a'm perthnasau serchog a hoff, na wylwch ar fy ôl, ond yn hytrach byddwch byw yn ddichlynedd yn y byd hwn; fel nas bo euogrwydd cydwybod nac un temtasiwn arall ddyfod i'ch cyfarfod yn nhaith yr anial. Er fy mod yn ddyrmygus wrth wneud

y fath weithred, gwnewch gymaint a hyn o'm dymuniad
eto, sef fy hebrwng i Fynwent Capel y Groes a'r testun a
bregethir arno fydd hwn – Gwyliwch a gweddiwch – fel
nad eloch i brofedigaeth – canys yr ysbryd yn ddiau sydd
barod, ond y cnawd sydd wan. Gadewch i'm chwaer
Margaret a Jenkin fod yma ar fy ôl, oherwydd mae llawer
diferyn o'm chwys yma ymhob man, er nad oes nemawr
i weld eto ...

Ffarwel, ffarwel bob un tan nawdd ein tirion Dad.
Wele y tro olaf y caf ysgrifennu gair byth i chwi fy
Rhieni anwyl.

D.S. Rhoddwch yn hael at yr achos, dros yr hwn y
croeshoeliwyd. Y mae hiraeth neillduol arnaf wrth
feddwl ymadael a'r cyfryw ...

Even from a dead man to his friends and relations in this
uncertain world.

Geiriau athrist gŵr ifanc addfwyn, sensitif ac ysbrydol. Aeth
Joseph ati i wneud y trefniadau ar gyfer yr angladd gan sicrhau
bod y gwasanaeth wedi ei drefnu yn ôl dymuniad olaf yr
ymadawedig.

30 March 1854
The Reverend Thomas Thomas was preaching from the
said verse ... The funeral was very thickly attended. I
returned home (to Trecefel) from Capel y Groes. Betty
returned to Tynant.

Fel arwydd o'i gydymdeimlad â'i wraig a theulu Tynant, ac o'i
barch tuag at Lewis, cyfansoddodd Joseph yr englyn canlynol:

> O'w diwael oedd, a diwyd, yn ei oes
> > Un isel o ysbryd.
> > Bu'n glaf dan bwn o glefyd
> > A thrwy y baich, aeth o'r byd.

Wrth adolygu ei flynyddoedd cynnar yn Nhrecefel, gallai Joseph Jenkins ar y cyfan ymffrostio ei fod wedi ennill ei blwy. Coronwyd ei ymdrechion yn 1857 pan ddyfarnwyd iddo'r wobr am y fferm orau yng Ngheredigion. Daeth swyddogion Cymdeithas Amaethyddol Sir Aberteifi ar ymweliad â Threcefel, a'u barn oedd bod Joseph Jenkins wedi dangos esiampl o hwsmonaeth oleuedig. Roedd wedi cyrraedd y brig yn ei alwedigaeth ac wedi ennill parch mawr fel amaethwr arloesol.

PENNOD 5

DYN AT BOB ACHOS

Er i Joseph Jenkins lwyddo i'w addysgu a'i ddiwyllio'i hun drwy
ddyfalbarhad a phenderfyniad, teimlai i'r byw ar adegau ei fod ar
ei golled am iddo gael ei amddifadu o fanteision addysg ffurfiol
gyflawn. Cyfeiria'n aml yn ei ddyddiaduron at y ffaith mai dau
dymor yn unig a gafodd mewn ysgol – er bod hyd yn oed
hynny'n fwy nag a gafodd trwch y boblogaeth yn ystod hanner
cyntaf y ganrif ddiwethaf – a chreodd hynny'r awydd ynddo i
sicrhau fod ei blant ef a phlant ei gymdogion yn cael y
cyfleusterau gorau posib. Mae ei safbwynt i'w weld yn amlwg
mewn pennill a ddanfonodd o Awstralia at ei fab Tom ym mis
Mawrth 1870:

> Dysg darllen a 'sgrifennu
> Dysg rifo a sillebu,
> Dysg roi dy feddwl yn ddifai
> Ar bapur a'i fynegi.

Teimlai y dylid annog pob plentyn i gadw dyddiadur oblegid
tystiodd fod dilyn yr arfer hon wedi cyfoethogi ei fywyd. Credai
fod yr arferiad wedi bod yn fodd iddo'i addysgu'i hun a lledu ei
wybodaeth, a phrin bod unrhyw berson yng Nghymru wedi
gadael cymaint ar gof a chadw ag y gwnaeth ef.

   Nod Joseph Jenkins oedd gwella sefyllfa addysg yn
Nhregaron, a daeth yn genhadwr pybyr dros ehangu'r

ddarpariaeth addysgol yn ei gymdogaeth. Mae'n wir fod yna
ysgolion o fath wedi eu sefydlu dros y blynyddoedd, ond go
annigonol ac anfoddhaol oedd yr addysg a geid ynddynt.
Sefydlwyd un o ysgolion cylchynol Griffith Jones, Llanddowror,
yn Eglwys Sant Caron, 'between the pulpit and the door with
each child bringing turf for fuel on Mondays'. Gan fod galw ar y
plant i weithio yn y caeau yn ystod misoedd yr haf, cynhelid yr
ysgol yn y gaeaf yn unig. Yr oedd yna ysgol ddyddiol yn
Nhregaron yn ystod cyfnod Brad y Llyfrau Gleision, 1847, ond
er bod y plant yn darllen a sillafu'n eithaf da, beirniadwyd yr
ysgol yn yr adroddiad gan yr arolygwyr o Loegr:

> ... the children read very well ... spelled very correctly ...
> but a total absence of method and discipline
> characterised the school, and the master was quite unable
> to maintain order.

Bu cryn gynnwrf pan gyhoeddwyd yr adroddiad hwn
oherwydd ei sylwadau rhagfarnllyd ar gyflwr addysg a
moesoldeb y Cymry. Gan mai Saeson uniaith oedd yr arolygwyr,
heb fawr o wybodaeth am yr iaith, heb sôn am gydymdeimlad
tuag ati, doedd fawr o obaith cael adroddiad teg a chytbwys. Eto,
fe fu'r adroddiad hwn yn fodd i sbarduno'r Cymry i wella
cyfleusterau addysg, ac yn Nhregaron, Joseph Jenkins oedd ar
flaen y gad yn y maes hwn. Wedi iddo drafod y sefyllfa gyda'r
ficer, y Parchedig J. Hughes, cynhaliwyd cyfarfod cyhoeddus yn
Nhregaron ar 9 Medi 1857 i geisio sicrhau gwell darpariaeth ar
gyfer plant y dref ac i sefydlu ysgol. Cadeirydd y cyfarfod oedd
Joseph Jenkins, a daethpwyd i gytundeb unfrydol:

> A public and suitable schoolroom, with all conveniences
> should be erected ... as above 450 children between the
> ages of 5 and 16 years were entirely destitute of the
> privilege of being trained by a competent master.

Cytunwyd hefyd y byddai'r ysgol yn cael ei chodi a'i chynnal drwy gyfraniadau cyhoeddus, ac y dylid ceisio cefnogaeth gan foneddigion yr ardal. Talwyd teyrnged i Joseph Jenkins yn y cyfarfod am ei arweiniad. Galwyd ar Ioan Mynyw (John Lewis), y cyfeiriwyd ato fel 'the sweet bard of Tregaron', i gyfansoddi englyn i gloi'r noson, ac i osod brwdfrydedd dros addysg ar gof a chadw:

> Oes gwaeledd ein hysgolion, heibio aeth
> A'i bythod oer lwydion:—
> Ceir cyn hir ein sir yn sôn
> Ragori o Dregaron.

Nid gŵr a fodlonai ar syniadau yn unig oedd Joseph Jenkins; mynnai weithredu'n ymarferol er mwyn cyrraedd ei nod. Ac addysg oedd ei nod y tro hwn. Â brwdfrydedd ac argyhoeddiad nodweddiadol, cerddodd ar hyd a lled yr ardal am filltiroedd, a hynny mewn tywydd mawr yn aml, i godi arian i sefydlu'r ysgol. Nododd yn ei ddyddiadur:

15 January 1858
I walked in atrocious weather, up to my knees in snow to canvass money among the inhabitants of Blaencaron for the schoolroom.

Casglodd £40, a oedd yn swm sylweddol o ystyried tlodi'r cyfnod, a chafodd addewidion gan y ffermwyr am gymorth i adeiladu'r ysgol. Dewiswyd darn o dir uchel ar ymyl gorllewinol y cae ger Cae-tŷ-Cwrdd a defnyddiodd Joseph Jenkins ei gyfeillgarwch â Chyrnol Powell, Nanteos, er mwyn sicrhau bod y tir yn cael ei gyflwyno i ymddiriedolaeth at bwrpas yr ysgol. Lleolwyd yr ysgol, felly, yn agos i gapel Bwlchgwynt. Aeth y gwaith yn ei flaen yn gyflym. Ar 26 Ebrill 1858, 'the foundation of the school was laid'. Yna ar 1 Mai, 'the farmers carted the corner stones for the schoolroom and the building was duly completed'. Roedd yn enghraifft wiw o gyd-dynnu er mwyn bodloni'r awch am addysg yn y gymdogaeth. Gwireddwyd breuddwyd yr amaethwr o Drecefel yn 1859 pan agorwyd yr ysgol. Roedd pedwar ugain o ddisgyblion yn bresennol a bu Evan Jones yn brifathro arni o 1859 i 1872. Yn 1897 sefydlwyd y 'County School' yn Nhregaron, a pharhaodd y cysylltiad teuluol drwy gyfraniad merch ieuengaf Joseph Jenkins, sef Anne Jenkins, Trecefel, a fu'n aelod gwerthfawr a chydwybodol o fwrdd y llywodraethwyr.

Cyn i'r ysgol gael ei sefydlu, roedd Joseph Jenkins yn cyflogi Miss Smith, ysgolfeistres breifat, i ddod i Drecefel i addysgu ei blant ef a phlant rhai o'i gymdogion:

7 September 1857
Miss Smith here keeping school – Tyndomen, Waunfawr and Nantserni came under her tuition to-day.

Ond gyda'r ysgol newydd daeth cyfle cyfartal i holl blant Tregaron, ac yn 1859 roedd rhai o blant Trecefel ymhlith y disgyblion cyntaf yn yr Ysgol Genedlaethol.

Nid er mwyn y plant yn unig y bu Jenkins yn brwydro. Yr oedd yn ymwybodol hefyd o anghenion yr oedolion na chafodd fanteision addysg. I'r perwyl hwn, ar 23 Rhagfyr 1857, ffurfiodd gymdeithas lenyddol a gâi ei chynnal yn y 'Long Room' yng ngwesty'r Talbot. Croesawai nifer fawr o drigolion yr ardal y cyfle i fynychu'r cyfarfodydd ar ôl diwrnod caled o lafur. Cadeiriwyd y sesiynau gan Joseph Jenkins ei hun a chafwyd rhaglenni amrywiol, gan gynnwys trafodaethau ar bynciau'r dydd. Yn ystod y cyfnod hwn roedd yr eisteddfodau lleol yn tyfu ar draws Cymru, felly roedd y Long Room hon yn lle gwych i gynnal cystadlaethau barddol. Yno gallai'r beirdd lleol hogi'r awen a meithrin eu doniau llenyddol dan gyfarwyddyd Amnon II. Yn ei ddyddiadur mae Joseph Jenkins yn nodi ei fod ef yn mynychu pob cyfarfod ac yn darlithio i'r gymdeithas ar destunau pwrpasol: 'Gave another lecture to the Literary Society on "Dedication to the Society"' a hefyd '"Is the Welsh language important?"'

Nid ym myd addysg yn unig y profodd Joseph Jenkins yn gymwynaswr i'r rhan hon o Geredigion, oherwydd gwelodd fod cysylltu'r ardal ddiarffordd hon â'r byd mawr yn hanfodol ar gyfer ei llwyddiant economaidd. Dyma gyfnod y rheilffyrdd, ac mor gynnar ag 1844 pasiwyd y Ddeddf Reilffyrdd o dan lywodraeth Gladstone a roddodd sail gyfreithiol i ddatblygu rhwydwaith ar draws Prydain. Ymhlith y cynlluniau roedd un i gysylltu Aberdaugleddau â Manceinion, a adwaenid yn gyffredinol fel yr 'M&M Line'. Byddai'r lein yn cysylltu'r harbwr yn Aberdaugleddau â chanolfan ddiwydiannol Manceinion, ond gwelodd Jenkins bosibiliadau eraill. Byddai'n rhaid i'r lein dorri trwy ganolbarth Cymru, ac os felly, yn ôl Joseph Jenkins, dylid gwneud pob ymdrech i sicrhau ei bod yn mynd trwy Dregaron. Roedd Jenkins yn siaradwr huawdl ac yn ddadleuwr brwd dros unrhyw achos oedd yn agos at ei galon, ac yn bendant, yr oedd hwn yn achos o'r fath. Galwyd cyfarfod cyhoeddus yn y Talbot er mwyn dechrau ymgyrch i gael gorsaf yn Nhregaron. Hyd hynny, dibynnai'r ffermwyr ar y *carrier* a'r porthmyn i fynd â'u cynnyrch i'r marchnadoedd y tu allan, ac roedd Joseph Jenkins yn ddigon craff i sylweddoli manteision danfon y cyfan yn ddiogel a chyflym ar y trên. Yr oedd ganddo'r carisma a'r ddawn i ddod yn gyfeillgar â gwŷr o ddylanwad, a daeth yn ffrind agos i David Davies, Llandinam, y diwydiannwr a'r Rhyddfrydwr, ac un o'r rhai pennaf y tu ôl i gynllun yr M&M.

Ar 21 Medi 1852, anerchodd Joseph Jenkins gyfarfod o Awdurdod y Rheilffyrdd er mwyn pledio achos yr M&M a dangos y manteision o gyfeirio'r lein drwy'r ardaloedd amaethyddol. Mae'n amlwg, yn ôl y cofnod yn ei ddyddiadur, ei fod yn fodlon â'i araith:

21 September 1857
According to those present I made an excellent speech.

Ymddengys nad oedd gwyleidd-dra yn un o brif elfennau ei gymeriad! Nodwedd, y gellid dadlau, a effeithiodd yn drwm ar gwrs ei fywyd ef a'i deulu.

Er bod y galw am y rheilffordd yn un amlwg, nid hawdd fyddai gweithredu'r cynllun. Yr oedd yna sawl cyfeiriad y gallai'r rheilffordd ei ddilyn, a byddai'r gost hefyd yn uchel, ac angen codi cyfalaf o £555,000 drwy gyfranddaliadau o ddeg punt yr un.

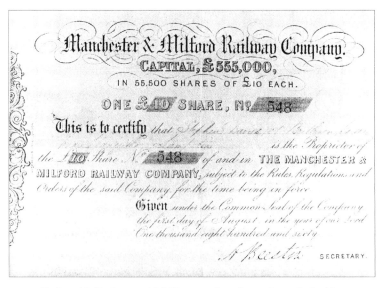

Cyfranddaliad yn yr M&M a werthwyd gan Joseph Jenkins

Ond dal i ymgyrchu a wnaeth Joseph, gan fynd ati i werthu cyfranddaliadau er mwyn codi'r arian. Aeth y frwydr am y rheilffordd yn ei blaen am flynyddoedd, ac ar 23 Ionawr 1857, cadeiriodd Capten Inglis Jones o Blas y Dderi gyfarfod i drafod y cynllun ymhellach. Mynychwyd y cyfarfod gan nifer fawr o bobl, ac mae Jenkins yn cofnodi bod nifer o areithiau ardderchog wedi eu traddodi, a llawer o gyfranddaliadau wedi eu gwerthu. Bu ef ei hun yn casglu enwau ar gyfer deiseb ac yn annerch cyfarfodydd, gan gynnwys un yn Aberaeron er mwyn cael cangen o'r rheilffordd i fynd yno. Mor allweddol oedd ei gyfraniad i'r ymgyrch, nes iddo gael ei wahodd i gyfarfod yn Nhŷ'r Cyffredin er mwyn dangos y manteision i amaethyddiaeth o gael rheilffordd yng nghanolbarth Ceredigion. Er bod arafwch ynglŷn â gwneud penderfyniad, mae'n amlwg bod y sefyllfa'n weddol obeithiol, oherwydd ar 17 Ionawr 1860 derbyniodd lythyr pwysig:

17 January 1860
I received a letter from London stating that £40,000 has been sanctioned by the Treasury in favour of the railway construction between Manchester and Milford Haven. Daniel Thomas of Hafod and myself have joined to canvass financial support for the venture and to arrange to sell shares at a meeting to be held at the Talbot Hotel. Forty shares were taken up at ten shillings each. Only two such shares were taken up at the Aberaeron meeting.

Erbyn 23 Gorffennaf roedd yn amlwg bod ymdrechion Joseph Jenkins ac eraill wedi llwyddo, oblegid rhoddwyd y Caniatâd Brenhinol i gwmni'r Manchester and Milford Line gychwyn ar y gwaith. Byddai'r rheilffordd yn gwasanaethu cymunedau o Lambed i Dregaron ac yna i fyny tuag at Aberystwyth. Croesawyd y newyddion yn fawr canys o hynny ymlaen ni

Criw y locomotif Aberystwyth. *O'r chwith i'r dde: Anadnabyddus; D. Davies/Deo Dai; 'Admiral' Benbow y gyrrwr; Davies y wheel tapper.*

fyddai'r ardal wledig hon yn un anghysbell mwyach. Roedd newidiadau mawr ar y gorwel.

Yn ystod y blynyddoedd canlynol, mae'r dyddiaduron yn llawn cyfeiriadau at y gwaith o sefydlu'r rheilffordd, a gwelwn drwy lygaid Joseph Jenkins yr effaith a gafodd y gwaith ar yr ardal. Bu'n debyg i ddaeargryn. Cyflogwyd dros 450 o weithwyr, a lletyent mewn gwahanol ffermydd yn y cylch, gan gynnwys Trecefel. Ar 6 Ionawr 1862 nodir: '5 Irishmen are here as lodgers'. Ym mis Medi bu cyffro mawr pan welwyd yr injan gyntaf yn rhygnu a phoeri ei ffordd ar hyd y lein drwy dir Drecefel, ac roedd yr achlysur yn ddigon i gyffroi awen Joseph Jenkins y bardd:

YMWELIAD CYNTAF YR AGERBEIRIANT Â THRECEFEL
Y Peiriant mawr sy'n poeri – tân a mwg,
Tynu mae wrth ferwi,
Ar droellau, nwyddau i ni
Ganoedd, a'n llwyr digoni.

Mawr ymgais dyfais y dyn – 'e ry'r dwr
Ar dân i gael cychwyn;
Af i daith hirfaith drwy hyn,
Ac adref heb un gwydryn.

Gweddnewidiwyd y tirwedd, a chofnododd Jenkins: 'Large numbers of navvies working on the Trecefel cutting and many curious visitors coming to view the sight'. Er iddo ymgyrchu dros gael y rheilffordd, roedd maint y gwaith yn agoriad llygad iddo, a chwynai weithiau fod gormod o bobl yn sarnu'r tir. Ar 30 Mai 1864 ysgrifennodd, 'Men were here laying the route of the Railway. The clod is cut as far as Llangybi. They intend to have it as far as Lampeter this year'.

Collodd ei dymer yn llwyr ar 3 Mehefin pan dreuliodd y peirianwyr ddau ddiwrnod ar dir Trecefel yn dymchwel y perthi a oedd mor gysegredig yn ei olwg: 'They cut twenty eight gaps in our hedges at different places'. Roedd hynny'n friw calon iddo ar ôl yr holl ymdrech a wnaethai i'w cynnal dros y blynyddoedd.

Eto i gyd, roedd yn rhaid i'r gwaith fynd yn ei flaen. Pan ddaeth James Weekes Szlumper, y prif beiriannydd, i Drecefel ar 4 Hydref 1864, hebryngodd Joseph Jenkins ef o gwmpas y fferm, ond daliai i fod yn anhapus ynglŷn â'r dull o weithio a'r effaith andwyol a gâi ar y tir. Mynegodd ei ofidiau yn ei ddyddiadur:

10 October 1864
The fields cannot be arranged. They are working out the

exact route which spoils this model farm.

Ychydig ddyddiau'n ddiweddarach mae fel petai'n fwy bodlon:

12 October 1864
The Railway Surveyor has driven his four wheel carriage into our yard to-day. I and Lewis went along the fields to help him. The steam engine was drawn to Lampeter yesterday evening by 47 horses. The engine is to be employed from Pencader to Lampeter.

Ond yn y flwyddyn newydd cododd ei natur unwaith eto:

20 January 1865
The Railway takes thirty six yards of some of the fields. In fact, it will spoil the farm!

Ar 28 Mawrth daeth ei landlord, y Parchedig Latimer Jones, i Drecefel. Bu'n archwilio'r gwaith o bont Tyndomen i Benrallt er mwyn asesu'r difrod, ac er mwyn cytuno'r tâl oedd yn ddyledus am golli'r tir. Cafwyd cytundeb rhyngddo a'r ymgymerydd, Frederick Beeston, fod Trecefel i dderbyn £14 yr erw, Tyndomen £9 a Phenrallt £7-15 yr erw. Yn ychwanegol at hyn:

28 March 1865
It was also agreed to fence throughout the three farms for 5 pence per set.

Dal i dyrru i mewn i'r ardal a wnâi'r gweithwyr, a cheir darlun byw yn y dyddiadur o'r bwrlwm fu'n gysylltiedig â'r gwaith:

10 July 1865
Railway men began to swarm into the neighbourhood to begin work. No more than 3/- per day was paid to the most able labourers. Excavators began in Glanbrenig fields and 50 men pass to and from work every day.

Ar 7 Gorffennaf ymwelodd David Davies, Llandinam, ei hun
â Threcefel, ond roedd yna rywbeth ar ei feddwl ar wahân i'r
rheilffordd. Roedd etholiad cyffredinol ar y gorwel, ac roedd ei
lygad yntau ar y dyfodol. Roedd Davies yn ymwybodol o
ddylanwad Joseph Jenkins yn ei fro, ac yn awyddus iawn i gael
ei gefnogaeth yn y lecsiwn.

7 July 1865
David Davies, the Railway Contractor, called regarding
fencing – but more especially to solicit my vote and
influence regarding being a Parliamentary candidate for
Cardiganshire against Lloyd of Bronwydd.

Cytunodd Joseph Jenkins i'w gefnogi, a bu'n canfasio'n ddyfal
o'i blaid. Ar 22 Gorffennaf ymwelodd David Davies â'r cylch
eto, ac yn ôl Joseph, cawsant 'a long chat at the Tyndomen
cutting about Sundry things'!

Nid tir Trecefel yn unig a gafodd ei effeithio gan y rheilffordd.
Tystiodd Jenkins yn ei ddyddiadur fod dwy o'i forynion wedi
cael eu dylanwadu gan y gweithwyr:

22 August 1865
The two Marys were not in bed. They spent the night in
the barn lying with the navvies!

Roedd y cyflogau uchel a delid gan Gwmni'r Rheilffordd yn
sicr o demtio amryw o weision fferm oedd ar gyflogau dipyn yn
llai. Collodd Jenkins un o'i weision mwyaf ffyddlon, Daniel
Lloyd, 'who left for a better wage on the Railway'.

Erbyn mis Medi 1865 roedd modd dod â'r injan cyn belled â
Phantyblawd, a daeth torfeydd o bobman i weld y rhyfeddod
newydd. Nid oedd hyn wrth fodd Joseph Jenkins o gwbl, ac
meddai, 'Hundreds of people are idling and walking along the
constructing line. Our hedges are levelled'. Erbyn 20 Medi gallai

gofnodi: 'An engine and six heavy loaded carriages came up full speed and reached our lane'. Serch hynny, roedd yna rai problemau o hyd:

On 22 September the engine failed to go up the incline at Caepant and had to shed its load and return to the Teifi for water.

Mae'n amlwg bod y cwmni am feithrin perthynas dda â Joseph Jenkins, oherwydd gyda'i allu mawr, ei ddylanwad a'i

James Benbow, gyrrwr y locomotif a chyfaill Joseph Jenkins

wybodaeth drwyadl o'r cylch, gallai fod yn ddefnyddiol iawn iddynt. Gwelsom eisoes fod David Davies a James Weekes Szlumper yn cysylltu ag ef yn aml, a daeth Jenkins hefyd yn gyfeillgar â James Benbow, gyrrwr yr injan a chymeriad lliwgar a diddorol. Oherwydd ei gyfeillgarwch â Benbow, câi Joseph gyfle yn aml i deithio ar yr injan allan o'r seidin yn Nhrecefel. Plesiai hyn ef yn fawr, fel y tystia'r dyddiadur: 'I rode on the Lady Elizabeth engine from Pont Llanio to Lampeter and returned to "Trecefel Station" on the Montgomery engine'. Ysbrydolwyd ef i gyfansoddi englyn i Benbow, neu 'The Admiral', fel y gelwid ef:

I MR BENBOW, GYRIEDYDD AR YR M&M
Gyr Benbow, ai ar bymbys – ei beiriant
Heb aros, fe ddengys
Allan ei wir ewyllys
I godi brawd gyda brys.

Gorsaf Tregaron. Chwaraeodd Joseph Jenkins ran allweddol yn yr ymgyrch i ddenu lein yr M&M i'r ardal.

Ar Ddydd Nadolig 1865 cafodd brofiad wrth ei fodd, 'riding on the engine Teifi up to the Bog and a mile further up than Alltddu'.

Cafwyd problemau arbennig wrth osod y rheilffordd ar draws Cors Caron, fel y gellid disgwyl, ond mae Jenkins yn uchel ei ganmoliaeth i'r 'navvies' a orchfygodd yr holl anawsterau. 'They are going wonderfully well along the turf', meddai, a mynegodd ei werthfawrogiad mewn pennill Saesneg:

> Success to David Davies
> F. Beeston, Master Duff,
> All gangers and their Navvies
> They'll cut through smooth and rough.

Roedd Joseph yn rhag-weld y byddai'r injan yn medru cyrraedd Ystradmeurig 'early next March'. Fe fu peth anghydfod, gan fod Awdurdodau'r Rheilffyrdd am alw'r orsaf yn 'Strata Florida' ar ôl yr hen abaty ryw dair milltir i ffwrdd, tra oedd Iarll Lisburne a'r Parchedig Lewis Evans, Prifathro Academi Ystradmeurig, am gadw'r enw Ystradmeurig. Er hynny, yr Awdurdodau a orfu, a galwyd yr orsaf yn Strata Florida.

Wedi'r holl drafferthion, y dadleuon a'r llafur caled, roedd y gwaith, o'r diwedd, yn dod i ben. Ar 1 Ionawr 1866 agorwyd y lein o Bencader i Lambed, ac ym mis Awst fe'i hagorwyd cyn belled â Strata Florida. Erbyn diwedd mis Awst roedd y rheilffordd wedi ei chwblhau, a chafwyd agoriad swyddogol. Cynhaliodd David Davies wledd yng ngwesty'r Belle Vue yn Aberystwyth i nodi'r achlysur ac i dalu teyrnged i'r gweithwyr, a chyflwynwyd cloc gwerth £40 iddo ef gan y *navvies* fel arwydd o'u parch tuag ato.

Daeth y rheilffordd yn rhan naturiol o'r tirwedd yn fuan, a'r trenau'n rhan hanfodol o fywyd y trigolion. O hynny ymlaen medrent osod eu clociau yn ôl amseroedd y gwahanol drenau. Galwyd y trên a âi heibio ganol dydd yn 'drên cawl', oherwydd roedd ei weld a'i glywed yn arwydd i'r gweithwyr yn y caeau fod amser cinio wedi cyrraedd. Honnai rhai fod hyd yn oed y ceffylau'n mynnu cael hoe pan âi'r trên hwn heibio.

Wrth siarad yn agoriad y rheilffordd dywedodd David Davies, Llandinam, 'I feel that when I am riding through the cutting to Aberystwyth, these old rocks will tell a tale of Mr Beeston and me when we are long gone'. Go brin y medrai rag-weld y byddai'r rheilffordd wedi cau mewn llai na chanrif – diolch i Dr Beeching – ac y byddai holl lafur a dyfalbarhad y rhai a weithiodd arni wedi mynd yn angof erbyn heddiw. Fe fu protestio chwyrn yn erbyn cau'r lein, a thrigolion Tregaron yn amlwg eu gwrthwynebiad, ond ofer fu'r ymdrech i'w chadw ar agor. Diddorol nodi mai un o'r protestwyr amlycaf oedd Joseph Evans, Tyndomen, ŵyr i Joseph Jenkins.

Aeth David Davies yn ei flaen i ennill enwogrwydd pellach fel un o brif ddiwydianwyr Cymru, ac fe'i gwnaed yn Arglwydd, gan gymryd y teitl 'Arglwydd Davies o Landinam'. Aeth James Weekes Szlumper gydag ef i weithio ar ddociau'r Barri. Cafodd ef beth enwogrwydd o fewn Ceredigion, lle bu'n Uchel Siryf, ond yna aeth ymlaen i fod yn Faer Richmond, Llundain, a chael ei urddo'n farchog.

A beth am Joseph Jenkins, meistr Trecefel? Trodd ef yn ôl at ei ffolm am ychydig cyn i faterion eraill fynd â'i fryd – a newid ei fyd. Byddai yntau hefyd yn ennill enwogrwydd, ond mewn modd na allai neb fod wedi ei rag-weld.

PENNOD 6

CANFASIO GWLYB

Cawsom ddigon o dystiolaeth eisoes fod Joseph Jenkins yn ŵr o ddiddordebau eang, ac un o'r rheini oedd gwleidyddiaeth. Bu'n amlwg iawn ym mywyd gwleidyddol sir Aberteifi, ac ymgyrchodd yn ddyfal yn nhri o etholiadau cyffredinol pwysig y ganrif ddiwethaf.

Cynrychiolid sir Aberteifi gan ddau aelod seneddol yn y cyfnod hwn. Etholid un ohonynt dros y sir, 'The County Seat', a'r llall dros y bwrdeistrefi, 'The Boroughs'. Yn wleidyddol, y ddau deulu mwyaf pwerus oedd teuluoedd Trawsgoed a Gogerddan, y naill yn Dorïaid a'r llall yn Rhyddfrydwyr. Mynnai Trawsgoed reolaeth dros y sir, a Gogerddan dros y bwrdeistrefi. Yn absenoldeb pleidlais gudd, roedd hi'n ddigon rhwydd dylanwadu ar bleidleiswyr, ac er bod poblogaeth y sir yn 97,000, dim ond rhyw dair mil a hanner a gâi'r hawl i bleidleisio. Felly roedd yna ddigon o gyfle yn ystod yr etholiad i lwgrwobrwyo neu fygwth er mwyn ennill, ac roedd y boneddigion yn ddigon parod i ddefnyddio'r naill ddull a'r llall.

Roedd bod yn Aelod Seneddol yn golygu tipyn o statws. Er nad oedd cyflog ynghlwm wrth y swydd, yr oedd modd cael dylanwad ar lwyfan cenedlaethol. Pa syndod, felly, bod y teuluoedd bonedd yn barod i wario symiau enfawr er mwyn sicrhau llwyddiant i'w hymgeiswyr hwy. Diddymwyd y Senedd yn 1859, ac ar 16 Ebrill ymwelodd Cyrnol Powell o Nanteos â Threcefel. Ef oedd yr Aelod Seneddol dros y sir ac roedd eisoes wedi ei chynrychioli mewn un ar ddeg o seneddau. Ef hefyd oedd Arglwydd Raglaw'r sir, a chan mai Tori ydoedd, roedd yn sicr o gefnogaeth teulu Trawsgoed. Gan fod Joseph Jenkins yn ŵr o gryn ddylanwad yn y cylch, pwrpas ymweliad Powell oedd sicrhau ei gefnogaeth yn yr ymgyrch etholiadol. Er bod Joseph Jenkins yn coleddu syniadau Rhyddfrydol ar y cyfan, cytunodd i gefnogi Cyrnol Powell, ac i ganfasio drosto. Ymddengys bod ei uchelgais bersonol a'i ymlyniad wrth y boneddigion wedi cael y llaw drechaf ar ei ddaliadau greddfol.

Aeth Jenkins ati'n ddiymdroi i ymgyrchu dros y bonheddwr o Nanteos a oedd yn ymladd yn erbyn A.H. Saunders Davies, Pentre, Castellnewydd Emlyn. Mae'r dyddiadur yn llawn o gyfeiriadau at waith caled Joseph ar ran Cyrnol Powell:

19 April 1859
I left here for canvassing in favour of Col. Powell. Went as far as Perthneuadd and did return along the Vale of Aeron as far as Llangeitho where I did stop for the night.

20 April 1859
Canvassing again all day. Went to town this evening to attend the Committee, and after giving my report I returned home.

21 April 1859
Went to Llanddewi in order to canvas those voters. Many did promise support.

22 April 1859
Went into town to see some electors.

25 April 1859
Went to town to meet Col. Powell and the party respecting the election. It appears that it will be a hard

CARDIGANSHIRE
County Election.
FINAL CLOSE
OF THE
POLL.

		POWELL.	DAVIES.
Aberystwyth	-	607	169
Tregaron	-	198	55
Lampeter -	-	160	176
Cardigan	-	105	528
		1070	928

MAJORITY FOR
COL. POWELL, - 142

May 5th, 1859.

PHILIP WILLIAMS, PRINTER, ABERYSTWYTH.

fight between the parties.

26 April 1859
Collecting votes for Col. Powell.

27 April 1859
Went to the Committee to prepare for Aberaeron. The promises are favourable to Col. Powell.

28 April 1859
Left for Aberaeron with the Rev J. Hughes, vicar, John Jones, Camer, and Mr Williams, Sunny Hill. We were in the chaise and phaeton.

Felly cerddodd Joseph Jenkins filltiroedd lawer trwy wynt a glaw gyda'i egni unllygeidiog nodweddiadol, er mwyn helpu Powell. Yn ystod yr ymgyrch daeth y newydd trist fod nith Joseph, merch Cerngoch, wedi marw ac i'w chladdu ar 3 Mai. Aeth ef a Betty i'r angladd, ond yn syth ar ôl y gwasanaeth dychwelodd Joseph Jenkins at y dasg o ganfasio. Ymroddodd yn llwyr i'r gwaith o fynd 'about the country in search of voters'. Nid oedd dim amser i'w wastraffu, oblegid roeddynt ar drothwy'r etholiad cyffredinol, ac ar 5 Mai 1859 cyrhaeddodd y diwrnod mawr:

5 May 1859
Left early as it was polling day which did open at 8 o'clock when the friends of Colonel Powell began to crowd at the Booth to tender their votes. The business was very active until 3 o'clock. The transactions were carried on very quiet and honourable during this.

Bu Powell yn fuddugol o 1,070 o bleidleisiau i 928. Yn ardal Tregaron cafodd 198 pleidlais, a dim ond 55 yn erbyn, sy'n adlewyrchu brwdfrydedd a llafur caled ei gefnogwr o Drecefel.

Noson yr etholiad bu dathlu mawr yn Nhregaron. Aeth

gorymdaith o gefnogwyr yn chwifio baneri i gwrdd â Chyrnol
Powell yng Nghamer-fawr a'i hebrwng i westy'r Talbot.
Traddododd araith o un o ffenestri'r llofft a thaflu ceiniogau i'r
plant oedd wedi ymgynnull o gwmpas y gwesty. Goleuwyd y
dref gan dair casgen o *pitch*, a dilynwyd y cyfan gan ginio
swmpus a digonedd o siampên. Fel arwydd o'i werthfawrogiad,
danfonodd Powell 300 galwyn o gwrw i Landdewi, Llangeitho a
Derry Ormond. Galwyd hyn yn 'wet canvass' yn y ganrif
ddiwethaf, a digon rhwydd yw dyfalu pam. Yn ôl un tyst, 'the
bill presented to the committee was rather large'. Does dim
rhyfedd yn y byd! Wedi'r etholiad galwodd Cyrnol Powell yn
Nhrecefel er mwyn diolch i Joseph Jenkins am ei ffyddlondeb
i'w achos.

Yn 1865 cynhaliwyd etholiad cyffredinol arall, ond
cyhoeddodd Cyrnol Powell na fyddai'n sefyll y tro hwn
oherwydd afiechyd. Penderfynodd y Torïaid gefnogi Syr
Thomas Davies Lloyd, Bronwydd, a oedd yn Rhyddfrydwr
'cymedrol'. Yna, newidiodd Powell ei feddwl a phenderfynu
sefyll wedi'r cwbl, felly tynnodd Lloyd Bronwydd ei enw yn ôl.
Ysgrifennodd lythyr at 'The Freeholders and Independent
Electors of the County of Cardigan' yn esbonio ei fod wedi cael
llythyr gan Gyrnol Powell yn dweud bod ei iechyd dipyn yn well,
felly, 'As I had pledged myself not to offer any opposition to the
gallant Colonel, so popular as a landlord and a neighbour, I am
precluded from coming forward on this occasion'.[1]

Ond roedd llawer o'r Rhyddfrydwyr yn amharod i roi rhwydd
hynt i Powell, a chynigiwyd enw Henry Richard (a adwaenid yn
ddiweddarach fel Apostol Heddwch) fel ymgeisydd drostynt.
Daeth enw David Davies, Llandinam, gerbron hefyd, er bod un
cynrychiolydd o Aberystwyth wedi dweud yn ddirmygus, 'Mae

[1] 'Etholiadau Ceredigion a Meirionnydd', *Y Traethodydd* (1865), tt. 488-512.

Mr Davies yn gwneud ffyrdd haiarn … nid ydym yn danfon dynion i'r Senedd i wneud ffyrdd haiarn ond deddfau'.[2]

Daeth yn amlwg, serch hynny, fod y Methodistiaid, a oedd â chryn ddylanwad, yn fwy cefnogol i David Davies, ac mewn cyfarfod yn Aberaeron fe dynnodd Henry Richard ei enw'n ôl.

Erbyn hyn roedd Cyrnol Powell wedi ailystyried unwaith eto ac wedi penderfynu peidio â sefyll, felly daeth cyfle arall i Lloyd Bronwydd ei gyflwyno'i hun fel ymgeisydd Rhyddfrydol, a hynny gyda chefnogaeth y Torïaid y tro hwn. Byddai yna ornest rhwng dau Ryddfrydwr felly, oblegid gwrthododd David Davies gilio o'r maes a gadael i Thomas Lloyd gael ei ethol yn ddiwrthwynebiad.

Fel y gwelsom eisoes, roedd cyfeillgarwch clòs wedi tyfu rhwng Joseph Jenkins a David Davies adeg gosod y rheilffordd, ac nid oedd gan Joseph yr un teyrngarwch i deulu Bronwydd, er bod Cyrnol Powell yn gefnogol i Syr Thomas Lloyd. Teimlai'n rhydd, felly, i weithio â'i egni arferol dros ei gyfaill David Davies. Roedd hyd yn oed yn barod i'w awen gael ei defnyddio ar ei ran:

10 July 1865
I did compose poetry in favour of David Davies which was printed by 3 o'clock.

Yn anffodus ni chofnododd ei gerdd yn ei ddyddiadur, felly nid oes modd asesu ei heffeithiolrwydd gwleidyddol.

Trefnwyd cyfarfodydd gan David Davies ar hyd a lled y sir. Dyma gip ar ei amserlen am un diwrnod:

11 July 1865
Llanrhystud, 11.30 am; Llanon 1.00 pm; Tregaron 4.30 pm; Lampeter evening, (moonlight meeting).

[1] *ibid.*

Tra mynychai David Davies gyfarfodydd yn y trefi a'r pentrefi hyn, ymwelai Joseph Jenkins â Nantcwnlle, Llangeitho a Gartheli i ganfasio o'i blaid. Y diwrnod canlynol wrth ganfasio yn Nyffryn Aeron, teimlai Jenkins yn optimistaidd ynglŷn â rhagolygon Davies, a chyfeiriodd at gefnogwyr Bronwydd fel 'screwdrivers'. Yr honiad oedd eu bod yn cael eu gorfodi i bleidleisio dros Lloyd Bronwydd gan eu meistri tir. Serch hynny, cofnododd yn ei ddyddiadur:

12 July 1865
The screwdrivers do not interfere – Very likely that Davies will be our member. And he is the proper man of the people.

Y diwrnod wedyn roedd Joseph Jenkins wrthi'n canfasio yn Llanbadarn Odwyn a'r cylch.

Ar 14 Gorffennaf ymddangosodd y ddau ymgeisydd, David Davies a Lloyd Bronwydd, ar lwyfan yn Aberteifi. Yn ôl y disgwyl teithiodd Davies yno ar drên yr M&M. 'The engine with suitable carriages met Mr Davies and he was conveyed to Cardigan.' Mae Jenkins yn cyfaddef iddo weithio'n galed iawn dros Davies, ond eto mae'n dal i ddisgwyl brwydr boeth:

17 July 1865
It appears that we shall have a warm contest. Mr Lloyd and his friends are going to put the screw on tightly. Should everybody have fair play, David Davies is the man of the people.

Cymaint oedd sêl y gŵr o Drecefel dros ei gyfaill David Davies nes iddo aberthu cryn amser a cholli peth cwsg er mwyn gweithio ar ei ran. Ar yr un diwrnod ysgrifennodd, 'Up early to canvass', a bant ag ef i Nantcwnlle, Llanio, Pantyblawd a Llanio Fawr – yna yn ôl erbyn brecwast! Gellir deall ei ymroddiad, oherwydd y diwrnod canlynol oedd diwrnod penllanw'r holl ymdrechion. Fel arfer, cododd Jenkins yn gynnar:

18 July 1865
I was at Tregaron by 6 o'clock AM. Everything was active – well prepared for a hot contest. People waiting for 8 AM when polling to commence. The Sheriff's officers did prepare themselves and all against Davies. 32 local constables were sworn in, in addition to a swarm of police and constables, Davies's friends were not allowed to go near the Booth and damnable tricks were played there all day … False entry, throwing cards aside, false custody and so on … Thomas Davies Lloyd is a gentleman, but his supporters degraded him for ever.

Er bod David Davies yn ymgeisydd medrus, daeth yn amlwg nad oedd ganddo ddigon o ddylanwad o fewn y sir i guro cynrychiolydd y boneddigion, ac enillodd Syr Thomas Davies Lloyd, Bronwydd, o 1,570 pleidlais i 1,149.

Bu'r ymgyrch yn un eithriadol o frwnt, a rhoddwyd cryn bwysau ar y tenantiaid i bleidleisio yn ôl gorchymyn eu landlordiaid. Roedd teulu Gogerddan yn berchen ar 26,684 o erwau o fewn y sir, a Thrawsgoed 42,666 o erwau. Nid oedd y teuluoedd hyn am weld rhyw newydd-ddyfodiad fel David Davies yn cipio'r sedd, felly rhaid oedd sicrhau mai Lloyd Bronwydd fyddai'n fuddugol. Er hynny, cafodd y gŵr o Landinam 75.1% o'r bleidlais yn ardal Tregaron a 57.3% yn Llambed, a bu'n rhaid i Syr Thomas Lloyd, Bronwydd, ddibynnu'n helaeth iawn ar ardaloedd Llandysul ac Aberteifi am ei fuddugoliaeth. Dyma dystiolaeth bellach o ddylanwad Joseph Jenkins yn ei gymdogaeth a'i ddawn i gasglu pleidleisiau.

Dair blynedd yn ddiweddarach diddymwyd y Senedd unwaith eto, a bu'n rhaid galw etholiad cyffredinol arall. Ar 25 Awst 1868 gwahoddwyd Joseph Jenkins i fynychu cyfarfod yn y

Talbot, Tregaron. Nid oedd Syr Thomas Lloyd, Bronwydd, yn
medru fforddio ymladd lecsiwn arall, ac felly penderfynodd
Edmund Mallet Vaughan o deulu Trawsgoed sefyll dros y
Torïaid. Roedd y gŵr hwn yn ymwybodol o ddylanwad Joseph
Jenkins, a'i ddoniau fel canfasiwr, a phwrpas ei wahodd i'r
cyfarfod oedd ei ddarbwyllo i gefnogi ymgyrch Vaughan. Yn ei
ddyddiadur mae Joseph yn cofnodi bod 'Colonel Powell and
many other gentlemen present'. Ffurfiwyd pwyllgor, ond
gwelwn beth o annibyniaeth barn Jenkins, oherwydd nid oedd yn
barod i gytuno i gefnogi Vaughan ar unwaith:

25 August 1868
I did refuse my name in order to consider the candidate's
politics. I wish for an explanation from them both – who
will support the Tenant's rights.

Dewiswyd E.M. Richards o Abertawe i ymladd dros y
Rhyddfrydwyr. Roedd Gogerddan erbyn hyn yn elyniaethus tuag
at David Davies, ac roedd Henry Richard eisoes wedi ei ddewis
i ymladd sedd ym Merthyr Tudful.

Ar ôl pendroni, fe ddaeth Joseph Jenkins allan o'r diwedd o
blaid y Tori. Syfrdanwyd Radicaliaid y cylch gan y penderfyniad
annisgwyl hwn, am fod teimlad cryf ymhlith y tenantiaid fod
mwy o gydymdeimlad gan y Rhyddfrydwyr tuag atynt na chan y
Torïaid. Mae'n ymddangos, unwaith eto, bod Jenkins wedi
gadael i'w gyfeillgarwch â Chyrnol Powell a'r boneddigion eraill
danseilio'i egwyddorion gwleidyddol cynhenid. I'r Torïaid,
roedd cael Joseph Jenkins ar eu hochr yn dipyn o gaffaeliad, ond
creodd hynny dyndra rhyngddo a llawer o'i gymdogion, ac yn
arbennig rhyngddo ef a'i deulu. O ganlyniad i'w safiad dros
egwyddor, dioddefodd llawer o denantiaid ormes yn sgil yr
etholiad. Fel y gwelwyd droeon, roedd Jenkins, yn iaith sir
Aberteifi, yn gallu bod yn dipyn o 'geffyl broc'; roedd yn barod

i fynd yn erbyn y llif er bod hynny'n beth amhoblogaidd i'w wneud. Y tro hwn, serch hynny, byddai'n rhaid iddo frwydro yn erbyn daliadau ei deulu, ei gymdogion a'i gyfeillion – a buan y sylweddolodd fod y rhod yn troi o blaid y Rhyddfrydwyr:

28 August 1868
Mr Richards, the Liberal candidate, came up by train. He was cheered at Llanio station. He was going to Havod Uchdrud.

Yn ystod pythefnos cyntaf mis Medi teimlai'n anhwylus. Cwynai ei fod yn 'unwell, with persistent headaches and a cough'. Erbyn y 15ed o'r mis, serch hynny, roedd wedi gwella digon i fynd i gyfarfod yr ymgeisydd Torïaidd.

15 September 1868
I went to the station to meet Mr Edmund Mallet Vaughan, our candidate for the county. We gave him a good reception. We had several speeches from the platform by the Rev. John Hughes (vicar), the candidate himself and myself in a short address on behalf of the farmers. I did accompany Mr Vaughan to Penlôn. He was driving for Lampeter.

Mynychodd gyfarfod o blaid Trawsgoed yn Long Room y Talbot, lle câi mwy na digon o 'hot punch' ei ddosbarthu mewn powlenni arian er mwyn bodloni'r cefnogwyr. Dal i anesmwytho wnaeth ei deulu o'i weld yn cymryd rhan mor amlwg o blaid y Torïaid. Ar 18 Hydref ymwelodd Cerngoch, ei frawd, â Threcefel i drafod y mater, gan ei fod ef, fel gweddill y teulu, yn gefnogol iawn i E.M. Richards a'r Rhyddfrydwyr. Er mor agos oedd y ddau frawd, ni lwyddodd Cerngoch i berswadio Joseph Jenkins i beidio â gweithio dros Vaughan, a'r diwrnod canlynol, dyma'r cofnod a geir yn y dyddiadur:

19 October 1868
I did canvas for Vaughan to-day. I had some good votes.

Nid felly y bu hi bob tro gan fod llawer o'i gymdogion eisoes
wedi addo'u cefnogaeth i Richards. O gofio nad oedd yna
bleidlais gudd, a bod gan Vaughan gefnogaeth y mwyafrif o'r
perchenogion tir, gofynnai hynny gryn dipyn o ddewrder ar eu
rhan:

21 October 1868
I went to canvass from here to Llangeitho – but not very
successful. Richards' men had been before me. They had
worked with caution. They have obtained the signature
of the electors in many places. It shows me now that it
will be a hard contest.

22 October 1868
I have been canvassing to-day again, but was rather
unsuccessful like yesterday. The signatures for Richards
are firm and well kept.

Drannoeth galwyd Jenkins i gyfarfod brys yn y Stag's Head.
Roedd cefnogwyr Vaughan yn dechrau pryderu bod Richards yn
ennill tir, ac felly byddai'n rhaid dwysáu'r ymgyrch. Daeth
pymtheg i'r cyfarfod, a lluniwyd rhestri o'r pleidleiswyr mewn
saith plwyf er mwyn mynd ati i'w canfasio o ddifrif. Ar ôl
ystyried pob enw, proffwydwyd y byddai Vaughan yn cario'r
dydd o ryw 71 pleidlais. Nid ystyrid hynny'n ddigon diogel, a
galwyd Joseph i gyfarfod arall yn y Talbot gan Gyrnol Powell a'r
boneddigion eraill.

A phrin fis i fynd cyn yr etholiad, gofidiai amryw wrth weld
Richards yn cael derbyniad gwresog gan y werin bobl, felly
aethpwyd ati i wneud arolwg pellach o restr y pleidleiswyr.
Mynnai Jenkins o hyd fod trwch y bobl 'in favour of Vaughan as
far as our district goes', ond eto, yn y byd gwleidyddol, nid oedd

modd bod yn gwbl sicr. Aeth Jenkins ar gefn ceffyl i Bontllanio i gwrdd â Vaughan a John Inglis Jones o'r Dderi a'u hebrwng mor bell â Llanddewi. Fel amaethwr mawr ei ddylanwad, roedd presenoldeb Jenkins yn bwysig i'r boneddigion wrth iddynt geisio argyhoeddi'r tenantiaid mai Vaughan oedd y dyn gorau i'w cynrychioli. Yn ysgoldy Llanddewi traddododd Jenkins araith danbaid yn annog y gwrandawyr i gefnogi Vaughan a'r Torïaid, yna aethant ymlaen i Langeitho, Capel Betws, Llwyn-y-groes a'r Stag's Head i gyflwyno'r un neges. Daliai ati i godi'n blygeiniol i deithio'r wlad – er mawr siom i'w deulu ei hun, a'i deulu-yng-nghyfraith – a thystia'r dyddiadur yn gyson i'w brysurdeb a'i ymroddiad llwyr i'r ymgyrch: 'Up early to canvass for Vaughan'.

Parhaodd gwrthwynebiad ei deulu a'i gyfeillion, ond yn hytrach na digalonni o'r herwydd, fe greodd ynddo fwy fyth o sêl dros achos y Torïaid. Ar ôl diwrnod blinedig dros ben yn galw ym mhob fferm, byddai'n dychwelyd i'r Stag's Head i gael pryd o fara a chaws a rhywbeth cryfach na dŵr i'w gynnal. Dyna fu'r patrwm dros yr wythnosau canlynol.

Rhaid cofio mai misoedd y gaeaf oedd y rhain; nid oedd y tywydd yn garedig, a bu'r ymgyrch yn un eithriadol o hir. Ffurfiwyd pwyllgor arall er mwyn cynnau brwdfrydedd ymhlith cefnogwyr Vaughan, a danfonwyd 'wagonette' y Talbot o gwmpas y wlad i gasglu cefnogwyr y Torïaid a'u cludo i Dregaron, yn eu plith – Joseph Jenkins. Sylweddolwyd bod yr amser yn cyflym ddiflannu ac nad oedd unrhyw sicrwydd ynglŷn â llwyddiant Vaughan. Rhaid oedd bwrw ati o'r newydd i geisio troi'r llanw, a chynhaliwyd cyfarfod brys arall yn Aberaeron ar ddechrau mis Tachwedd:

6 November 1868
I never saw so many landowners from the county to-

gether before. Several speeches were delivered there.
They made out a calculation that Vaughan is about 400
ahead of Richards, should the electors stick to their
promise. I left homeward with the others in the
wagonette of the Talbot Hotel. It was snowing heavily.

Gwaethygodd y tywydd. Roedd y Sadwrn canlynol yn
eithriadol o oer, gydag eira a rhew trwm, ond cymaint oedd
ffyddlondeb Jenkins i'r achos nes iddo fentro allan drwy'r cyfan
i ganfasio'r ffermydd. Bu wrthi drwy'r dydd gan ddychwelyd i
Drecefel o gwmpas naw o'r gloch y nos, a dyfalbarhaodd yn yr
un ffordd yn ystod y dyddiau dilynol. Er bod y boneddigion yn
tueddu i fod yn optimistaidd ynglŷn â rhagolygon Vaughan, nid
oedd Jenkins mor ffyddiog. Yr oedd ef, wedi'r cwbl, yn hanu o'r
werin, a gallai weld sut yr oedd ei deulu ei hun yn ymateb i
Richards.

Ar 11 Tachwedd ceir y cofnod olaf yn ei ddyddiadur cyn yr
etholiad, lle mynega deimlad o anobaith wrth iddo ddechrau
sylweddoli bod yr holl ynni a ddefnyddiodd dros y Torïaid yn
fwy na thebyg wedi bod yn wastraff llwyr:

11 November 1868
I went out to canvass for Mr Vaughan. I find that it will
be against him very much. The dissenters are very
determined in their promise for Richards.

Cynhaliwyd yr etholiad ar 28 Tachwedd 1868. Yr oedd yn un
o'r etholiadau pwysicaf erioed i gael ei gynnal yn sir Aberteifi.
Yn 1865, nifer pleidleiswyr y sir oedd 3,520, a'r rheini, gan
fwyaf, yn ddeiliaid. Yn 1867 ychwanegwyd at y rhestr honno y
rhai hynny a enillai gyflog o dros £12 y flwyddyn. Felly
cynhwyswyd dosbarth newydd o bleidleiswyr trefol nad oedd
ynghlwm wrth y tir, a chododd y nifer i 5,123.

Cafwyd brwydr arswydus o frwnt a chythryblus mas draw.

Bu'n rhaid apwyntio cant o gwnstabliaid rhan-amser yn Aberystwyth ar gyflog o bum swllt yr un er mwyn ceisio cadw'r heddwch ar ddiwrnod yr etholiad, ond methiant fu eu hymdrech ar y cyfan. Ymosodwyd ar *valet* Vaughan yn yr orsaf, a bu'n rhaid iddo ffoi i'r Cambrian Vaults am loches. Torrwyd ffenestri tŷ asiant Vaughan yn Pier Street, a lluchiwyd mwd at ei gefnogwyr. Bu un Tori mor ffôl â gweiddi 'Vaughan for ever!' yn y stryd, ac fel gwobr am ei ffolineb fe'i ciciwyd yn ei wyneb a bu bron iddo golli ei fawd wrth i rywun ei gnoi!

Ond yr ergyd drymaf o lawer oedd canlyniad yr etholiad, sef buddugoliaeth i E.M. Richards, y Rhyddfrydwr. Roedd hon yn fuddugoliaeth anhygoel oblegid dyma'r tro cyntaf erioed i unrhyw un ennill y dydd yn erbyn grym Trawsgoed a'r Torïaid. Yr oedd y broses o ddemocrateiddio'r wlad wedi dechrau, er bod llwybr hir hir i'w dramwyo cyn i'r ddelfryd gael ei gwireddu'n llwyr. Serch hynny, bu'r canlyniad yn un agos. Cafodd Richards 2,074 o bleidleisiau, a Vaughan 1,918. Cafodd Vaughan fwyafrif yn Llambed a Thregaron.

	Richards	Vaughan
Llambed	107	226
Tregaron	232	304

Efallai bod hynny'n adlewyrchu llafur Joseph Jenkins a weithiodd mor ddiwyd dros Vaughan; ond mae hefyd yn sicr yn adlewyrchu'r pwysau aruthrol a roddwyd ar denantiaid yr ardaloedd gan y meistri tir i gefnogi eu dewis hwy. Yn ôl Ieuan Gwynedd Jones, 'The landlords had learned their lesson … it was here that coercion was seen at its most naked form'.[1]

---

[1] 'The Elections of 1865 and 1868', *Transactions of the Honourable Society of Cymmrodorion* (1964), t. 66.

CARDIGANSHIRE
ELECTION.

Thursday, November the 26th, 1868.

FINAL STATE OF THE POLL.

Districts.	Richards.	Vaughan.	Majority for Richards.	Majority for Vaughan.
Aberystwyth	800	578	222	
Aberayron .	422	377	45	
Cardigan . .	312	261	51	
Lampeter . .	107	226		119
Llandyssil. .	201	172	29	
Tregaron . .	232	304		72
	2074	1918	347	191

TOTAL MAJORITY FOR
MR. RICHARDS, 156.

Districts.	No. of Voters on Register.	Polled.	Unpolled.
Aberystwyth	1662	1378	284
Aberayron .	1115	799	316
Cardigan . .	815	573	242
Lampeter . .	417	331	86
Llandyssil. .	448	373	75
Tregaron . .	666	536	130
TOTAL	5123	3990	1133

PHILIP WILLIAMS, PRINTER, ABERYSTWYTH.

Taflen yn nodi canlyniad ysgytwol Etholiad 1868

Casglodd Thomas Harries, Llechryd, wybodaeth am y bygythion er mwyn ei chyflwyno ar ran y Liberation Society. Sefydlwyd Pwyllgor Hartingdon gan y llywodraeth i ystyried y sefyllfa, a rhoddodd Harries dystiolaeth ger ei fron. Haerodd fod y landlordiaid Torïaidd wedi dial ar y tenantiaid hynny a bleidleisiodd dros y Rhyddfrydwyr, a bod o leiaf ddeg ar hugain ohonynt wedi cael rhybudd i ymadael â'u tyddynnod. Mynnodd fod un o'r teuluoedd hyn wedi bod ar eu fferm ers pedair canrif.

Beirniadwyd cyfaill Joseph Jenkins, Cyrnol Powell, Nanteos yn hallt gan y pwyllgor, a chyfeiriwyd at achosion trist rhai o'i denantiaid a gollodd eu ffermydd yn dilyn eu cefnogaeth i E.M. Richards. Enwyd Thomas Morgan, Tynffordd, Llanfihangel-y-Creuddyn, a oedd yn drigain mlwydd oed ac wedi ei fagu ar y fferm. Hefyd David Davies, Tŷ-mawr, a David Jones, Brynchwyth, o'r un plwyf. Honnwyd, yn ogystal, fod Cyrnol Powell wedi galw ei denantiaid i gyfarfod ym Mhontarfynach a'u gorchymyn i gefnogi Vaughan. Er i un gytuno i bleidleisio dros y Torïaid, ac i eraill gytuno i beidio â chefnogi'r naill na'r llall, bu rhai'n ddigon dewr i herio'r meistr tir a chefnogi'r Rhyddfrydwyr, gan dalu pris uchel iawn am eu safiad.

Clywodd y pwyllgor am un gŵr, David Jones, Tŷ-coch, Llanbadarn Trefeglwys, a daflwyd allan o'i gartref ac yntau'n 82 mlwydd oed. Cafwyd cwyn hefyd yn erbyn Iarll Lisburne, Trawsgoed, am fod ei asiant wedi bygwth y Parchedig David Davies, Bethania, a'i orfodi i adael ei fferm wedi iddo yntau gefnogi'r Rhyddfrydwyr. Mawr oedd y cydymdeimlad tuag at y 'merthyron' hyn ar draws gwlad, a threfnwyd casgliad ar eu cyfer ym mhob capel anghydffurfiol yng Nghymru.

Nid canlyniad yr etholiad oedd yr unig ergyd i deulu Trawsgoed, oherwydd ar yr un adeg saethwyd prif gipar y stad, Joseph Butler, gan William Richards, Cefncoch, ger Trefenter.

Er i Iarll Lisburne gynnig gwobr sylweddol o ganpunt am ei ddal, ni fradychwyd ef gan y werin bobl. Cuddiwyd ef ganddynt, ac er gwaethaf ymchwiliadau'r heddlu, llwyddodd Wil Cefncoch i ddianc i America. A Joseph Jenkins? Prin bod unrhyw un o gefnogwyr Vaughan wedi ymladd brwydr mor galed gyda'r fath arddeliad ag ef, ond methiant fu'r ymgyrch, a bu'r ergyd yn un drom iddo. Mewn llythyr yn *The Welshman*, 11 Medi 1868, roedd wedi ceisio argyhoeddi ei gymdogion mai'r Torïaid oedd gwir gyfeillion y ffermwyr:

A Cardiganshire Farmer
The farmers know who their real friends are, and are fully aware of the fact that the Liberal party will grant every privilege to the working class and none, if they can help it, to the farmer; he, poor fellow, is screwed with rates and taxes ...

Ond y tro hwn roedd Joseph Jenkins wedi gwneud penderfyniad trychinebus. Yn ystod yr ymgyrch etholiadol treuliodd gryn dipyn o'i amser yng nghwmni boneddigion y sir yn mwynhau'r statws, y ciniawa a'r gloddesta, ond bu'r cyfan yn ofer ar sawl cyfrif. Gwyddom fod y berthynas rhyngddo ef a'i deulu'n fregus cyn yr etholiad, ond gan iddo dreulio cymaint o amser yn pledio achos y Torïaid, syrthiodd mwy a mwy o gyfrifoldeb rhedeg y fferm ar ysgwyddau Betty a'r plant. Ac ar ben y cyfan roedd cysgod y ddiod yn wenwyn parhaus. Erbyn diwedd yr ymgyrch does dim amheuaeth bod pethau'n wirioneddol ddrwg ar aelwyd Trecefel.

Gwnaeth Joseph elynion o'i gymdogion hefyd, a thra cafodd y 'merthyron' a ddioddefodd oherwydd eu hegwyddorion eu parchu, ystyrid Joseph Jenkins yn fradwr ac yn gi bach i Nanteos a Thrawsgoed. Mae'n amlwg fod Joseph wedi ei frifo i'r byw gan y feirniadaeth ohono, ac yn enwedig gan yr ergydion a ddaeth o gyfeiriad ei deulu ei hun. Y mae'n sicr bod digwyddiadau'r cyfnod du hwn yn ei hanes wedi ychwanegu at ei bryderon a'i gymhlethdodau, ac roedd mor isel ei ysbryd ar ôl yr etholiad nes iddo gefnu hyd yn oed ar y waredigaeth a gâi rhwng cloriau ei ddyddiadur ffyddlon; ni cheir unrhyw gofnod ynddo weddill y flwyddyn ar ôl 11 Tachwedd. Yr oedd fel petai'n dymuno dileu'r dyddiau hynny drwy eu hanwybyddu a pheidio â'u cydnabod. Ond fel y gwelwn, pentyrru a wnaeth ei broblemau nes yn y diwedd bu'n rhaid iddo gymryd cam argyfyngus.

YN DDI-BOEN BELLACH

I bob golwg daeth y degawd cyntaf yn Nhrecefel â llwyddiant i Joseph Jenkins a chafodd ei gydnabod fel un o amaethwyr mwyaf blaengar Ceredigion. Er iddo dreulio llawer iawn o amser yn ymwneud â gwahanol gynlluniau o fewn y gymuned, roedd y sefyllfa ar yr aelwyd yn y cyfnod hwnnw'n gymharol heddychlon. Pan ddaeth ef â Betty i Drecefel yn 1848, roedd ganddynt un plentyn bach, Jenkin, a thros y blynyddoedd ychwanegwyd at y teulu gyda genedigaeth Lewis (4 Mawrth 1849), Margaret (19 Ionawr 1851), Elinor (21 Mehefin 1853), Mary (20 Tachwedd 1855) a Jane (12 Tachwedd 1858). Mewn cyfnod pan oedd marwolaethau ymhlith babanod newydd-anedig yn dra chyffredin, bu teulu Trecefel yn eithriadol o lwcus – er i'r lwc hwnnw ddiflannu'n ddiweddarach – a chan fod y teulu'n medru fforddio cyflogi morynion, yr oedd y baich ar Betty dipyn yn ysgafnach nag ydoedd ar wragedd eraill y cyfnod.

Gwelsom fod Joseph Jenkins wedi cael prentisiaeth dda gan ei dad ym Mlaenplwyf. Deuai cyfnodau anodd, wrth gwrs, pan fyddai'r tywydd yn anffafriol; fel yn ystod pumdegau'r ganrif ddiwethaf pryd y dioddefodd ffermydd y cylch golledion mawr. Rhydd Joseph Jenkins bortread byw inni o frwydr barhaol yr amaethwr yn erbyn yr elfennau, fel yn y cofnod am Ragfyr 1853:

Snow, the heaviest fall for 40 years fell during the last
week in December. The road between Pont Llanio and
Bont was blocked, also between Pont Einon and
Tregaron. There were drifts 14' thick in places on the
Lampeter road. The river Teifi is frozen over hard. Large
flocks of geese have alighted on the ice and in the
Trecefel fields.

Gan fod afon Teifi wedi rhewi'n gorn, bu'n rhaid cario dŵr o'r
ffynnon gerllaw'r tŷ i'r tai mas a'r caeau ar gyfer yr anifeiliaid.
Gwnaed hynny drwy osod iau dros yr ysgwydd a dau fwced
ynghlwm wrth y naill ochr a'r llall.

Daeth y dadmer hefyd â'i broblemau. Wrth i'r eira a'r rhew
doddi, cafwyd llifogydd dychrynllyd yn afonydd Teifi a Brenig.
Trowyd meysydd Trecefel yn llynnoedd eang, ac mae Joseph yn
cofnodi'n aml iddo orfod peryglu ei fywyd wrth fentro i'r dŵr at
ei ysgwyddau er mwyn achub y defaid a'r creaduriaid eraill.
Cymaint oedd y pryder ymhlith y trigolion ynglŷn â phrinder
porthiant ar gyfer yr anifeiliaid, nes y cynhaliwyd cyfarfodydd
arbennig yn y capeli i weddïo am waredigaeth. Ond yn anffodus,
parhau wnaeth y llifogydd, a hyd yn oed ym mis Gorffennaf
ysgubwyd y gwair oedd ar lawr i ffwrdd gan y dŵr. Yn ôl un
sylwebydd yr oedd Ceredigion wedi dioddef 'a most sickly time
... with a prodigious quantity of vile weather ... which brought
dreadful havoc among the people ... who were afflicted with
many disorders'.

Nid yr anifeiliaid a'r cnydau yn unig a brofai effeithiau
anffafriol y tywydd. Yr oedd y prinder bwyd maethlon a'r
lleithder yn sicr o ledu'r afiechydon a oedd eisoes yn rhemp
ymhlith y bobl, ac roedd y cyfleusterau meddygol yn dal yn
gyntefig i raddau helaeth, er bod yna rai doctoriaid yn y cylch. O
ganlyniad, troai amryw at lysieuwyr, neu hyd yn oed at 'wŷr

hysbys' fel John Harries o Bantcoy, Cwrtycadno (1785-1839), ac roedd gan deulu Trecefel ffydd yng ngallu gwraig i ffermwr a drigai yn Lletem-ddu. Meddai ar y ddawn i wneud eli arbennig allan o wahanol lysiau, ac yn ôl dyddiadur Joseph, aed â Jane, un o'r merched, ati pan oedd yn dioddef o boenau yn ei choes.

Yr oedd arwyddocâd arbennig hefyd i wahanol ffynhonnau, a chredai llawer fod rhai ohonynt yn llesol ar gyfer clefydau arbennig. Mae amryw o ffynhonnau o gwmpas Tregaron, ond y fwyaf nodedig yw Ffynnon Garon, nid nepell o Drecefel. Byddai defod arbennig yn cael ei chynnal o'i chwmpas yn ystod y Pasg, ac yn ôl traddodiad, 'swains and maids used to resort on Easter Day ... To drink the mother of all liquors produced by this Spring'. (Da yw deall bod y ffynnon hon wedi ei harbed pan wnaed gwelliannau i'r heol ac i bont Trecefel gan Gyngor Sir Dyfed yn 1991.) Ceir sôn hefyd am Ffynnon Elwad ger Allt-ddu a oedd yn enwog 'for curing sore beasts'; mae traddodiad fod hon wedi ei darganfod gan fynachod Ystrad-fflur. Caed ffynhonnau yn Nantserni, gerllaw Tyndomen, ac ar Gors Teifi hefyd, ac yn 1855 cyfansoddodd Joseph Jenkins englynion i Ffynnon Einon sy'n tarddu yn ymyl Pont Einon:

FFYNNON EINON

Mae Ffynnon Einon yn anwyl – i glaf
Dan glwyfau mhob perwyl.
Ond mae'n hynod, mewn anhwyl
Gyr bob haint, egyr bob hwyl.

Gwrol y tardd o gariad – o law Nef
I le noeth daw'r llygad,
O! ffoi i'r wledd, wnaffo'r wlad,
Ac oddef ei dadguddiad.

O gyrau, tua Tregaron – O dewch
Rai sydd dan archollion.
Golwg hoff – rhed y cloffion –
Heibio i ffwrdd heb eu ffon.

Wedi dod o hyd i'r ffynnon hon o'r newydd, cafwyd seremoni
fach agoriadol, ac yn ôl Jenkins, 'The company assembled at the
well, and having drunk several half pints of the clear water, sang
the verses'.

Credai teulu Trecefel yn rhinweddau'r dyfroedd a fyrlymai o
ffynhonnau Llanwrtyd hefyd. Bu'r dref hon yn gyrchfan
boblogaidd iawn yn ystod y ganrif ddiwethaf. Âi'r boneddigion i
Gaerfaddon i gymryd y dyfroedd, ond âi'r werin i Lanwrtyd neu
i Landrindod. Yr oedd yn arferiad gan deulu Trecefel, fel llawer
o deuluoedd eraill, fynd yno'n flynyddol, ond yn 1856 roedd yna
reswm arbennig dros wneud hynny. Dioddefai Jenkin, y mab
hynaf, o gyfnodau cyson o salwch, a châi ei boeni gan beswch a
chlefyd ar ei lygaid, felly penderfynodd Joseph Jenkins fynd ag
ef a'i chwaer Elinor i Lanwrtyd i geisio gwellhad. Aeth un o'r
gweision, Wil Lamb, â hwy ar y ffordd serth a throellog dros y
mynyddoedd i Abergwesyn, ac roedd y daith yno mewn cert a
cheffyl yn un hir ac anghyfforddus:

8 August 1856
I, Jenkin and Nel fach left in the light cart for Llanwrtyd
Wells – driving over the mountains. Arrived at
Llanwrtyd by 8 o'clock. Had a lodging with Eleanor
Williams. I drank 6 pints of water.

Yn anffodus, nid y ffynhonnau oedd yr unig atyniad i Joseph
Jenkins, a gyda'r nos aeth i dafarn y Belle Vue i gael ychydig
wydrau o 'gin and whisky'. Yn gynnar fore Sadwrn aeth â'r plant
i'r ffynhonnau a'u cymell i yfed yn helaeth o'r dŵr. Roedd mis

Awst yn gyfnod prysur iawn a thorfeydd niferus wedi heidio yno
ar eu gwyliau. Yn y prynhawn aethant i chwarae *quoits* a
chyfarfod ag amryw o Geredigion. Aeth Jenkins eto at y
ffynhonnau a mynnodd ei fod wedi yfed yn helaeth o'r dŵr: 'I
drank 37 pints of water to-day'. Mae hon yn ymddangos yn
gamp anhygoel, ond ni allwn ond credu'r hyn sy yn y dyddiadur.
Yr oedd ganddo ffydd aruthrol yn y dyfroedd a chanodd am
rinweddau Ffynnon Llanwrtyd:

> I FFYNON LLANWRTYD AWST 1856
> Drwy gariad ein Tad rwyt ti – yn tarddu,
>   Wyt urddas cwmpeini;
>   Iachei'm bron a gwnai'm lloni
>   Er maeth yw dy ddwfr i mi.
>
> Wyt hoff i ŵr cloff, ac i'r claf – pan ddel
>   Pwn o ddolur arnaf,
>   Diau mai yma deuaf
>   I nol nawdd y dwyfawl Naf.

Ar ddydd Sul aeth ef a'r plant i'r eglwys. Yno, 'the vicar
preached in English to please the Gentlemen who were visitors',
ond mae'n amlwg na chafodd y ficer fawr o hwyl arni, oblegid
cyfaddefodd Jenkins, 'I did fall asleep in Church'. Y noson honno
daeth ar draws hen gyfaill iddo, Evan Williams o Abergwesyn, a
chafodd y ddau ohonynt noson dda yn yfed sawl brandi.

Drannoeth ymwelodd â'r ffynhonnau eto a daeth â galwyn o
ddŵr yn ôl i Jenkin a Nel yn y 'lodgings'. Nid oedd pall ar ei ysfa
am y dŵr ac yn y prynhawn aeth i Langamarch. Yno, mae'n
honni iddo yfed '36 pints of water'. Dioddefodd o ganlyniad i
hynny a chofnododd, 'my left side is rather bad after drinking the
Llangammarch water'.

Treuliodd ddeg diwrnod yn Llanwrtyd, ac ar ôl yfed 45 peint
arall o'r dŵr penderfynodd ddychwelyd i Drecefel, gan adael y

ddau blentyn yng ngofal Mrs Eleanor Williams, y lletywraig. Yn ôl y dyddiadur, yfodd Joseph ar gyfartaledd ryw 33 o beintiau o ddŵr ffynnon bob dydd yn ystod ei ymweliad. Mae hynny'n ymddangos yn anghredadwy, ond dyna'r dystiolaeth a geir yn y dyddiadur, a mynnodd fod y dŵr wedi bod yn llesol iddo er gwaethaf ei brofiad yn Llangamarch. Gadawodd Lanwrtyd ar 18 Awst a cherdded i Abergwesyn gan gysgu'r noson yn nhafarn y Grouse. Y bore canlynol daeth ei gyfaill Evan Williams â dau geffyl i'w hebrwng cyn belled ag Esgairgelli, a chyrhaeddodd Dregaron am ddau o'r gloch y prynhawn hwnnw. Arhosodd y plant yn Llanwrtyd am wythnos arall gan ddychwelyd ar 29 Awst, pryd aeth 'Will Lamb with the horse and light cart to fetch the children. I, myself stayed at home all day'. Efallai ei fod wedi penderfynu aros gartref am na allai wynebu yfed rhagor o ddŵr!

Yn anffodus, er mor llesol, yn nhyb Joseph, oedd y dŵr o ffynhonnau Llanwrtyd, ni ddaeth adferiad i'w fab Jenkin, a dirywio a wnaeth dros y blynyddoedd nesaf. Ar drothwy 1863 roedd hi'n amlwg bod Joseph Jenkins yn rhag-weld rhyw drasiedi. Dechreuodd ei ddyddiadur ar 1 Ionawr â'r llinellau:

> Dechrau wnaeth y flwyddyn hon
> A'u holl beryglon ganddi.

Roedd y geiriau'n broffwydol. Yn gynnar yn 1863 ceir llu o gyfeiriadau at iechyd Jenkin. Roedd ei beswch yn gwaethygu a'i gyflwr yn achosi gofid mawr:

26 April 1863
Jenkin is very weak.

5 May 1863
Jenkin getting weaker daily ... no appetite.

Roedd yn rhaid i fywyd ar y fferm fynd yn ei flaen, serch hynny, ac ym mis Mehefin mae'r dyddiadur yn cofnodi plannu deg rhych o erfin, ond ychwanegwyd:

> 26 June 1863
> Jenkin is very weak and much troubled by the chronic
> cough.

Ond er ei ofidiau personol parhaodd Joseph Jenkins i gymryd
diddordeb byw yn hynt a helynt y byd mawr y tu allan i Drecefel,
ac ysgrifenna am y creulonderau oedd yn digwydd mewn
gwahanol lefydd, ac am gamp Speke a Grant ar gyfandir Affrica:

> 27 June 1863
> It is heartrending to read about the matchless cruelties
> performed by the Russian Officers and soldiers against
> the Poles ... They do bury the men and women alive ...
> The American War is carried on with great vigour and
> cruelty beyond description... Speke and Grant have just
> returned from navigating the Nile. It appears that this
> mighty river has its source in Lake Victoria.

Daliai Joseph i fynychu'r ffeiriau lleol. Yn Ffair Iwan
cofnododd, 'store pigs were selling for low prices. Wool was in
brisk demand, selling at 1/6 per lb', ond trist oedd yr hanes am
Jenkin ei fab:

> 2 July 1863
> Jenkin still continues very weak.

Y bore wedyn cododd Joseph Jenkins yn gynnar iawn a mynd
â wagen i'r Foelallt erbyn 8 y bore er mwyn dychwelyd erbyn
canol dydd. Yr oedd gwaith fel petai'n ddihangfa iddo, ond ni
allai ddianc rhag realiti'r sefyllfa yn Nhrecefel:

> 3 July 1863
> Jenkin was very weak and scarcely able to clear up the
> bad matter from his lungs.

Y diwrnod wedyn cawn y cofnod torcalonnus hwn yn y dyddiadur:

4 July 1863
Twenty minutes past 12 o'clock am. When my eldest son Jenkin did breathe his last breathing in this uncertain world. He did bear about four months of illness and severe coughing. With Christian fortitude the last words delivered from his mouth were these –
'O Dad bydd drugarog wrthyf fi bechadur a derbyn fy ysbryd.'
I never found him guilty of disobedience or falsehood. He was 17 years of age. He was born at Tynant on the 14th day of December 1846 and he never enjoyed a sound state of health.

Yn y gymdeithas wledig glòs hon, roedd trallod un teulu'n drallod i'r gymdogaeth gyfan, a thyrrodd aelodau o'r teulu a ffrindiau i Drecefel i ymweld â Joseph a Betty yn eu galar ac i gynnig help. Cyrhaeddodd brodyr Joseph, Cerngoch a Griffith, ar eu ceffylau bron ar unwaith, a hefyd daeth brawd Betty, Thomas Evans, Tynant. Ar y dydd Sul cafwyd cwrdd gweddi yn Nhrecefel am ddau o'r gloch y prynhawn a daeth yno 'a great many strangers' i estyn eu cydymdeimlad.

Rhaid oedd gwneud y trefniadau ar gyfer yr angladd, ac ar y bore Llun aeth Joseph Jenkins i Dregaron 'to buy mourning clothes'. Dychwelodd i Drecefel erbyn 2 p.m. i dderbyn arch ei fab, a wnaed gan Evan Jenkins, y saer. Cynhaliwyd yr angladd y diwrnod canlynol:

7 July 1863
Tuesday. Got up at 5 a.m. Strangers began to gather about 8. The sermon was at 9. The Rev. David Evans and John Davies arrived with many of our relations ... They began to sing, pray, and preach about 9.30. A large

concourse of people were present. The body was taken out at 10.30. It was one of the largest funerals that I have ever seen. People from all quarters were present within a ten mile radius. We did commence the journey to-wards Capel y Groes and were there before 3 o'clock.

Yn ôl traddodiad llafar, gan mai angladd gŵr ieuanc, a'r cyntaf-anedig, oedd hwn, fe gludwyd yr arch am ychydig o'r ffordd gan fenywod, a elwid yn Ferched Cilgwyn, ac a oedd yn perthyn i'r teulu. Yna fe'i gosodwyd ar wagen i'w chario i fynwent yr Undodwyr yng Nghapel y Groes ryw ddeuddeg milltir o Drecefel. Mae'n debyg bod yr orymdaith a ddilynodd yr arch yn ymestyn am ryw ddwy filltir ar hyd y ffordd. Wedi'r gladdedigaeth, ac wrth iddo ddychwelyd o'r fynwent, ceisiodd Joseph Jenkins roi mynegiant i'w dristwch mewn dau englyn:

> Uch ymlaen deg a chwe mlwydd – mae'n huno
>   Mewn anedd distawrwydd:
>   Er cur rhoi gysur i'n gŵydd
>   A dagrau caredigrwydd.

> Bu'n ufudd, er byw'n afiach – bu'n eirwir
>   Bu'n arwain cyfeillach.
>   Bu'n bwyllog, diboen bellach,
>   I well oes cwyd yn holliach.

Bu hon yn ergyd drom iawn i'r teulu, ac yn enwedig felly i Betty. Roedd hi wedi gwylio'i phlentyn cyntaf yn araf ddirywio dros gyfnod hir, a dywed Joseph Jenkins ei bod hi'n teimlo'n 'very mournful and very low in spirit'. Er mwyn cael rhywfaint o seibiant wedi'r profiad chwerw, aeth hi â'r pedair merch at ei thad yn Nhynant am dipyn, ac oddi yno i lan y môr yn Aberaeron.

Ni ddaeth y profiad trist o golli eu mab â Joseph a Betty yn nes at ei gilydd. I'r gwrthwyneb yn wir. Daliai Betty i deimlo'n ddig at Joseph am iddo dreulio cymaint o amser oddi cartref yn ceisio datrys problemau pobl eraill gan esgeuluso'i deulu a'i fuddiannau ei hun. Trodd Betty yn amlach ac yn amlach am gysur at ei theulu yn Nhynant wrth i'r berthynas rhyngddi hi a'i gŵr ddirywio. Eto, prin y byddai unrhyw un wedi proffwydo beth fyddai'r canlyniad yn y pen draw.

PENNOD 8

CYMYLAU'N CRONNI

Yn ystod ei fywyd, bu'n rhaid i Joseph Jenkins wynebu llawer brwydr, ond efallai mai ei broblem fwyaf oedd ei bersonoliaeth ef ei hun. Yn allanol roedd yn gymeriad hyderus, a daliadau pendant ganddo ar amryw o bynciau'r dydd. Gallai fod yn rhy bendant weithiau, gan ymylu ar fod yn anoddefgar, ond yn ei ddyddiaduron ceir cronicl o'i deimladau mewnol a rydd ddarlun hollol wahanol inni o'r cymeriad cymhleth hwn. Ar adegau, mae'n orsensitif ac yn rhy ofidus am farn pobl eraill amdano, a daw hynny i'r wyneb fel math o baranoia wrth iddo gwyno ei fod yn cael ei gyhuddo ar gam, neu'n cael ei dwyllo. Sudda i gyfnodau o hunandosturi llwyr wrth iddo gyfaddef fod ganddo yntau wendidau, a chaiff bwl o euogrwydd bob hyn a hyn am ei fod yn esgeuluso'i deulu. Arweinia hynny at addewid 'to keep more at home, enlarging friendliness and give more thought to the fact that I am a father'. Erbyn canol 1868 roedd yn dad i wyth o blant, a chanddo gyfrifoldebau teuluol amlwg. Ganed Tom Jo ar 28 Gorffennaf 1862; Anne ar 30 Rhagfyr 1864, a'r plentyn olaf, John David, ar 9 Ebrill 1868.

Bu cysgod trwm dros y teulu am gyfnod hir oherwydd salwch a marwolaeth Jenkin, a cheisiodd Joseph a Betty ddod i delerau â'u colled mewn ffyrdd cwbl wahanol. Chwiliodd Betty am gysur o fewn y teulu wrth ymroi i ofalu am y plant eraill, tra cydiodd Joseph fwyfwy mewn gwahanol weithgareddau o fewn y gymuned. Yn anffodus, arweiniodd hynny ef at gymdeithas y dafarn, a thro ar ôl tro mae'r dyddiaduron yn cofnodi: 'I have been drinking rather heavily again'. Roedd hi'n anochel y byddai hynny'n arwain yn y pen draw at broblemau o fewn y cartref, gan ychwanegu at y tensiynau a fodolai eisoes rhyngddo ef a'i deulu.

Ar yr wyneb roedd y dyn cyhoeddus yn gymeriad cytbwys a ymgyrchai'n ddygn dros hawliau'r difreintiedig ac a goleddai syniadau goleuedig ar amryw o faterion cyfoes. Bu'r holl weithgarwch hwn yn ddihangfa gyfleus iddo serch hynny. Ar aelwyd Trecefel, yn enwedig yn y blynyddoedd diweddaraf, Betty a reolai – ei harian hi drwy ei thad, wedi'r cwbl, a osododd y sylfaen i'r teulu – ac roedd ei gŵr yn groendenau o ymwybodol o hynny. Roedd hi'n haws iddo ef wynebu cyfarfodydd cyhoeddus na wynebu'r teulu pan ddychwelai i Drecefel ac arogl diod yn drwm ar ei anadl.

Gwyddom iddo geisio ymladd yn erbyn gafael y ddiod arno, oherwydd mae'r dyddiaduron yn frith o addewidion tebyg i hwn:

27 February 1862
I did sign the pledge not to drink in a public house for the remainder of my days, and let me have a fast resolution to keep it with the strictest fidelity. Should I drink a glass or two, people will say that I am guilty of being beastly drunk and disorderly. I was most guilty in my life of such.

Ond ar y cyfan, methiant fu ei ymdrechion, a rhoddodd y bai am hyn ar ei ddiffyg penderfyniad ef ei hun: 'I do find that I am often entrapped in some failing ... I rather lack in my determination'. Ni allai ddygymod â'r methiant hwn, boed yn fethiant gwirioneddol neu'n un tybiedig, ac ymddangosai'n gwbl anabl i wneud dim yn ei gylch. Parhau i grwydro o dafarn i dafarn a wnaeth, a threuliodd un noson gyfan yn yr Ivy Bush yn Llambed yn ysgrifennu llith ymosodol ar y Pab am fod daliadau'r Pabyddion yn wrthun iddo. Gallai ymgolli'n llwyr yn helyntion y byd mawr oddi allan er mwyn osgoi cymylau'r trafferthion oedd yn hofran dros ei gartref. Porai'n eang ym mhapurau'r dydd ac yr oedd yn llythyrwr diflino ar amryw o bynciau. Yn ei ddyddiadur mae'n cyfeirio at broblemau gwahanol wledydd:

> The world is in turmoil ... The cruel civil war in America continues ... The French armies are fighting in India, Mexico and China. Italy is preparing for war ... The Pope has been denounced.

Ond dal i'w ymlid a wnaeth ei broblemau personol, a cheisiodd ei gysuro'i hun fod gan y rhan fwyaf o deuluoedd y cyfnod broblemau: 'Nine out of ten families have quarrels. The big Landlords are short of money, if not shorter than the Tenants'.

Dros y blynyddoedd roedd Joseph Jenkins wedi buddsoddi'n helaeth yn y fferm. Yn 1855 roedd wedi benthyca £800 o'r banc, a'i dad-yng-nghyfraith yn warantydd. Mynnai brynu'r peiriannau mwyaf modern, beth bynnag y gost, a gwnaeth welliannau sylweddol i'r tai mas. Gwariodd yn helaeth ar gynlluniau i gwteru'r tir a chodi perthi dwbl. 'I purchased 3,500 young fir trees and 500 quickthorns, the former to establish a plantation for protection, and the later to crown the hedges.' Ond mynnai fyw yn fras ar yr un pryd wrth geisio ennill cyfeillgarwch y boneddigion, ac o ganlyniad daeth anawsterau ariannol i boeni teulu Trecefel.

A theulu lluosog i'w gynnal, pryderai Betty am y sefyllfa, a thueddai i fynd yn amlach at ei theulu yn Nhynant er mwyn cael peth ymwared. Wrth i'r arian brinhau, bu'n rhaid i Joseph

Jenkins ei hun ddod wyneb yn wyneb â'r sefyllfa fregus, a rhoddodd ef y bai ar ddull afradus y teulu o fyw:

Our mode of living has been too luxurious and extravagant; money is scarce in the county. All our spare pennies have gone to the large firms in respect of things we were not in need of. Pecuniary distress stares us in the face.

Methodd â thalu'r rhent hanner blynyddol i'r Parchedig Latimer Jones, a bu'n rhaid iddo blygu a gofyn am amser ychwanegol i ddod o hyd i'r arian. Benthycodd arian hefyd i brynu tri bwthyn yn Llanddewibrefi, ond pan ddaeth yn amser i dalu'r ddyled, ni allai wneud hynny.

Drwy gydol yr amser, llwyddodd rywfodd neu'i gilydd i ymddwyn fel petai digonedd o arian ganddo. Aeth am dro i Aberdaugleddau i weld y llong newydd y *Great Eastern*. Talodd bedwar swllt ar ddeg 'when a gentleman from London called with a photograph of Colonel Powell', fel petai'n teimlo rheidrwydd i gael llun o Powell yn y tŷ. Ar adegau anelodd at fod yn sgweiar, megis ar ddiwedd 1862 pan gynhaliodd 'Harvest-Home' yn Nhrecefel i ddathlu diwedd y cynhaeaf. Darparwyd digonedd o fwyd a galwyni o gwrw a seidr ar gyfer y gweithwyr, a manteisiodd ef ar y cyfle i annerch y gynulleidfa. Rhoddodd adolygiad o'r flwyddyn a aeth heibio gan nodi ei huchafbwyntiau o safbwynt ffermio ac o safbwynt bywyd yn gyffredinol. Danfonodd gopi o'i anerchiad at olygydd *The Welshman* a chafodd ei gynnwys yn ei grynswth yn y papur hwnnw. Mae ganddo gynghorion megis:

Let the corn be cut immediately after it becomes ripe and be secured in the haggard ... Every industrious man can live comfortably within the principality and need not think of Patagonia ... Loose the hero Garibaldi that he

may echo the word Liberty through Europe ... I will
conclude my remarks by proposing that the health of our
august Prince be drunk with cheers ... The Welsh people
are ready and willing to lose the last drop of blood in
defending her Majesty's dominion.[1]

Bu cryn ymfudo o Gymru i America yn y cyfnod hwn
oherwydd y caledi, ac yr oedd dau frawd i Jenkins eisoes wedi
mentro ar draws Môr Iwerydd. Dyma gyfnod ceisio sefydlu'r
Wladfa ym Mhatagonia, ond ni fynnai Joseph glywed dim am y
fath beth; yn wir roedd yn wrthwynebus i'r syniad o'r cychwyn.
Yn dilyn cyfarfod yn Nhregaron i gefnogi'r syniad o sefydlu
gwladfa Gymreig, mynegodd un o ferched Trecefel ei dymuniad
i fynd i Batagonia, ond cythruddwyd ei thad ac aeth ati i
ddilorni'r syniad:

> Patagonia, pwt y gynen, lle'n llwm
> Lle'n llawn o genfigen.

Pan soniai gwŷr megis Michael D. Jones a Lewis Jones am eu
delfryd o sefydlu gwladwriaeth Gymreig gwbl annibynnol ym
Mhatagonia, wfftiai Joseph at y syniad gan ddatgan y dylid
ceisio gwella'r sefyllfa yng Nghymru yn hytrach na dianc filoedd
o filltiroedd i ffwrdd er mwyn ceisio creu Cymru newydd –
safbwynt eironig tu hwnt o gofio'i hanes ef ei hun ymhen
ychydig flynyddoedd.

Roedd y Beehive Society yn Nhregaron, a sefydlwyd yn
wreiddiol yn 1827, yn weithgar iawn yn codi arian ar gyfer yr
anghenus o fewn y gymdeithas, a bu Joseph Jenkins yn aelod
amlwg ohoni, gan gadeirio nifer o'r ciniawau crand a gynhelid
yn Long Room y Talbot Hotel ar Ddydd Calan bob blwyddyn.
Roedd tipyn o seremoni ynghlwm wrth y gymdeithas hon. Cyn y

---

[1]   *The Welshman,* 3 Hydref 1862.

cinio gorymdeithiai'r aelodau drwy'r dref i Eglwys Sant Caron
gan gario baneri a dilyn y band pres. Cofnodwyd yr achlysuron
hyn yn gyson yn y dyddiaduron, a nodir bod dros gant pedwar
deg o aelodau yn ciniawa ar 1 Ionawr 1862.

Mewn cyfarfod yn festri Eglwys Sant Caron ar 21 Mawrth
1862, ni chafodd Joseph Jenkins ei ailethol i'r swydd o Gwnstabl
y Plwyf, a'i ymateb oedd, 'Thank God I got free ... this year'.
Ond parhaodd yn ei swydd fel Warden, a daliodd i weithio'n
gydwybodol er lles yr eglwys. Un o'i ddyletswyddau oedd
gwarchod yr adeiladau, a phan drawyd y tŵr gan fellten, ef fu'n
gyfrifol am y gwaith o'i atgyweirio. Mae'n tystio yn ei
ddyddiadur, 'I paid Alban the Mason £2-10-0 for mending the
Steeple', ond dwysáu wnaeth sefyllfa ariannol Trecefel.

Er mwyn dod o hyd i arian i gynnal y teulu a'r fferm bu'n
rhaid i Betty gymryd camau go eithafol a enynnodd ddicter mawr
yn ei gŵr tuag ati:

26 April 1864
The tithes for Trecefel ought to be paid to-day. But I could
not attend for the infernal pickpocktress. She took money
on Monday last, being the 17th pound and fourteen
shillings taken by her from both my pockets – Hen pecked
and robb'd I'm kicked like a football in this world.

Ni fu'r tywydd yn garedig chwaith, ac roedd gwanwyn 1864
yn nodedig o sych. Mae'r dyddiadur yn croniclo'r sefyllfa drist
ar feysydd Trecefel:

May 1864
The cattle are bellowing because there is no grass, while
the meadows are scorched and there is no growth. We have
been obliged to allocate nearly twice the usual acreage of
land for the cattle this year... A man cutting peat died of
sunstroke. Never known it so hot in the month of May.

Yn dilyn y gwres llethol, cafwyd stormydd dychrynllyd a achosodd gryn ddifrod a cholled:

> We experienced a severe thunderstorm. A girl of fifteen out in the fields gathering firewood was struck by lightning and killed. So were many sheep and lambs. A house was demolished.

Nodwyd y digwyddiad yn *The Welshman*:

> Remarkable storm at Tregaron. The oldest inhabitants did not remember such heat and such a rapid and dreadful thunderstorm. About half past three the river Brenig overflowed and came down in torrents ...[1]

Wrth i'r gofidiau amlhau, trodd Joseph Jenkins fwyfwy at gysur y ddiod feddwol, ac yn ôl ei arfer dilynwyd y cyfnodau hyn o yfed gan gyfnodau o euogrwydd ac edifeirwch:

> 21 March 1864
> In Tregaron all day drinking all kinds of alcohol.

> 22 March 1864
> Up all night from one public house to another.

Gwelwyd nad oedd ei arferiad o gyfeillachu â gwŷr bonheddig fel Cyrnol Powell, Nanteos, yn fawr o gymorth wrth iddo geisio concro'i broblemau yfed, nac ychwaith ei drafferthion ariannol a phriodasol. Ond un tro, pan gafodd wahoddiad i ornest aredig yn Nanteos, mynegodd ei fwriad i droi dalen newydd unwaith eto, a danfonodd y pennill Saesneg hwn i'r Cyrnol:

> I wish from the turf to retire
> And tend to my horse and the cow,
> Wise rural transactions desire,
> And stick to the tail of my plough.

---

[1] *The Welshman,* 19 Mai 1864.

Let those who have money to spend
Go after the hare and the hound,
I, to the farm must attend,
To clear and manure the ground.

Ond waeth iddo fod wedi rhoi'r gorau i addunedu, oherwydd dal i ddirywio wnaeth y berthynas rhyngddo ef a Betty wrth iddo dreulio mwy o amser yn cymdeithasu a llai yn gofalu am y fferm. Roedd gafael y ddiod yn dynn amdano ac yntau'n gwbl analluog i dorri'r hualau. Gellid tybio ei fod yn teimlo'n gwbl anobeithiol ynglŷn â'i sefyllfa, oherwydd pan fu hunanladdiad yn y cylch, ysgrifennodd y llinellau hyn sy'n fynegiant di-os o'i iselder ysbryd ef ei hun a'i gasineb at Betty:

A lucky job ...
To kill himself ...
He thus escaped from strife
The blows and tongue of scolding wife.

Er bod sir Aberteifi gyda'r mwyaf capelgar o siroedd Cymru, roedd ynddi hefyd liaws o dafarnau. Gresynai Syr John Harford, Falcondale, Llambed, gymaint at y sefyllfa nes iddo ysgrifennu at *The Welshman* i ddatgan ei bryder:

The proportion of public houses to the population affords a pretty fair index of the morality of a place ... These stood in the proportion of two to one private houses and those who sold beer without a licence at all.[1]

Ceisiodd Syr John sefydlu 'Teetotal Society', ac yna aeth gam ymhellach yn Llambed:

I have let a small house at a moderate rent for the purpose of affording accommodation to travellers and others who may require refreshments, but do not desire drink which

---

[1]   *The Welshman,* Hydref 1862.

is sold in the town at an exuberant [sic] price.[1]

Yr oedd y sefyllfa'n debyg yn Nhregaron ac amryw o drefi eraill, er bod Diwygiad 1859 wedi ennyn teimladau cryf yn erbyn y ddiod. Ond nid oedd gan Joseph Jenkins fawr o gydymdeimlad â'r sawl a ddaeth o dan ddylanwad y diwygwyr:

February 1859
Scores of boys and girls are ballyhooing, clapping their hands, yelling like a pack of hounds and shouting – 'God forgive me my sins'. At Bwlchgwynt Chapel the preacher was unable to continue with his sermon. Sixty new members joined those 'jumping Methodists' to-day at Tregaron, and in the past fortnight there have been three hundred fresh recruits ... At Tregaron these jumping Methodists threw a barrel of beer into the river Brenig. Two preachers at the chapel denounced them as the 'fire of hell boys'.

Ni chafodd y Diwygiad fawr o effaith arno ef, ond yr oedd ei gydwybod yn dal i'w bigo. Erbyn hyn, roedd y ddiod yn dechrau mynd yn drech nag ef, ond eto gallai lunio llinellau dychanol fel y rhain wrth feddwl am ei gyflwr:

Yfed gwydriad ar ryw bryd
Yw holl bechodau hyn o fyd,
A phe bai'r cwrw'n mynd ar goll
Doi dynol ryw'n angylion oll.

Ond yn sicr ni ddaeth ef yn 'angel', canys dal i grwydro a wnaeth o gwmpas tafarnau'r cylch. Brithir ei ddyddiadur â chofnodion megis: 'I did keep rather late in town last night ... '; 'Spent the night at the Black Lion, Lampeter'; 'Had a good few whiskys at the Bush and caught the last train home'; 'Drinking

[1] *ibid.*

all day and night at the Talbot. When I reached home, *the door was locked*'.

Pwy all feio Betty am gloi drws Trecefel? Erbyn hyn, mae'n amlwg ei bod hi wedi llwyr ddiflasu ar gampau anystywallt ei gŵr.

PENNOD 9

IÔR MAD, RHO I MI'R EWYLLYS

Ar ddechrau 1866 gwnaeth Joseph Jenkins addewid arall i beidio
â chymryd diod feddwol mwyach. Teimlai'n isel iawn ar y pryd
a gofynnodd y cwestiwn hwn iddo'i hun: 'Why do I live a slave
to myself and others?' Mae'n cwyno hefyd fod rhywun wedi
ymosod yn ffyrnig arno yn Nhregaron. 'I came home', meddai,
'weltered in blood.' Y bore canlynol methodd â bwyta dim
brecwast a throdd at ei ddyddiadur gan gyfaddef:

> 21 January 1866
> It is high time for me to steer my life into a different
> course in respect of spending my money and time in
> public houses when I ought to be engaged at Trecefel ...
> The Weekly Dispatch gives a warning [regarding] those
> who are degraded through drunkenness.

Ond a fyddai'n bosib iddo newid cwrs ei fywyd? Drannoeth aeth
allan cyn i'r wawr dorri ar fore oer ac yng ngolau cannwyll i
weld yr anifeiliaid, er mwyn meddwl yn ddwys am y dyfodol.

Er mwyn osgoi'r ddiod, ceisiodd Joseph ymgolli yng ngwaith
y fferm. Mewn gwynt a glaw bu ef a'r gweision allan yn y caeau
yn codi erfin, yn plannu drain i gryfhau'r perthi, ac yn trwsio'r
tai mas a'r ysguboriau. Ond ym mis Mawrth fe ddaeth Ffair
Garon, a chafodd esgus i ddilyn ei hen arfer. Cynhaliwyd y
'Tippling Fair' ar ddiwedd Ffair Garon ac mae Joseph yn nodi yn

ei ddyddiadur: 'I had a merry time there'. Mae'n amlwg bod y
demtasiwn wedi profi'n ormod iddo! Yn naturiol, siomwyd
Betty, ac unwaith eto trodd pethau'n sur ar aelwyd Trecefel.
Yn ystod y misoedd nesaf mae dyddiadur Joseph yn sôn am
nifer o brofiadau newydd a chyffrous a ddaeth i'w ran.
Oherwydd ei gyfeillgarwch â David Davies, Llandinam, cafodd
sawl cyfle i yrru'r injan o'r 'cutting' yn Nhrecefel:

9 July 1866
I took charge and drove the engine Lady Elizabeth from
one cutting up to Tregaron. I came back directly.

Dri diwrnod yn ddiweddarach cerddodd i'r Deri Arms ym
Mhontllanio ac, wedi gwlychu ei lwnc yn sylweddol, cafodd ei
gludo ar yr injan *Teifi* i Lambed er mwyn mynychu'r Ffair
Bedain. Wedi'r ffair, aeth i'r Royal Oak a threulio'r noson yno.
Hawdd dychmygu'r croeso a gafodd yn Nhrecefel wrth iddo
ddychwelyd y diwrnod canlynol. Efallai fod y llinellau hyn o'i
eiddo yn adlewyrchu hynny:

The worst of all evils through life
Are a lewd lass and a scolding wife.

Roedd effaith yr holl ddiod yn gwneud Joseph Jenkins yn
ddyn ffraellyd, a bu anghydfod yn Nhrecefel. Am ryw reswm
gwrthododd adnewyddu cytundeb dwy o'r morynion am
flwyddyn arall, a gadawodd y ddwy. Ar 17 Tachwedd bu'n rhaid
iddo deithio yn yr injan eto, gan fod y trên yn llawn, y tro hwn
i'r Ffair Gyflogi yn Llambed, lle trawodd gytundeb â dwy
forwyn newydd am £5-10-0 yr un y flwyddyn, a chawsant hawl
i blannu tatws fel rhan o'r fargen. Hanai'r ddwy ferch newydd o
Lanfair Clydogau.
Ac nid oedd bywyd yn ddiofid ar y fferm, chwaith. Wrth iddo
fynd am ei dro plygeiniol o gwmpas y caeau ar 20 Tachwedd,

dyma'r olygfa a'i hwynebai: 'Twenty sheep had been cruelly
worried by dogs ... six sheep were already dead and fourteen
others badly maimed ... I took these back and applied ointment
to their wounds'. Y noson ganlynol gorchmynnodd i Lewis, ei
fab, ac un o'r gweision warchod y defaid â gwn, ond ni
ddychwelodd y cŵn y noson honno. Y bore wedyn aeth Jenkins
ei hun ar draws gwlad i chwilio amdanynt, ac yn sydyn, o
gyfeiriad Tregaron, clywodd sŵn byddarol. Yr oedd Benbow,
gyrrwr yr injan, wedi taro'r clwydi a groesai'r lein a'u malurio'n
ddarnau mân. Roedd y porter wedi methu â'u hagor mewn pryd.
Cymaint oedd y mwstwr nes i Jenkins nodi: 'I could hear the
men swearing from our bridge!'

Ers peth amser roedd ei landlord, y Parchedig Latimer Jones,
wedi bod yn bryderus ynghylch cyflwr Trecefel. Gwyddai fod ei
denant yn treulio cryn dipyn o'i amser yn ymwneud â phob math
o weithgarwch cyhoeddus yn y cylch, a daethai straeon i'w glust
ynglŷn â'r ddiod. Adeg Nadolig 1866, penderfynodd Joseph
Jenkins yrru anrheg ato i geisio'i blesio. Roedd Joseph yn
saethwr cywir a medrus, ac ar fore 22 Rhagfyr aeth allan i
feysydd Trecefel yn gynnar, ac ymhen byr amser roedd ganddo
gasgliad go dda i'w ddanfon at ei feistr tir: '1 goose, 3 hares, 5
pairs of partridges, 2 snipes, 1 woodcock and 1 tail. Lewis and I
took the basket to the station and it was sent by the 2 o'clock
train'. A fu hynny'n ddigon i dawelu pryderon y Parchedig
Latimer Jones? Mae'n anodd gwybod!

Ar fore'r Nadolig aeth teulu Trecefel i'r gwasanaeth plygain
am bump o'r gloch y bore, ac er i Joseph addo ymuno â hwynt,
ni wnaeth hynny gan fod yr eglwys wedi ei haddurno â chelyn.
Yn ei dyb ef roedd y gwasanaeth yn ymylu ar fod yn Gatholig,
ac ni fynnai blygu glin i'r Pab. Felly, yn rhinwedd ei swydd fel
Cwnstabl y Plwyf, aeth i Dregaron 'to see if there was any riot

or disorder I should attend to'. Mae'n amlwg iddo fanteisio ar y cyfle i ddianc rhag y tensiynau yn Nhrecefel:

25 December 1866
I was in town before daylight. I did spend a Merry Xmas in town which it was impossible for me to do here (at Trecefel) because of the bad feeling to-wards me by those who ought to love and harbour me. I was not home till supper time.

Ar 28 Rhagfyr treuliodd noson mewn neithior yn nhafarn y Fountain, Tregaron, lle'r oedd digonedd o wirodydd yn llifo.

Daeth Nos Galan ag eira a chesair, ond ni fu hynny'n rhwystr i'r casglwyr calennig a grwydrai o gwmpas y fro i estyn eu cyfarchion am Flwyddyn Newydd Dda. Cawsant groeso cynnes ar aelwyd Trecefel fel arfer wrth iddynt guro'r drws am 5 o'r gloch y bore, a rhoddwyd iddynt arian, bara a chaws. Wrth i Joseph adolygu'r flwyddyn a aeth heibio, mae ei ffaeleddau'n dal i'w boeni ac mae'n cyfaddef ei wendidau i'w ddyddiadur:

31 December 1866
I do know from my personal feelings that I am guilty of great negligence during the harvest time ... our hay ought to be cut down and the corn ought to be laid sooner – our own faults and folly remind us that we have soon to repent.

Gyda'r dadmer yn y flwyddyn newydd, daeth problemau eraill:

7 January 1867
A large flood covers the meadows, 7 or 8 of our sheep carried away by the flood and cannot be found anywhere. I did save 24 and was obliged to enter the flood shoulder deep. The river continues to swell ... went along in search of lost or drowned sheep. I could not find a single corpse.

Teimlai Joseph Jenkins fod pawb a phopeth yn cynllwynio yn
ei erbyn, rhwng y colledion ar y fferm a'r anghydfod o fewn y
teulu, ond drwy'r cyfan, parhaodd i sicrhau fod y plant yn cael y
gorau o safbwynt addysg. Ar 19 Ionawr 1867 danfonwyd Lewis
i'r Kingston School, Swydd Henffordd, ynghyd â meibion
Daniel Lloyd, Trefynor, ei frawd-yng-nghyfraith. Yn ôl pob
tebyg talwyd am addysg Lewis gan ei dad-cu, Jenkin Evans,
Tynant. Teithiodd y parti yng nghwmni un o'r gweision ar gefn
pedair merlen i Maescynffwch, er mwyn dal y trên i Lanfair-ym-
Muallt. Bu'r bechgyn yno am ddau dymor.

Roedd Betty'n agos iawn at Lewis, a chyda'i ymadawiad
dirywiodd y berthynas rhyngddi hi a Joseph nes iddi fynd i
dreulio mwy a mwy o'i hamser gyda'i thad yn Nhynant.
Gwaethygodd iechyd Joseph Jenkins dan yr holl straen a'r gofid,
a bu'n rhaid iddo gadw i'w wely'n dioddef o'r *quinsy*. Yn fynych
iawn yn ei fywyd dilynid cyfnod o salwch gan gyfnod o
edifeirwch, ac felly y bu pan gafodd y *quinsy*:

27 February 1867
I will never again sit in a posthouse to drink beer and
spirits henceforth ... should my present severe complaint
continue, it is very likely that the pledge must be carried
to its destination. Daeargryn a lynco bob tafarndy!

Yn ei wely roedd Joseph yn llawn hunandosturi:

28 February 1867
Feeling much worse to-day ... I can scarcely hold up my
head when scribbling these lines ... my jaw aches ... can
scarcely wield my pen ... should the tender hand of
providence think proper to allow me to rally this dreadful
malady, let me be cautious of my health.

Nid oedd y tywydd yn fawr o gymorth. Roedd hyd yn oed y
tato a baratowyd ar gyfer cawl y diwrnod canlynol wedi rhewi'n

gorn yn y llaethdy, a bu'n rhaid eu rhannu â morthwyl. Cuddiwyd yr heolydd gan luwchfeydd ugain troedfedd o uchder ac ni fu'n bosib teithio i Lambed am bythefnos.

Wedi tair wythnos yn y gwely gwellodd Joseph rywfaint, ond roedd sioc arall yn ei aros. Pan gododd un bore ar ddiwedd mis Mawrth sylwodd fod drws y stabl led y pen ar agor:

30 March 1867
I discovered that our Mare Nans was stolen last night. The door was wide open when I got up ... I met her coming back from the direction of Lampeter with her blinkers on ... she was greatly abused by somebody.

Er maint ei ymdrechion methodd Joseph â dod o hyd i'r lleidr a bu mewn hwyliau drwg am ddyddiau wedi'r digwyddiad.

Gyda dyfodiad y gwanwyn daeth adferiad llwyr iddo, ac ym mis Ebrill bu'n ddigon da i fynychu helfa geirw yng Nghastell Flemish. Ceir tystiolaeth fyw yn ei ddyddiadur o greulondeb yr arferiad:

10 April 1867
The stag was loosed on top of Castell Flemish in the presence of about 2,000 persons of all grades and size. I expected to see the stag and hounds running to-wards here against the wind – but the half starved and half murdered innocent creature took another direction. They were obliged to whip him off. He was too feeble to cover the lowest bank. It is said that he was bled the previous night and this morning. He crept on for 2 miles and was finished off by the dogs. It was a great pity to abuse the creature and keep him so long in a narrow cage.

Er maint ei wendidau, roedd Joseph Jenkins yn ŵr sensitif ac yr oedd golygfa o'r fath yn wrthun iddo. Ysgrifennodd benillion yn mynegi'r teimlad hwn:

Fe ddarfu'r cigydd creulon
I frathu'r creadur gwirion,
Nid oedd un nerth mewn corph na thraed
Nol gollwng gwaed y galon.

O gwnant ei hir garcharu
Nes hanner ei newynu,
Ond nid oedd hyn ond hâd y Sais
Yn groes i lais y Cymry.

Fe gas ei chwipio'n greulon
Er dangos helfa'r Saeson,
Ac ar y bryn, bu anferth swn
Ym mysg y cŵn a'r dynion.

Er bod tosturi Joseph yn fawr at y carw, prin oedd y tosturi ato
ef ar aelwyd ei gartref. Methiant fu ymbiliadau Betty a'r teulu ar
iddo gadw rhag yfed, ac erbyn hyn roedd ei broblem â'r ddiod yn
wybyddus i bawb. Ar ôl sesiwn go drom yn Nhregaron
ysgrifennodd:

13 April 1867
Went to town about 3 – I did collect some money and
spent some on drink.

14 April 1867
Began to follow my alleged trade. I took a jugful of warm
ale – I went down to Llanio Bridge and had a quart of ale.

Drannoeth, cododd mewn hwyliau drwg am bump o'r gloch y
bore, a mynnu deffro pawb arall yn y tŷ:

15 April 1867
Up before any person. I did call all hands up. Morning
cold … Went to gather sheep, number and mark them in
the yard.

Yn y prynhawn aeth ef a Betty i angladd un o'u cymdogion,

ac wedi gweld galar y weddw, ysgrifennodd yn ei ddyddiadur y noson honno, 'It was heartrending to see the crying of Margaret Evans'. Er bod ganddo ddigon o broblemau ei hun, roedd Joseph yn dal i allu cydymdeimlo ag eraill oedd mewn trafferth. Ymwelodd â Margaret Evans a ymbiliodd am ei gymorth, a chofnododd yr hyn a ddywedodd wrtho:

15 April 1867
I do not know what to do ... Our landlord is going to raise the rent ... it was too dear before ... we cannot afford to pay ... it will be a fatal blow ... He is in town ... will you speak to him on the subject.

Aeth ar ei union i geisio dod o hyd i'r meistr tir, ond ni chafodd fawr o wrandawiad ganddo am fod hwnnw'n credu ei fod yn feddwyn:

So I went ... I met the Esquire at the Station who told me frankly that I was a daily drunkard and further he ordered the Porter to take me in his charge ... When a man speaks the truth in favour of the oppressed, he will be called either insane or a drunkard.

Ar ddechrau mis Mai, gwaethygodd y sefyllfa'n ddifrifol. Treuliodd Joseph Ŵyl Fai yn yfed yn drwm yn Nhregaron, a phrofodd hynny'n ormod i Betty. Penderfynodd adael Trecefel a mynd i fyw yn Nhynant gan fynegi bwriad i aros yno am byth. Cynddeiriogwyd Joseph gan hyn, ac meddai yn ei ddyddiadur:

3 May 1867
I am not half pleased ... she sent a man to say that she will not return again, but I do not believe her still ...

Fe'i clwyfwyd i'r byw pan ymunodd ei ferch Nel â'i mam:

7 May 1867
Nel is down since this last Saturday. Her mother is down

since that day's fortnight. She sent many messages up
that she does not intend to return.

Gofidiai am adwaith y cymdogion at absenoldeb Betty a'r
sefyllfa yn Nhrecefel:

8 May 1867
No wife. Many stories!

Ond unwaith eto, ni allai dderbyn bod unrhyw fai arno ef ei
hun:

> Rwy'n gweld y brad yn eglur
> Rwy'n canfod ble mae'r blagur,
> Paham goddefu Duw'r fath chwant
> Gwneud saith o blant digysur?

> Buais flynyddau dan sarhâd
> Drwy ddyfais brad gelynion,
> Caf chwareu teg ar ddydd y farn
> Bydd hynny'n gadarn ddigon.

Syrthiodd y cyfrifoldeb o ofalu am y plant ar ei ferch hynaf,
Margaret, a bu'n rhaid i Joseph ei hun dreulio mwy o amser yn
Nhrecefel gyda Tom ac Anne, y plant ieuengaf.

14 May 1867
I was at home all day with the children. Margaret and
Mary Fach went to Town for cabbage plants. Tom and
Anne went to bed before tea time.

Nid oedd hynny'n beth ddrwg, ac mae'n amlwg iddo feithrin
perthynas glòs â'r rhai bach, er gwaethaf yr holl drybini:

> Tom and Anne are fond of me,
> They always find me right,
> Should I enter in my spree
> They'll join with great delight.

Erbyn canol mis Mai mae awgrym fod Betty'n dechrau anesmwytho ar fferm ei thad:

18 May 1867
I did sleep comfortable with Tom and Anne. Betty never came home. A letter came from her stating that she is not very comfortable why her father keeps her.

> Ei thad a roddodd Betti [sic]
> Yn ôl ein dull o briodi,
> Paham na ddywedai barn ar goedd
> Mai benthyg oedd hon imi?

Wythnos yn ddiweddarach daliai Betty i fod gyda'i thad, a daliai Joseph i gorddi am y sefyllfa:

24 May 1867
The children are innocent. Their mother has absconded and left them since April without the least provocation.

Ond roedd y plant yn gysur mawr iddo:

25 May 1867
I did retire early with Tom and Anne who are faithful to me yet.

> Ymrysonant yn y gwely
> Ar fy nghol heb dwyll na brad,
> Nid oes diolch am hyn i Betty
> Profant gariad at eu tad.

Ar 26 Mai 1867 nododd Joseph yn hunangyfiawn: 'She will have her own time to repent. Her conscience cannot be easy'. Mae yna arwyddion clir fod Betty'n drwm o dan ddylanwad ei thad, a oedd yn feirniadol iawn o Joseph Jenkins. I gapelwr selog fel Jenkin Evans, roedd ymddygiad ei fab-yng-nghyfraith yn ofid mawr, ac ysgrifennodd lythyr ato lle, yn ôl Joseph, 'I was denounced for many things including neglecting the farm and drinking too much'. Ateb Joseph i'r cyhuddiadau hyn oedd troi unwaith eto at yr awen a cheisio'i ddarbwyllo'i hun o'i ddiniweidrwydd yn hyn oll:

26 May 1867
> Mae'r tylwyth i gyd mewn dichellion
> Gau farn a chelwyddau cant im,
> A'u harian yw grym eu bygythion
> Eu anhwyniant fa'i gweled pob dim
> … a'm gyrant o'm sir.

Nid oedd yr holl gythrwfl yn gwneud fawr o les i dymer meistr Trecefel, a chyfaddefodd ef ei hun ei fod yn fyr ei amynedd wrth drafod y plant a'r gweision. Ar ddechrau Mehefin, ac yntau mewn hwyl letchwith, ceisiodd ddeffro pawb yn y ffermdy am bedwar o'r gloch y bore er mwyn mynd ati i dorri mawn:

6 June 1867
Up at 4 a.m. I did arouse the children and the servants. They refused to get up before 5. They did prepare themselves for the Bog. The turf cutters came home early – showery and squally. I gave them 2 gallons of porter and cider instead of tea – but after, they did send for tea. Bash! I did retire early with my little children.

Wrth gynaeafu'r mawn, roedd yn arferiad gan ffermwyr Tregaron i gyfrannu peth o'r tanwydd at wasanaeth y tlodion a'r rhai anabl, a chadwyd tomen sylweddol o fawn yng nghanol y dref ar gyfer y bobl anghenus yma.

Er mwyn cael rhyddhad o'r awyrgylch llethol yn Nhrecefel, penderfynodd Joseph fynd â'r plant bach, Tom Jo ac Anne, i'w hen gartref, Blaenplwyf, ar 16 Mehefin, a noda:

16 June 1867
Blaenplwyf. I did sleep comfortably under the storehouse

with Tom and Anne…they did enjoy themselves. Brother John (Cerngoch) came. We had merry chats about good olden times.

O'r diwedd penderfynodd Betty ddychwelyd i Drecefel at y plant, ond nid arweiniodd hynny at fawr o gytgord rhyngddi hi a'i gŵr:

20 June 1867
Betty did return after being off since 20 April 1867. I cannot tell what business she had in those quarters except causing abominable lies to be told against me … in spite of a kind and faithful husband and seven cheerful sensible children.

Mae'n lled debyg mai dychwelyd i groesawu Lewis yn ôl o Henffordd a wnaeth:

21 June 1867
Lewis came home from school … he has been two quarters at Kingston – I hope to obey and not to abuse as usual.

Roedd gobaith Joseph yn ofer. Tueddai Lewis i ochri gyda'i fam yn erbyn ei dad, a chythruddwyd Joseph pan ymwelodd Lewis â'i dad-cu yn Nhynant drannoeth dychwelyd adref:

22 June 1867
Home all day. Lewis went down to Tynant where he expects his fortune… Nothing can be worse than a conceited and disobedient son … In fact he is guilty of joining his mother to commit high treason against authority.

Am rai misoedd bu cadoediad o fath yn y frwydr rhwng Joseph a'i deulu. Ym mis Awst daeth cysgod salwch dros aelwyd Trecefel a bu cryn bryder ynglŷn â chyflwr Lewis:

21 August 1867
Lewis ill. I left for Dr Rowlands of Garth to come over.
He did operate on his throat, about half a pint of pus
came out with other matters.

Ar 15 Medi, doedd Betty ddim yn teimlo'n hwylus chwaith, ac
aeth Joseph a'r plant ieuengaf i gasglu cnau ar brynhawn Sul.
Cyfansoddodd bennill i gofio'r achlysur:

> Ai cloch y llan a glywa?
> A'i chân yn galw arna?
> Ond mae'r Church Warden yn ei chwant
> Yn dysgu'i blant i gneua.

Fis yn ddiweddarach digiwyd Joseph unwaith yn rhagor pan
adawodd Betty i ymweld â'i theulu:

12 October 1867
Betty left for her favourite quarter in our spring cart. She
took ten geese with her which Lewis did buy for Tynant.

Daliai Jenkin Evans, Tynant, i fod yn ddrwgdybus o Joseph, ac
nid heb resymau digonol. Daeth i'w glyw straeon cyson fod ei
fab-yng-nghyfraith yn mynychu'r ffeiriau ac yn treulio cryn
amser mewn tafarnau. Yn wir, mae'r dyddiadur yn cyfaddef
hynny:

18 November 1867
Went to Llangeitho to the hiring fair. Did not hire
anyone. I did stop for a few hours at Stag's Head public
house with some merry men.

Y diwrnod canlynol aeth Betty, Lewis a Joseph i Ffair
Tregaron lle bu tipyn o helynt. 'There were many pickpockets
there. Many robbed ... John Davies, Alltddu, lost £55-0-0 ... the
empty purse was later found at Penlan.'

Ddechrau Tachwedd, pan oedd Tom ac Anne yn dioddef o'r pas, cwynodd Joseph, 'I am not half well … and am coughing and vomiting'. Yn wir, dirywiodd ei gyflwr meddwl i'r fath raddau nes iddo ddychmygu ei fod yn wynebu angau. Mewn pŵl o hunandosturi ysgrifennodd, 'Let me die in peace', ac aeth ati i gyfansoddi ei feddargraff ei hun ar 2 Rhagfyr 1867:

Fan hyn y gorwedd Jo mab Syncyn
Yn gorph ac enaid yn y priddyn,
A phan bo'r byd yn ei gollfarnu
Tan fantell mam mewn hedd mae'n llechu.

Cafodd yr afiechyd hwn effaith grefyddol arno ac ar y Sul canlynol cofnododd: 'the world is getting more and more wicked daily. In spite of all preaching … John Bull's children are deepening themselves in iniquity'. Fodd bynnag, erbyn Dydd Nadolig roedd ef a'r teulu wedi gwella digon i fynychu'r gwasanaeth yn yr eglwys, ond mae'n bosib i Joseph deimlo braidd yn anghyfforddus yno oherwydd prif fyrdwn y bregeth oedd 'The beer drinkers and the tobacco destroyers had it hard'. Tybed a gyffyrddwyd ef gan y neges honno wrth eistedd yn ei sedd fel Warden yr eglwys? Os do, ni pharhaodd yn hir, oherwydd ar 27 Rhagfyr bu'n yfed mewn *bidding* yn Llangeitho. Yn anffodus nid oedd yn bosib i'r briodferch fod yn bresennol oherwydd 'she was confined of a childbirth early this morning which impeded her marriage, but the bidding took place at the young man's mother's house and was warmly and thickly attended'.

Mae'r nodyn olaf yn ei ddyddiadur am 1867 yn disgrifio'r flwyddyn fel 'the most troublesome year I have ever spent'. Ceisiodd ddadansoddi'r rhesymau am y cyfnod cythryblus hwn yn ei fywyd, a daw i'r casgliad fod yna lawer o ffactorau'n gyfrifol am y sefyllfa, ar wahân i'r gwendidau yn ei gymeriad ef ei hun:

> 31 December 1867
> The blame may have been partly on my own side, but not altogether. The deficient crops cannot be attributed to my faults. Our illnesses, our pride, our extravagance and our mode of living must tell very soon. We bring all sorts of punishment upon ourselves. We bring ourselves voluntarily to a state of poverty.

Yn yr un cofnod mae'n tynnu sylw at fater arall sy'n dangos statws isel yr iaith Gymraeg o fewn y gyfundrefn:

> We are obliged to be tried by English Judges and very often English Juries ... They scorn our language because they can neither learn nor pronounce it correctly.

Mae'n cloi â'r llinellau hyn sy'n dangos yn eglur ei fod yn ymwybodol o'r gwendid mawr oedd yn andwyo'i fywyd ac yn dinistrio'r berthynas rhyngddo a'i deulu:

> Ti Ior mâd rho i mi'r Ewyllys
> Neu allu rhag meddwi.

PENNOD 10

AR BEN EI DENNYN

Wrth agor ei ddyddiadur am 1868 mynegodd Joseph Jenkins y
gobaith hwn: 'May the year 1868 leave things more pleasing
than it is at present'. Yn anffodus, ni wireddwyd ei ddymuniad.
Ar Ddydd Calan, serch hynny, cafodd ddiwrnod wrth ei fodd:

1 January 1868
I prepared myself for the Club Feast of the Beehive
Society. We paraded up to the vicarage and back to the
church where we had a good sermon.

Dilynwyd y 'bregeth dda' gan ginio da yn Long Room y
Talbot Hotel fel arfer. Yr oedd tua 141 o aelodau'r gymdeithas
yn bresennol, a chafwyd adroddiad ar gyfrifon yr elusen a oedd
ar gyfer yr hen, y claf a'r gweddwon. Nododd Jenkins gyda pheth
boddhad: 'The funds are increasing in the book'.

Ar aelwyd Trecefel âi'r gwaith yn ei flaen, a cheir disgrifiad
byw o'r gorchwylion ar noson oer o aeaf. Bu Joseph wrthi'n
llunio coesau newydd i bob bwyell, ac un o'r gweision, Dafydd,
Tyngwndwn, yn gwneud basgedi. Gwaith Daniel Lloyd a'i fab,
Lewis, oedd gwneud brwsys newydd, hogi'r pladuriau a gwneud
rhaffau. Ychydig ddyddiau'n ddiweddarach, bu'n rhaid i Joseph
Jenkins gludo un llwyth ar bymtheg o raean i Langeitho ar gais
James Weekes Szlumper a oedd, erbyn hynny, yn syrfëwr
Ceredigion yn ogystal ag yn oruchwyliwr ar y Milford and

Manchester Railway. Ond nid oedd dyfodiad blwyddyn newydd wedi lleddfu'r awydd am y ddiod. Ar 11 Ionawr aeth Joseph Jenkins i'r Ffair Fach yn Llambed. Ar ôl treulio'r diwrnod yno'n yfed, bu bron iddo golli'r trên olaf yn ôl i Dregaron am un ar ddeg o'r gloch y nos. Bu yn Llambed eto ar ddechrau Chwefror a threuliodd y diwrnod cyfan yn y Royal Oak. Drannoeth aeth i Ffair Sant Silyn yn Nhregaron i werthu gwartheg, ac ar ôl gwerthu rhai anifeiliaid aeth i dafarnau'r dref a gwario'r arian ar ddiod.

Yr oedd temtasiwn yn dilyn temtasiwn oherwydd ei gysylltiad â rhai o wŷr amlwg yr ardal, a châi ei wahodd yn weddol fynych i wahanol achlysuron. Ar 12 Chwefror mae'n nodi ei fod wedi ei wahodd 'to a coursing meeting at Tregaron with numerous respectable gentlemen ... We had a fine day and a good dinner'. Treuliodd ddiwrnodau di-rif yn dilyn helfeydd, a cheir sôn amdanynt yn ei ddyddiadur:

> I rode up to meet the hounds at Ystrad Dewi and had a good long hunt down at Pantgorian where they caught the fox after loosing both sets of dogs after him. There were 24 dogs.

Bu'n cwrsio sgwarnogod hefyd ar dir Capeli a Maestir uwchben Llambed. Y man cyfarfod wedi'r achlysuron hyn oedd y dafarn agosaf lle byddai digonedd o ddiod ar gael ar gyfer yr helwyr.

Erbyn hyn roedd Betty'n disgwyl ei nawfed plentyn, ond llwyddodd hi a'i merched a'r morynion i wneud 396 o bwysi o fenyn i'w gwerthu am ddeg ceiniog a ffyrling y pwys ym marchnad Tregaron ym mis Chwefror. Ar yr un pryd, gwnâi ei gorau glas i gadw'i gŵr yn glir o demtasiwn drwy gadw gafael ar yr arian a ddeuai i'r tŷ, a thrwy guddio pob diferyn o ddiod. Cwynodd Joseph: 'Betty goes through my trouser pockets searching for money ... it is not fair'. Mynnai nad oedd mwyach yn feistr ar ei aelwyd ei hun, ac fe'i cythruddwyd yn fwy pan wrthododd y forwyn fach ddatgelu lle o fewn y tŷ y cuddiwyd y botel frandi. Ond bu digwyddiad annisgwyl arall a oedd y tu hwnt i reolaeth Joseph a Betty pan fu damwain erchyll ar fferm Trecefel. Bu'n ysgytwad i Joseph, fel y dengys ei ddyddiadur:

18 February 1868
One does not know what will happen in one day, or rather one hour ... At about 7 o'clock Daniel Lloyd brought news that the maid servant Jane had got entangled in the chaff cutter. Her left hand was off at the wrist. Only a narrow piece of skin was holding it together. Daniel rode for Dr John of Garth and Lewis went for his father Dr Rowlands of Strata Florida. I stopped the flow of blood. Dr John was here by 10.30, his father by 12.30. Amputation was necessary ... and skilfully performed. I never saw such a dreadful accident.

Yn anffodus collodd Jane ei braich, ac ar y 23ain claddwyd y fraich yn barchus ym mynwent Ystrad-fflur. Nid oedd yn y cyfnod hwn unrhyw ddarpariaeth ar gyfer unigolion a gâi ddamweiniau o'r fath, felly ni chafodd yn iawndal ond £1-2-6 o'r cyflog oedd yn ddyledus iddi i fyny i'r diwrnod ar ôl y digwyddiad.

Ar 27 Chwefror dathlodd Jenkins ei ben blwydd yn hanner cant oed. Penderfynodd nodi'r garreg filltir hon yn ei fywyd trwy ddal trên i Lambed a chwilio am gysur yn ei ddull arferol yn yfed yn y tafarnau. Ond parhau i'w bigo wnaeth ei gydwybod:

Fe haera'r hunan fawrglod
Fy mod yn yfed gormod,
Rwy wedi cyrraedd hanner cant
Mae arnaf chwant ymwrthod.

Er hynny, dal i fynychu'r ffeiriau a wnaeth ac ildio i'r hen demtasiynau. Ar 6 Mawrth treuliodd y diwrnod 'drinking with Daniel of Lletemddu', ac yn y Ffair Ieir yn Nhregaron bu'n yfed 'whisky with the horse dealer'. Cynyddu wnaeth gofid y Parchedig Latimer Jones am ymddygiad ei denant ac ymwelodd â Threcefel unwaith eto i geisio ymresymu â Joseph Jenkins.

Ar 9 Ebrill, tua chanol nos, dechreuodd Betty deimlo'n anhwylus, a bu'n rhaid i Lewis y mab fynd ar frys i mofyn ei fodryb a'r fydwraig at ei fam. Roedd ar fin rhoi genedigaeth. Danfonodd Joseph un o'r gweision i gyrchu Dr John o'r Garth at Betty, ond yn y pen draw bu'n rhaid iddo ef weini ar ei wraig a ganed mab, John David, iddynt am dri o'r gloch y bore. Dyma'u plentyn olaf, ond yn anffodus ni chreodd dyfodiad y baban harmoni newydd rhyngddynt; yn wir, gwaethygu wnaeth pethau ar yr aelwyd. Er bod Betty o gyfansoddiad cryf fe'i gwanhawyd gan enedigaeth ei nawfed plentyn, a phwysai'r cyfrifoldeb am y baban newydd yn drwm arni. Fe'i trawyd gan iselder ysbryd, ac mae Joseph yn nodi:

11 April 1868
Betty is not as strong as usual in her confinement. She keeps to her bed. She is rather weak and thirsty. The little infant is doing well so far.

Y diwrnod wedyn aeth Joseph i'r eglwys, ond ni chafodd fawr o fudd o'r bregeth:

12 April 1868
I did prepare for Church. The Rev John Hughes was officiating ... I did not like his sermon ... being the worst I have ever heard from his mouth.

Gwaethygu wnaeth Betty, a dengys y dyddiadur gonsýrn y gŵr am gyflwr ei wraig:

20 April 1868
Betty is rather bad again to-day ... Her appetite is weak –
she is worse – she does not eat anything almost ... she has
kept to her bed all day.

Daeth nifer o ymwelwyr i ddymuno'n dda i Betty a'r baban,
ond prin y medrai Joseph eu croesawu. 'I was much bothered by
them and the potato pickers', meddai.

Wedi iddo dderbyn rhybudd gan y Parch Latimer Jones am ei
ymddygiad, bu Joseph mewn hwyliau drwg iawn. Credai hefyd
fod Lewis ei fab yn cynllwynio gyda'i dad-yng-nghyfraith,
Jenkin Evans, Tynant, i wneud niwed iddo. Bu'n genfigennus o'r
berthynas glòs a fodolai rhwng Lewis a'i dad-cu ers
blynyddoedd, ac mae'n ddigon tebyg bod ei gyflwr meddwl yn
tueddu i chwyddo unrhyw amheuaeth fach yn fynydd mawr.
Mae'n amlwg bod yr awyrgylch yn Nhrecefel bron â'i lethu,
oherwydd ar 27 Ebrill cyfansoddodd bennill sy'n lled awgrymu
ei fod yn ystyried gadael y cwbl:

> Ffarwel i bob anghydfod
> A phob rhyw fath o bechod,
> Ar ôl i mi gael myned i ffwrdd
> Chaiff neb ddim cwrdd a thrallod.

Yn ystod y mis a ddilynodd, dal i gyniwair wnaeth yr atgasedd
rhyngddo ef a'i deulu nes cyrraedd penllanw annisgwyl pan fu
ymosodiad corfforol ffyrnig arno yn Nhrecefel gan rai aelodau
o'r teulu:

26 May 1868
I was not home before a quarter to eleven and went to bed
directly ... But alas! I was disturbed very soon and
brutally affected by those who ought to respect me in
every sense. The bed clothes were dragged from me. I did
change my bed and tried to shelter myself with my young

children Tom and Anne. Lewis came from the garret and
began to strangle me, but I was strong enough for him –
but he was assisted by the big maid, my wife, Margaret
and Elinor. The had me down and did abuse me in the
most brutal manner for nearly 2 hours. Three of my ribs
and my breast-bone were fractured and I could not
breathe for a long time.

Yn ei ddyddiadur mae Joseph Jenkins yn haeru bod yr
ymosodiad hwn arno yn ddireswm, ac er bod straeon ar lafar yn
awgrymu mai cyfathrach â merch ieuanc yn yr ardal a'i
hysgogodd, ni ddeuthum ar draws unrhyw dystiolaeth i brofi
hynny. Beth bynnag oedd y rheswm penodol am yr ymosodiad
rhyfeddol hwn ar y noson arbennig honno, mae'n gwbl amlwg
bod teulu Trecefel wedi syrffedu ar ymddygiad afresymol
'meistr' y fferm, ac wedi mynd ati i ddysgu gwers lem iddo.

Yn dilyn yr ymosodiad roedd ei gyflwr yn ddifrifol. Y bore
canlynol fe'i llusgodd ei hun yn boenus o'r gwely a'i feddyliau'n
llawn dicter tuag at ei deulu. Ond prin y medrai sefyll ar ei draed
a bu'n rhaid iddo ddychwelyd i'w wely lle bu'n corddi am
weddill y dydd. Cwynai fod ganddo 'about a dozen different
wounds, an ugly black eye ... and being undone all over my
body'. Drannoeth llwyddodd i godi am 5 a.m. a cheisio adennill
ei awdurdod trwy ddial ar ei ddwy ferch hynaf, Margaret ac
Elinor:

28 May 1868
I got up at half past 5 and compelled my two daughters
Margaret and Elinor to leave their couches through
means of a slender ground ash, being my first time to
show myself master of the house ... They did finish to
gather stones at Cae James!

Ofnai geisio talu'r pwyth yn ôl i'w wraig am ddigwyddiadau'r noson, ond yn hytrach arllwysodd ei ddicter mewn cyfrol arbennig o'i ddyddiaduron a alwodd 'My Black Book'. Ni faddeuodd i Betty erioed am y rhan a chwaraeodd yn yr ymosodiad, a brithir y dyddiaduron a gadwodd yn Awstralia â phenillion yn ei phardduo'n ddidrugaredd.

Bu'n gynddeiriog am wythnosau, a lluniodd benillion i ddatgan ei atgasedd at ei deulu a'r hyn a ddigwyddodd:

28 May 1868
> I'm black from the crown of my head
> All down to the tips of my toes,
> So cruel my traitors did tread
> My life is despised through the foes.
>
> Three devils were tearing my legs,
> My testicles, the serpent did squeeze,
> The demon was struggling with pegs
> While poking my ribs with his knees.
>
> Mae'm bywyd yn anhapus
> Heb ennyd yn gysurus,
> Benddaru rwyf pa beth a wnaf
> O'r bywyd claf a chlwyfus.
>
> Gwna'm poenu yn bersonol
> Drwy i thwyll a'i brâd beunyddiol,
> Digysur iawn yw byw fel hyn
> Heb ennyd yn heddychol.

Crynhodd ei deimladau o anobaith ac iselder, ac yn ychwanegol at ei broblemau teuluol, fe gasglodd cymylau bygythiol eraill ar y gorwel. Ym mis Medi 1868 aeth ati i ddyfnhau gwely'r afon gerllaw Pont Trecefel er mwyn ceisio tynnu'r dŵr o'r corsydd, ond nid oedd y cynllun wrth fodd James Weekes Szlumper, a chyhuddwyd Jenkins o achosi rhwystr ar y bont. Penderfynwyd ei erlyn, ac ar 29 Medi bu'n rhaid iddo

ymddangos gerbron Llys Ynadon Tregaron. Cafwyd adroddiad
ar yr achos yn *The Welshman*:

> Tregaron Petty Sessions, 29th September 1868 before
> J.E. Rogers Esq and the Rev. John Hughes. Mr Szlumper,
> Aberystwyth Bridge Surveyor for the County of
> Cardigan charged Joseph Jenkins, farmer, Trecefel,
> Caronisclawdd, with having on the 18th on the highway
> at Trecefel Bridge ... laid a certain quantity of gravel and
> rubbish to the interruption of persons travelling thereon.[1]

Gwadodd Jenkins y cyhuddiad gan honni nad ef fu'n gyfrifol
am y rhwystr. Gofynnodd Szlumper am ohirio'r achos hyd y llys
ynadon nesaf, ac fe gytunwyd. Mae'n ddiddorol darllen fersiwn
Jenkins o'r achos llys:

> 29 September 1868
> I prepared to attend the Petty Sessions ... I was soon
> called – went through my defence quite triumphantly. I
> acted as my own lawyer ... Szlumper swore a downright
> lie before the magistrate both at Tregaron and
> Aberystwyth
>
> > Estyn bwmp at drwyn Szlwmper – yn go daer
> > Hen gaudyst ysgeler!
>
> Szlumper withdrew and adjourned the case. He wanted
> to compromise and be assisted to build the parapet
> higher.

Ond er iddo honni ei fod wedi trechu Szlumper, yr oedd y
digwyddiad wedi ychwanegu at y catalog cynyddol o broblemau
a gododd yn ystod y flwyddyn gythryblus honno. Yr oedd ei enw
da o fewn y gymuned mewn perygl o ddiflannu, a doedd y ffaith
ei fod yn tueddu i droi'n gwerylgar yn ei ddiod yn fawr o
gymorth iddo. Bu ffrwgwd rhyngddo ac Edward y porter ar orsaf

---

[1] *The Welshman*, 2 Hydref 1868.

Tregaron un noson, a dechreuodd y ddau ymladd. Cwynodd
Jenkins fod y porter wedi ei fwrw. Yna dioddefodd ergyd fawr
i'w hunan-barch pan wrthododd David Owen, perchennog y Red
Lion, roi allwedd yr eglwys iddo am y barnai nad oedd Joseph
Jenkins mwyach yn addas i lenwi swydd Warden. Rhoesai'r
swydd honno dipyn o statws iddo dros y blynyddoedd, ac fe'i
cyflawnodd yn drylwyr a chydwybodol.

Erbyn diwedd 1868 roedd mynydd o broblemau gan Joseph
Jenkins. Cymerodd gam gwag wrth gefnogi'r Torïaid yn etholiad
1868, ac wedi buddugoliaeth y Rhyddfrydwyr yr oedd popeth fel
petai'n cau amdano. Wynebai elyniaeth ei deulu, dicter ei
landlord, a chollodd barch ei gymdogion. Ynghyd â'r rhain
roedd ei broblem yfed yn parhau, ac roedd achos llys yn ei erbyn.
Byddai trafferthion o'r fath yn ddigon i lethu unrhyw un, ond
roedd cyflwr meddwl Joseph Jenkins yn ffactor ychwanegol.
Credai fod pawb yn cynllwynio i'w ddinistrio, a daeth i'r
canlyniad mai ffoi i Awstralia oedd yr unig waredigaeth iddo. Ar
ben y cyfan mae'n amlwg ei fod mewn trafferthion ariannol
dybryd . Mewn llythyr[1] a ddanfonwyd ato gan Lewis, ei fab, ryw
dri mis wedi i Joseph lanio yn Awstralia, dadlennir fod maint ei
ddyledion wedi cyrraedd y swm sylweddol o chwe chan punt.
Nid yw'n syndod felly, iddo benderfynu dianc. Roedd yn
arwyddocaol mai dan gysgod nos y penderfynodd adael ei
gartref, ac mae'r cofnod moel canlynol yn siarad cyfrolau am ei
ymadawiad unig, trist:

8 December 1868
I left Trecefel after dark and caught the downtrain to
Aberystwyth.[2]

[1] Llythyr Lewis at ei dad, 7 Gorffennaf 1869. State Library of Victoria.
[2] Dyddiaduron Trecefel. Llyfr Nodiadau. Llyfrgell Genedlaethol Cymru.

PENNOD 11

Y FORDAITH

Wedi iddo sleifio i ffwrdd o Drecefel gefn trymedd nos ar 8 Rhagfyr 1868, treuliodd Joseph Jenkins y noson yn Aberystwyth. Yn gynnar fore trannoeth daliodd y trên cyntaf ar y Cambrian Line i Benbedw a chymryd cwch i Lerpwl, lle bu mewn llety am dair noson yn paratoi ar gyfer ei fordaith. Roedd prysurdeb y ddinas a'r porthladd yn gwbl wahanol i dawelwch dolydd Trecefel, ac ysgrifennodd: 'Liverpool is a huge and frightening city, worse than London, where the streets rattled all night with traffic, where the noise of footsteps never ceased and where a man had to look sharp about himself and guard his belongings'. Sylweddolai ei fod wedi cymryd cam tyngedfennol, ond er iddo ymdeimlo fod bywyd dieithr a pheryglus o'i flaen, ei fwriad oedd torri cwys hollol newydd a dianc rhag ei broblemau. Mae'n rhaid ei fod wedi teimlo rhywfaint o euogrwydd ac i'w gydwybod ei boeni ychydig, oblegid aeth yn syth at gyfreithiwr er mwyn gwneud ei ewyllys. I un a oedd ar fin wynebu peryglon mordaith ar draws yr Iwerydd, roedd hynny'n gam doeth a naturiol. Yn yr ewyllys hon cawn wybodaeth am ei eiddo yn Nhrecefel, a theg nodi mai ei ddymuniad oedd gadael y cyfan i'w wraig a'i blant:

10 December 1868
I Joseph Jenkins … in consideration of the love and

affection which I have and do bear towards my loving
wife and children ... do freely give... all my property...[1]

Wedi iddo fod gyda'r cyfreithiwr, aeth yn syth i swyddfa'r
Australian Liverpool Company i brynu tocyn sengl i Melbourne.
Cafodd le ar yr SS *Eurynome*, sgwner haearn a adeiladwyd ar
lannau afon Clyde yn 1862. Roedd y llong i hwylio o Lerpwl dan
gapteiniaeth Walter Watson ar 12 Rhagfyr 1868.

Ni allwn ond dyfalu pam y dewisodd fynd i Awstralia yn
hytrach nag i America. Pan ddarganfuwyd aur yn Awstralia,
daeth enwau trefi megis Ballarat a Bendigo'n gyfarwydd hyd yn
oed yn ardaloedd gwledig gorllewin Cymru, gan ddenu mwy a
mwy o ymfudwyr yno. Cymhelliad pennaf y bobl hyn oedd dianc
rhag gormes a thlodi, ond nid felly Joseph Jenkins. Er mai dianc
oedd ei gymhelliad yntau, dianc rhag ei orffennol, ac yn fwy na
hynny, efallai, ceisio dianc rhagddo'i hun oedd ef. Chwiliai am
ddihangfa, a phenderfynodd mai yn Awstralia bell yr oedd ei
obaith gorau am hafan. Beth bynnag oedd ei resymau, byddai
mordaith i Awstralia mewn llong gymharol fechan yn sicr o
olygu profiadau amhleserus a digysur. Hyd wythdegau'r ganrif
ddiwethaf, llongau hwyliau a ddefnyddid ar gyfer y daith hir hon
gan amlaf, gan nad oedd angen cyflenwad cyson o lo arnynt.

Cyn agor Camlas Suez yn 1869, dilynid llwybr y 'Cylch
Mawr' i Awstralia. Hwyliai'r llongau tua'r de heibio i ynysoedd
Madeira, Tenerife a Cape Verde, a chroesi'r Iwerydd i ddilyn
arfordir Brasil. Yna hwylient tua'r de-ddwyrain gan adael
Cefnfor Iwerydd ac anelu am Gefnfor India heibio i'r Cape of
Good Hope, wedyn dilyn llinell 39° lledred i Awstralia. Gan fod
amser yn bwysig, tueddai llawer o gapteiniaid i hwylio rhwng
50° a 55° i'r de er mwyn manteisio ar y gwyntoedd gorllewinol

---

[1] Gweler Atodiad 2.

SCHEDULE (B.)

FORM OF PASSENGER LIST.

Ship's Name.	Master's Name.	Tons P' Register.			Where bound.
Eurynome	W. Watson	1163	275	35	Melbourne

I hereby certify, that the Provisions actually laden on board this Ship, are sufficient according to the requirements of the Passengers Act, for 28 Statute Adults for a Voyage of 140 Days.

Walter Watson

Master.

Date   December 1868

NAMES AND DESCRIPTIONS OF PASSENGERS.

Melbourne

No of Embarkation.	Names of Passengers	Age of each Adult of 12 years and upwards. Married. M. F.	Single. M. F.	Children between 1 and 12. M. F.	Infants M. F.	Profession, Occupation or Calling of Passengers.	English			Scotch		Irish		Other Parts			Port at which Passengers have continued to Embark.
LIVERPOOL																	Melbourne
733	Jos. Coulman	21				Gent	1										
734	Miss Christison		30			Spinster	1										
735	Cath. Horwood		53			do	1										
736	Wm. Jackson	25				Marius	1										
	do			/		Inft			1								
	Geor. Graydon		40			Spak						1					
737	John Maintyre	29				do								1			
	Wm M. do	22				wife								1			
738	James Brown	26				Servt	1										
739	Alfred Bolland	24				do	1										
740	Samuel Bake	39				do	1										
	Annie do	32				Wife	1										
	Laura do				?	Child	1										
741	Alex. McLeod	41				Labourer				1							
742	John Grocut	31				Farmer	1										
	Mary do		38			Wife	1										
	John Law	25				Farmer	1										
743	Louis Laydecker	34				do	1										
	Emma do	20				Wife	1										
744	Jos. Jenkins	8				Farmer	1										?
746	C. R. Martin	18				Gent	1										
		4 5 8 2		1 1		21	15 1 1 1				1			2			

Rhestr teithwyr yr ail ddosbarth ar yr SS Eurynome. *Rhif 744 yw Joseph Jenkins, Farmer.*

cryfion a chwythai'n gyson yn y parthau hynny. Ond ar yr un pryd roedd yn rhaid mentro'n nes at odre'r Antarctig ac wynebu peryglon oerfel, stormydd eira a chesair, a'r posibilrwydd o daro yn erbyn mynydd iâ. Llwybr y Cylch Mawr a ddewisodd capten yr *Eurynome* ar gyfer y daith i Melbourne.

Disgrifia'r Lloyd's Register of Shipping yr *Eurynome* fel 'iron schooner of 1163 tonnage and 210 foot long'. Llong nwyddau, nid llong bwrpasol ar gyfer ymfudwyr oedd hon, ac yn eironig ddigon, o gofio trafferthion Joseph Jenkins, ymysg cargo'r llong ceid cyflenwad o gwrw ar gyfer Awstralia. Nododd: 'I saw 1,000 caskfulls of the best 3XXX's Beer put in at Liverpool as part of the ship's general cargo'.

Yn ôl y Schedule, tri deg tri o deithwyr yn unig oedd ar ei bwrdd; deuddeg ohonynt yn y salŵn, sef y dosbarth cyntaf, a'r gweddill yn gorfod ymdopi orau gallent yn yr ail ddosbarth. Ar y rhestr o deithwyr, cyfeirir at Joseph Jenkins fel 'farmer' ac 'a single man'. Er bod categori ar gyfer Albanwyr, Gwyddelod a thramorwyr, nid oedd unrhyw sôn am Gymry, felly rhaid oedd cynnwys Jenkins ymhlith y Saeson.

Bu'n brysur iawn ar y dydd Gwener yn paratoi ar gyfer y fordaith. Roedd angen prynu dillad addas arno, ynghyd ag angenrheidiau eraill megis llestri. Gwawriodd dydd Sadwrn – 'a wet and gloomy morning', adlewyrchiad, efallai, o'i deimladau. Cododd yn gynnar a chychwyn am y porthladd, ond methodd â dod o hyd i'r llong nes i blismon ei gyfarwyddo i'r doc iawn. O'r diwedd daeth o hyd i'r *Eurynome*, ac ar ôl mynd ar ei bwrdd prin y cafodd gyfle i bendroni ymhellach ynglŷn â'i benderfyniad gan fod yn rhaid iddo ymgyfarwyddo â bwrlwm y llong, a chyfarfod ei gyd-deithwyr. 'It was', meddai, 'a scene of intense activity, of swearing sailors, weeping relatives at the quayside and every passenger busily engaged in putting the berth and other things in

Rhestr teithwyr y dosbarth cyntaf ar yr SS Eurynome

order.' Ond nid oedd neb ar y doc i golli deigryn drosto ef – ac
nid oes gennym unrhyw ddisgrifiad o'r olygfa yn Nhrecefel wedi
i'r teulu sylweddoli ei fod wedi ymadael mor greulon o
ddisymwth. Am naw y bore, ar 12 Rhagfyr, cliriodd y llong y
Queen's Docks a pharatoi i wynebu'r cefnfor.

Rhannai ei 'berth' gyda gŵr o'r enw C.N. Martin. Bu'n ffodus
yn ei gydymaith a bu'r berthynas rhyngddynt yn gyfeillgar trwy
gydol y fordaith hir a stormus. Pan aeth ar y dec y diwrnod cyntaf
teimlai'n ddigon cartrefol gan fod yno bob math o anifeiliaid. Yn
ôl ei ddyddiadur:

12 December 1868
The deck resembled a farmyard with pigs, sheep, fowl,
dogs, all manner of animals, all very much alive …

A thrannoeth, pan ddihunodd, 'I thought I was at home – or
rather at Trecefel when hearing the cocks crow, dogs barking,
pigs, sheep, geese, ducks and many things beside'.

Ni lwyddodd y llong i adael afon Mersey ar yr ail ddiwrnod
gan fod storm gref wedi codi a thorri cadwyn yr angor, felly
gohiriwyd yr hwylio er mwyn ei thrwsio; ond o'r diwedd, ar 16
Rhagfyr, codwyd yr angor a chychwynnwyd ar y daith. Yr oedd
cryn gynnwrf ymhlith y teithwyr, a llawer o floeddio, dawnsio a
chanu i gyfeiliant consertina a phiano. Wrth weld y tir yn cilio
a'r llong yn mentro i'r môr mawr, teimlai Jenkins ryw ryddhad
rhyfedd. Meddai, 'I feel healthy and in good spirits'.

Rhannwyd y teithwyr ar y llong yn ôl dosbarth eu tocynnau.
Câi'r teithwyr dosbarth cyntaf bob math o foethusrwydd, ond
gan mai teithiwr ail ddosbarth oedd Joseph Jenkins, rhaid oedd
iddo ef rannu cyfleusterau a pharatoi ei fwyd ei hunan. Unwaith
yr wythnos gelwid y teithwyr ail ddosbarth i'r storfa er mwyn i'r
steward ddosbarthu'r cyflenwad bwyd rhyngddynt. Cynhwysai
hwn 'biscuits, beef, pork, preserved meats, flour, treacle, rice,

butter, sugar, coffee, peas, potatoes, oatmeal, raisins, suet, mustard, pepper, lime juice, vinegar ...' Disgwylid i bob un o'r teithwyr ail ddosbarth gymryd ei dro i goginio'r bwyd.

Ymhen ychydig oriau ar ôl gadael Lerpwl cafwyd rhagflas o'r hyn fyddai'n eu disgwyl ar y daith. Wrth i'r llong nesáu at sir Fôn, cododd gwynt cryf a chynhyrfwyd y môr nes i Jenkins gael ei daflu allan o'i wely bedair gwaith yn ystod y nos. Ciliodd y llawenydd a thyfodd teimlad o bryder ymhlith y teithwyr wrth weld y llong yn cael ei hyrddio gan y tonnau. Gofidiai Jenkins am ei ddiogelwch wrth weld y 'seats and earthenware and other objects ... knocked about in all directions'. Golchai tonnau anferth dros y dec a bu'n rhaid i Joseph ei glymu ei hun i'w wely. Parhau wnaeth y storm wrth i'r *Eurynome* hwylio ar hyd arfordir Cymru, ac roedd y llong yn dal i rolio wrth iddi basio Aberdaugleddau ar 21 Rhagfyr. Ceisiodd Jenkins fynd ar y dec ond cafodd 'a good ducking and was obliged to change clothes twice ... the cabin on the poop staircase was washed away ... swimming along the upper deck'.

Llifodd troedfedd o ddŵr i mewn i gabanau'r dosbarth cyntaf ac i'r salŵn, a bu'n rhaid agor y 'portholes' er mwyn cael gwared ohono. Clywodd Jenkins y capten yn galw 'All hands on deck!' a nododd yn ei ddyddiadur: 'The ship was ungovernable for two hours ... The ship made little progress ahead for tacking against the wind ... we will not reach Melbourne for years at the present rate of sailing!'

Mae'n rhyfeddol ei fod yn medru dal i gadw'r dyddiadur o dan y fath amgylchiadau. Gan i'r storm barhau am ddyddiau, bu'n rhaid iddo dreulio amser maith yng nghrombil y llong lle nad oedd fawr o olau nac awyr iach, a chan nad oedd ganddo'i gaban ei hun, gorfu iddo fyw a chysgu yng nghwmni'r teithwyr eraill mewn un ystafell hir yng nghanol y llong. Ar hyd yr ymylon roedd rhesi o welyau pren, y naill ar ben y llall, a llenni rhyngddynt. Y rhain oedd yr unig beth a gynigiai rywfaint o breifatrwydd.

Ar noswyl Nadolig roedd y môr yn dal yn arw a'r llong yn gorfod brwydro yn erbyn y tonnau. Er ei bod hi'n anodd iawn ysgrifennu o dan y fath anawsterau, llwyddodd Joseph Jenkins i lunio'r pennill hwn yn ei ddyddiadur:

> Every man must die just once
> And lose all vital sparks,
> Come, eat, drink, sing and dance
> Our graves may be the sharks.

Roedd yna hefyd arwyddion fod tensiynau'n dechrau dod i'r amlwg rhyngddo a rhai o'r teithwyr eraill. Er bod y capten a'r swyddogion eraill yn ymddwyn yn hollol deg tuag ato, teimlai ar adegau fod gan rai ragfarn yn ei erbyn am ei fod yn Gymro: 'As I am the only Welshman on board, that is to say, the only one who professes to be a Welshman, therefore I am rather bullied'. Efallai ei fod yn orsensitif neu'n dioddef o baranoia, ond cyfeiria at hyn dro ar ôl tro yn ystod y fordaith:

> To me, the Welshman, they do form
> All blame for nasty sauce,
> For wounds, for headwinds, waves and storm
> You Welshman art the cause.

Wrth i'r llong nesáu at Fae Biscay, gwaethygodd y tywydd ac nid oedd fawr o awydd dathlu'r Nadolig ar y teithwyr. 'It was so rough that the bow of the vessel dived underwater and everything except iron was swimming along the deck. Nevertheless, the careful Captain, Mr Watson, duly visited every cabin with the Season's Greetings.' Ceisiwyd gwneud y gorau o'r sefyllfa a chafwyd pwdin plwm i ginio, ond, yn anffodus o safbwynt

Jenkins, cofnododd, 'no geese'. Mae'n amlwg ei fod yn gweld
colli gwyddau blasus Trecefel, os nad dim arall; ac er bod llawer
o'i gyd-deithwyr wedi goryfed, ni chymerodd Joseph ond 'one
festive glass of wine'.

    Yna, ar Ŵyl San Steffan tawelodd y bae a chafwyd peth
difyrrwch wrth wylio 'scores of porpoises swimming and
ploughing along the ship in all directions'. Drannoeth, a hithau'n
Saboth, trefnodd y capten wasanaeth crefyddol yn y salŵn. Aeth
Joseph ati i ymolchi a pharatoi, ond erbyn iddo gyrraedd y salŵn
roedd y gwasanaeth wedi dod i ben! Nid oedd yn hollol gartrefol
yn y gwasanaethau crefyddol ar y llong gan fod y mwyafrif o'i
gyd-deithwyr yn Babyddion, a bu'n elyniaethus i Babyddiaeth
ers blynyddoedd. Felly, tueddai i gadw draw ar y Sul.

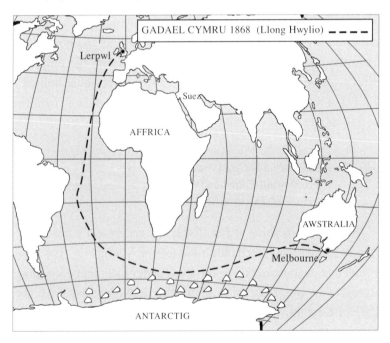

Y daith hir yn dilyn y Cylch Mawr mas i Awstralia

Wrth i'r tywydd barhau i wella codwyd y 'Royal Sail', a chyda 600 llath sgwâr o gynfas bwriodd y llong yn ei blaen yn gyflymach o lawer. Cododd hynny galonnau'r teithwyr, ond eto roedd y cyfleusterau cyntefig yr oedd yn rhaid iddynt eu dioddef yn creu problemau. Ychydig iawn o doiledau oedd yn yr ail ddosbarth, a rhaid oedd arllwys y carthion dros ochr y llong. Ysgrifennodd rhai o'r teithwyr lythyr at y capten yn cwyno am gyflwr y 'water closet'. Ateb y capten oedd mai'r teithwyr eu hunain oedd yn gyfrifol am lendid y cyfleusterau hyn.

Ar Nos Galan, a'r môr yn dawel, gwelwyd golygfa hudolus ynysoedd Madeira ar y gorwel, a chasglodd llawer o'r teithwyr ynghyd ar y dec i groesawu'r flwyddyn newydd. Bu tipyn o ganu a cherddoriaeth, a chanwyd cloch y llong am hanner nos. Wrth ffarwelio ag 1868, blwyddyn fwyaf cythryblus ei fywyd, tybed pa deimladau a gododd yng nghalon Joseph Jenkins? A drodd ei feddwl at yr helwyr calennig a fyddai'n sicr o fod yn mentro allan yn Nyffryn Teifi ac yn anelu am Drecefel a'r ffermydd eraill? Yr unig beth a gawn ganddo, gydag ynysoedd Madeira ar y gorwel, ac yntau yng nghwmni dieithriaid, yw pennill ffarwél digon ysgafn:

> Farewell the year of sixty eight
> With all thy pleasures and thy cares,
> Who can recall the wrongs and right
> Mixed with flowers, fears and snares.

Yna, ciliodd ynysoedd Madeira ac ni fyddai'n gweld tir sych am beth amser eto. Lladdwyd un o'r moch i gael cig ffres, ond i'r teithwyr dosbarth cyntaf yr âi hwnnw yn bennaf; roedd yn rhaid i'r ail ddosbarth wneud y gorau o'u dogn wythnosol o fwyd. Ar deithiau hir roedd sicrhau cyflenwad digonol o ddŵr yfed ar long yn broblem barhaus. Gallai'r 'condenser' ar y llong

hon buro 280 o alwyni'r dydd, ond roedd yn rhaid defnyddio dŵr
hallt yn syth o'r môr i ymolchi ac ati.

Er bod anawsterau mawr yn codi o bryd i'w gilydd, roedd yna
gyfnodau cyffrous hefyd. Mae Jenkins yn nodi ei fod wedi gweld
'an enormous fish, a swarm of turtles and a whale was sighted
from the starboard side'.

Fel y gallesid disgwyl, cymerodd Joseph Jenkins ddiddordeb
mawr yn y llong o'r diwrnod cyntaf un, yn enwedig yn y modd
y rheolid hi gan y capten a'r swyddogion eraill. Cyn hir daeth yn
gyfarwydd â'r capten, a manteisiai ar bob cyfle i sgwrsio ag ef
ac i ofyn cwestiynau am hyn a'r llall. Yn naturiol ddigon cafodd
ei alw'n 'Taffy' gan y swyddogion, a châi ganiatâd i fynd i'r
'poop deck' yn aml. Yn anffodus, sylwyd bod ei esgidiau
trymion yn gwneud niwed i'r dec, a chafodd orchymyn i beidio
â'u gwisgo. Oherwydd hyn fe'i llysenwyd yn 'Clodpole' gan rai
o'r morwyr, ac nid oedd hynny wrth ei fodd. Mynegodd ei
ddicter mewn pennill:

> My nailed boots do bother
> The Captain and his manner,
> I mustn't wear them on the poop
> Or else he'll loop my shoulder.

Yn ogystal â hynny, ni châi wisgo'r esgidiau yn y capel,
chwaith. Meddai, 'The Captain has ordered me to wear slippers
in the chapel and on the poop deck'. Bu hyn oll yn destun gwawd
ymhlith ei gyd-deithwyr.

Wrth i'r llong hwylio yn ei blaen, gwaethygodd y cyfleusterau
ar gyfer teithwyr yr ail ddosbarth. Erbyn hyn roedd y gwres yn
llethol, a phawb yn fyr eu hamynedd, ac ar adegau arweiniai hyn
at ffraeo. Bu'r berthynas rhwng Jenkins a rhyw ŵr o'r Isalmaen
yn un fregus iawn am fod hwnnw, yn ôl y Cymro, wedi bod yn

rhaffu celwyddau amdano. Mynnai Jenkins mai rhagfarn yn ei erbyn am ei fod yn Gymro oedd wrth wraidd hyn, ac y câi ei gyhuddo ar gam am ffaeleddau pobl eraill: 'I am blamed for many things on this ship for which I am innocent.' Ond bu yna anghydweld rhwng y Saeson a'r Gwyddelod ar y llong hefyd, a bu'n rhaid i'r capten ymyrryd er mwyn eu rhwystro rhag dechrau ymladd. Yr oedd gan Joseph un arf arbennig pan fyddai helynt yn codi, sef ei iaith ei hun, ac fe'i defnyddiai i'w amddiffyn ei hun pan fyddai camgyhuddiad yn ei erbyn. 'A few words in Welsh always being there for a hot temper. Their reply was, "Oh! Don't talk Welsh, it's ungentlemanlike".'

Ond er bod yna rai'n barod i ddilorni'r gwladwr o gefn gwlad Ceredigion, cafodd gyfle i brofi ei werth pan fu galw am rywun i gneifio'r defaid ar fwrdd y llong. Mae'n sicr nad oedd erioed wedi dychmygu pan oedd yn cneifio uwchben Llanddewibrefi y byddai gofyn iddo gneifio ar fwrdd anesmwyth llong wrth groesi'r Iwerydd. Er nad oedd ganddo wellau pwrpasol, bu ef a rhyw Wyddel wrthi am ddeuddydd yn cneifio. Fel amaethwr, poenai am gyflwr yr anifeiliaid gan nad oeddynt yn cael fawr o ymborth. Gwelodd eu bod yn teneuo o ddydd i ddydd a nododd, 'The last sheep which was killed only weighed forty nine pounds, whereas she would have made seventy pounds when she first came on board'. Ar 10 Ionawr 1869 lladdwyd mochyn arall er mwyn i'r teithwyr dosbarth cyntaf gael cig ffres, ac meddai Joseph, 'poor half starved prisoner, his lucky fate came at last!'

Gwellodd hwyliau pawb wrth i'r llong fanteisio ar wyntoedd teg wedi'r stormydd a brofwyd yn ystod yr wythnosau cyntaf. Nododd Jenkins fod yr *Eurynome* yn medru bwrw ymlaen yn gyflym: 'the sails flew like bladders full of wind carrying the ship through swelling seas with foaming white spots at the speed of 13 knots an hour'. Gwelwyd rhyfeddodau newydd bob dydd:

'Flying fish could be seen each night rising nearly half mast high. The bodies looked white each morning on the deck … They were as delicious to eat as trout or herring, and all around us the sea was as calm as muslin.' Gwelwyd ambell siarc yn dilyn y llong, a cheisiodd amryw o'r teithwyr ddal un ohonynt drwy osod darnau o gig moch ar fachau. Ceisiodd eraill ei drywanu â gwaywffyn, ond roedd yn rhy gyfrwys iddynt, a methiant fu ymdrechion y 'pysgotwyr'. Câi'r teithwyr dosbarth cyntaf ddifyrrwch drwy saethu at boteli a daflwyd i'r môr, ond yn ôl Jenkins, a oedd yn saethwr penigamp, 'they were very poor marksmen'.

Oherwydd y cyfleusterau cyfyng ar fwrdd y llong roedd glendid yn hanfodol bwysig er mwyn osgoi heintiau. Meddai Joseph, 'The crew are busily engaged in washing the decks which were dirtied by loose dogs, pigs, geese, ducks, sheep and so on'.

Wrth nesáu at y cyhydedd cafwyd dyddiau tanbaid:

12 January 1869
We are quite at a standstill … the timbers are so hot I can scarcely lay my hand on deck … very foul … we are 250 miles this side of the equator …

Ar ddyddiau poeth fel hyn dioddefai'r teithwyr yn enbyd o syched, felly pan fyddai'n glawio gwnaed pob ymdrech i gasglu cymaint o ddŵr glaw â phosib. Drwy lwc a bendith dechreuodd fwrw glaw ar 13 Ionawr, a Joseph Jenkins oedd un o'r casglwyr mwyaf brwd:

13 January 1869
It began to rain … all the empty buckets were set to receive the fresh rain water … I caught five gallons … the sailors put sixty gallons into the water tank.

Ar y Sul canlynol, 15 Ionawr, roedd Joseph yn rhy brysur i fynychu'r moddion boreol oherwydd, 'I was engaged in catching water … I carried thirty six buckets to the tank on the condition that I was to have one bucketful for every dozen to wash when required'.

Gan mai prin symud oedd y llong, collodd y capten, hyd yn oed, ei amynedd, ac meddai, 'We will not cross the line for seven years at this rate'.

Wrth iddynt nesáu at y cyhydedd collwyd y gwynt yn gyfan gwbl a throdd yr awyrgylch yn ormesol. 'The sea was dead calm with many other ships in sight all in want of a breeze.' Nododd fod y gwres yn 84°F ac roedd cysgu'n amhosibl yn y gwelyau cyfyng yng nghrombil y llong. Cododd Jenkins a'i gyd-deithwyr am bump y bore a thaflu bwcedi i'r môr er mwyn cael dŵr i ymolchi.

Ar 16 Ionawr 1869 gwelwyd llong ar y gorwel. Yr oedd hon ar ei ffordd i Lundain gyda chargo o goffi, a dyma'r cyfle cyntaf er gadael Lerpwl i ddanfon llythyrau'n ôl i Brydain. Wrth i'r ddwy long nesáu at ei gilydd, rhwyfodd cwch o'r *Eurynome* gyda nifer go dda o lythyrau i'w trosglwyddo i'r llong arall. Yn eu plith roedd yna lythyrau gan Joseph Jenkins. Danfonodd un at ei frawd, Cerngoch, un arall at ei frawd, Jenkin, ym Mlaenplwyf, ac un at ei ferch hynaf, Margaret, yn Nhrecefel. Yn anffodus collwyd mwyafrif llethol y llythyrau hyn.

Croesodd y llong y cyhydedd ar 18 Ionawr 1869. Roedd yn arferiad nodi hynny drwy gynnal seremoni arbennig ar y dec, ond nid oedd Mr Watson y capten am ddathlu y tro hwn. Yr oedd y tywydd mor boeth fel nad oedd gan unrhyw un o'r teithwyr y nerth i gymryd rhan mewn unrhyw chwaraeon. Ar ben y cwbl trawyd llawer gan 'enteric fever', a phrif symptom yr afiechyd hwnnw oedd dolur rhydd. Wrth gofio mai cyntefig oedd y cyfleusterau ar y llong, gallai hynny fod wedi arwain at sefyllfa ddifrifol. Prin iawn hefyd oedd y darpariaethau meddygol, er ei bod yn orfodol cael meddyg ar bob llong yn ôl y gyfraith erbyn y cyfnod hwnnw. Sonia Jenkins am deithwyr yr ail ddosbarth yn gorfod taflu eu 'slop pots overboard', a bod dirprwyaeth ohonynt wedi mynd at y meddyg i ofyn am well cyfleusterau. Teimlai yntau'n sâl hefyd, a chwynai, 'I am sweating all over … with nothing on except my shirt'. Oherwydd yr awyrgylch afiach, y gwres a'r diffyg awyr iach, cynghorodd y capten deithwyr yr ail ddosbarth i gysgu ar y dec yn hytrach na threulio'r noson yn eu gwelyau.

Gallai bywyd ar fwrdd y llong fod yn anodd am sawl rheswm. Roedd y gorchwyl o baratoi bwyd ar gyfer ei gyd-deithwyr yn wrthun i Joseph. Trefnwyd rota er mwyn i bawb gymryd tro i ddarparu bwyd ar gyfer tuag ugain o bobl. Golygai hynny gludo dŵr a threulio amser yn y gali fechan yn ceisio gwneud y gorau o'r dewis cyfyng o fwydydd oedd ar gael. Ar 18 Ionawr, Joseph Jenkins oedd i baratoi'r bwyd – nid bod fawr o archwaeth amdano gan neb. Cwynodd ei fod, o'r herwydd, yn rhy brysur i fedru cyfansoddi penillion addas i ddathlu croesi'r cyhydedd.

Yr oedd golchi dillad yn rhan o gyfrifoldeb personol pob teithiwr gan fod glendid yn hanfodol ar y llong, a threuliodd Joseph weddill y dydd yn golchi 'four pairs of stockings, two towels, two handkerchiefs, two shirts and drawers'. Aeth ati wedyn i roi clawr newydd ar ei ddyddiadur â darn o hen hwyl. Yna, yn optimistaidd iawn, lluniodd 'a new breast pocket of sail inside my waistcoat, strong enough to hold my Australian gold'.

Gwaherddid ysmygu mewn rhannau arbennig o'r llong, ond byddai Mr Martin, cydymaith Joseph Jenkins o Swydd Gaer, yn diysytyru'r rheol yn aml, ac un diwrnod, er mawr syndod iddo, rhwygodd ddwy dudalen o gyfrol o farddoniaeth gan Byron er mwyn cynnau ei bib! Roedd gweithred o'r fath yn warthus yng ngolwg Joseph Jenkins. (Pan roddodd ei gydymaith y llyfr i Joseph yn nes ymlaen, treuliodd oriau lawer yn darllen ac yn gwerthfawrogi gweithiau'r bardd Saesneg.) O bryd i'w gilydd ymwelai'r capten yn ddirybudd â'r ail ddosbarth, ac yn ystod un ymweliad canfu bedwar yn smocio pibau yno. Cafodd y pedwar troseddwr rybudd llym ganddo a'u bygwth â chyfnod mewn cyffion petaent yn troseddu eto.

Wedi cyfnod o bum wythnos ar y môr ysgrifennodd y gŵr o Drecefel, 'If I were to tell the people of Tregaron that the following were on board, I doubt whether they would believe me':

12 water pumps, 9 ventilators, 3 flower gardens, many ricks of hay, stores of turnips, carrots, swedes, marigold, onions, potatoes, 2 steam engines, 2 sailmakers, a Smith, tools and bellows, 1 engineer, 1 lampmender, 1 shipwright, many sorts of living birds, 3 dogs, 2 cats, sheep, pigs and many other creatures all alive.

Erbyn hyn roedd y llong ryw bum mil o filltiroedd i'r gogledd-orllewin o Affrica, a'r tir agosaf oedd Brasil, rhyw chwe chan milltir i'r de-ddwyrain. Gwelwyd bod yr *Eurynome* yn dilyn llwybr y Cylch Mawr i Awstralia, ond yn ôl dyddiadur Mary Jones, Bodilan Fach, Llanfihangel-y-Pennant, a ymfudodd i Ballarat yn 1856, dim ond saith deg a dau o ddyddiau a gymerodd y cliper *White Star* i hwylio o Lerpwl i Awstralia.[1] Yn y *Cambrian*, yr union amser y cychwynnodd Jenkins ar ei daith, sef Rhagfyr 1868, ceir yr hysbyseb hwn:

PANAMA ROUTE

To New Zealand in 48 days and Australia in 56 days. Per Steamers leaving Southampton the 2nd of every month.

[1] LlGC MS 222846D

This cheap direct and pleasant route has been in successful operation since June 1866 ... Passengers go direct from the Atlantic Steamer across the Isthmus on board the Pacific Steamer.

Mae'n amlwg y gallasai Jenkins, druan, fod wedi dewis ffordd haws o ymfudo i Awstralia petai wedi astudio'r gwahanol bosibiliadau'n fwy manwl.

Wrth i'r gwres barhau ac i'r cyfleusterau cyffredinol ar y llong waethygu, cododd tensiwn cynyddol rhwng teithwyr yr ail ddosbarth a'r dosbarth cyntaf. Ar 22 Ionawr ffrwydrodd hynny'n ffrae agored, er na nododd Jenkins unrhyw reswm penodol am y digwyddiad. Bu'n rhaid i'r capten ymyrryd a gosod cyffion am rai o'r teithwyr. Corlanwyd hwy mewn rhan arbennig o'r llong a'u rhybuddio ganddo 'to go to the other side of the ship to swear'.

Mae'n sicr fod yna ddrwgdeimlad wrth i deithwyr yr ail ddosbarth weld teithwyr y dosbarth cyntaf yn mwynhau llawer mwy o foethusrwydd na nhw. Yn y salŵn dosbarth cyntaf ceid digon o win a brandi a chig ffres, ac er i Joseph ddyheu am wydraid o gwrw i dorri ei syched yn yr haul tanbaid, dywed mai ei brif luniaeth oedd 'biscuits, raisins, beef, tea, coffee, sugar. I also have a bagful of oatmeal in store for fear of worse fare'.

Erbyn hyn roedd y gwres yn 90°F yn y cysgod. Cwynodd, 'it is so hot that everything on deck is unbearable to hands and feet'. O ganlyniad bu'n rhaid i'r teithwyr dreulio cyfnodau'n gorwedd ar eu gwelyau yn awyrgylch afiach crombil y llong. Erbyn hyn roedd y cyflenwad dŵr yn prinhau eto, a bu'n rhaid ei ddogni. Hiraethai Joseph am ddiferyn o ddŵr croyw o ffynnon Trecefel. 'I would give a shilling for a quart of pure spring water', meddai. 'There are nearly 1,000 caskfulls of the best 3XXX beer on board, but the second class passengers are not allowed to have a

drop of it.' Drwy gydol y fordaith ei hoff ddiod oedd te oer.
Mynnai, 'there is nothing like cold tea for quenching the thirst',
ond ychwanegwyd at y syched oherwydd y cig hallt a roddid i
deithwyr yr ail ddosbarth.

Daeth rhagfarn Joseph Jenkins yn erbyn Pabyddion i'r amlwg
yn aml yn ystod y fordaith:

27 January 1869
The Capt. gave information that a Church Service would
commence at a 1/4 to 11. No compulsion to attend. The
inhabitants of this cabin are nearly all Roman Catholic
except myself – I did not attend.

> They go to church to pray and preach
> I will try to find my berth to lie,
> The laws of Nature always teach
> How to walk, live and die.
>
> No preacher, priest nor person
> Can answer for my sin,
> Let me judge, read and reason
> Not listening to their din.

O'i gwmpas roedd y môr yn gwbl dawel, a phrin bod awel i
gyffro'r hwyliau. Roedd hi hyd yn oed yn rhy boeth i'r dosbarth
cyntaf chwarae coits ar y dec. Gwyddai'r morwyr, serch hynny,
fod y tawelwch annaturiol hwn yn argoeli tywydd drwg. Daeth
gorchymyn i glymu popeth yn dynn ar y dec, a chyn bo hir
cododd storm aruthrol a gwyntoedd cryfion. Llanwyd yr
hwyliau, ac am rai oriau gwthiwyd yr *Eurynome* yn ei blaen yn
gyflym, ond ymhen ychydig gostegodd y gwynt unwaith yn
rhagor.

Ar 29 Ionawr cwynodd Joseph Jenkins fod ei gyd-deithiwr o'r
Isalmaen yn ceisio'i fychanu ac yn gwneud sbort am ei ben drwy

dynnu llun sarhaus ohono a'i osod i fyny yng ngolwg y teithwyr
eraill. Ystyriai Joseph, a oedd yn ddyn croendenau, y weithred
hon yn un anfaddeuol, a cheisiodd daro'n ôl ar unwaith drwy
fynegi ei deimladau mewn iaith a oedd y tu hwnt i ddealltwriaeth
y lleill, sef y Gymraeg:

29 Ionawr 1869
Pan y byddo yn galed, yr wyf yn gorfod adrodd rhai
geiriau dwfn yn iaith fy mam, yr hyn a bar ddychryn
iddynt oll. Meddyliant fy mod yn cyhoeddi eu holl
wendidau, hyd yn oed pan wyf yn adrodd salmau Iolo
druan.

Achosodd yr holl wawdio a'r pryfocio hiliol gan ei gyd-
deithwyr dipyn o boen i Joseph Jenkins. Gresynai at eu
hymddygiad a honnodd iddynt ddwyn ei blât, ei gyllell a fforc, ei
sebon a'i siwgr. Honnodd hefyd iddynt dorri i mewn i'w flwch
personol a cheisio'i rwystro rhag cadw'i ddyddiadur, ac fe'u
cyhuddodd o boeri arno a rhoi baw yn ei fwyd. Teimlai mor ddig
nes iddo'i fynegi'i hun drwy regi: 'Damn the bloody fortune, my
life is bloody fate ... damn the bloody ship, and damn the bloody
captain'.

Yn ystod y tywydd llethol sylwodd Joseph bod y morwyr yn
neidio o uchder mawr oddi ar y dec i'r môr er mwyn cael rhyw
ryddhad o ormes y gwres. Nododd eu bod yn nofwyr campus ac
yn gwbl ddi-ofn, ond byddent yn wyliadwrus iawn o siarcod.
Wrth nesáu at y trofannau rhyfeddai Joseph at y nosweithiau
gogoneddus. Llenwid y nen, a oedd mor ddu ag inc, â sêr llachar,
a mynnai fod yna ddeg gwaith cymaint o sêr i'w gweld ag a welid
o glos Trecefel.

Wrth anelu am y de-ddwyrain swynwyd Joseph gan fywyd y
môr. Heidiai adar a elwid yn 'Cape hens' o gwmpas y llong, a
gwelwyd hefyd sawl albatros yn eu dilyn, yr aderyn a

chwaraeodd ran mor dyngedfennol yng ngherdd Coleridge 'The Ancient Mariner'. Yr oedd yn rhan o ofergoel y môr bod lladd yr aderyn urddasol hwn yn sicr o ddwyn anlwc dybryd. Mae'n amlwg nad oedd teithwyr salŵn yr *Eurynome* yn gyfarwydd â'r ofergoel oherwydd saethwyd nid un ond sawl albatros ganddynt. Roedd gan deithwyr y dosbarth cyntaf hawl i saethu oddi ar fwrdd y llong, a chawsant ddigon o gyfle i ymarfer eu camp gan fod digonedd o adar yn eu dilyn.

Pysgota oedd prif ddifyrrwch yr ail ddosbath, ond yr oedd i hynny ei beryglon hefyd. Un tro daliwyd pysgodyn deuddeg pwys, ac aethpwyd ati i'w goginio a'i fwyta, ond bu'r canlyniadau'n rhai anffodus:

> It was poisonous ... Their heads were swollen very much
> with sore throats ... The mode of testing the safety of a
> fish is to put a half a crown or piece of silver inside the
> fish for one night, if it is eatable, the silver will keep its
> proper colour, otherwise it will be black and mouldy.

Er i'r teithwyr ddioddef am rai dyddiau wedi bwyta'r pysgodyn, nid oes sôn bod unrhyw un wedi marw.

Ar 12 Chwefror, cododd Joseph yn blygeiniol 'before 7 bells and took a walk along the deck', a myfyriodd am y creaduriaid a âi i ddifancoll petai'r llong yn mynd i waelod y môr:

> There are four and sixty souls
> Three dogs, two cats and a German
> Eight good sheep, six pigs and fowls
> And Taff the soul-less Welshman.

Gostyngodd y tymheredd wrth i'r llong hwylio tua'r de er mwyn dal gwyntoedd gorllewinol y 'roaring forties'. Hwyliodd at gyrion yr Antarctig lle'r oedd yn rhaid wynebu peryglon y mynyddoedd iâ. Collwyd llawer o longau a hwyliodd yn rhy bell

i'r de a chael eu caethiwo gan yr iâ. Anesmwythodd Joseph
Jenkins wrth weld llong yn mynd heibio iddynt 'with its main
mast broken', arwydd sicr o'r tywydd oedd yn eu haros hwythau.
Cafwyd cawodydd trwm o eira a chesair anferth wrth i'r gwynt
godi a chryfhau gan greu difrod mawr: 'the chains broke and the
sail rent like a piece of brown paper. All hands called on deck …
a heavy chain fell. I did retreat to my berth'. Parhaodd y tywydd
drwg am rai dyddiau, a sgubodd tonnau anferth dros y dec, ond
nid y dŵr oedd gofid pennaf y morwyr:

> The Seamen fear principally the breaking of the mast and
> losing the rudder … They care nothing about 500 tons of
> water on the deck while the hatches are closed … of
> course, it goes all over the side.

Gallai'r tywydd fod yn gyfnewidiol iawn, ac ar 22 Chwefror
cafwyd diwrnod teg. 'We have 14 hours of sun. We are sailing in
latitude 48° … plenty of albatrosses.' Ond buan y dychwelodd y
tywydd garw, ac ni fedrai neb dreulio llawer o amser ar y dec am
fod stormydd yn codi mor ddisymwth gan achosi pob math o
anawsterau. 'Heavy sprays, wild seas, huge waves, slippery on
deck, ship making little headway … nearly at a standstill, but
ship rolls about.' Y bore canlynol llaciodd y gwynt rywfaint, ond
daliai i fod yn oer iawn. 'The ship sails well … chilly … it was
a hard task to warm myself', meddai Joseph Jenkins, a phrynodd
'a velvet collared overcoat from my cabin mate Mr Martin.'
Dyheai am weld pen y daith, ac meddai, 'The ship will be in
Melbourne middle of March, we have nearly 4,000 miles out of
the 16,000 to go again'. Ond gwaethygu wnaeth yr amodau byw
ar y llong:

> I had a very poor dinner – nothing but boiled salt and
> nasty beef … I would be glad to have Elinor Tyngwndwn

[morwyn yn Nhrecefel] for a few hours. Candles are
getting short on board ... we are deprived of two candles
every night ... only one lamp hangs between two berths.

Hyrddid y llong ar draws y tonnau gan nerth y gwynt a
llwyddai i hwylio ryw dri chan milltir mewn diwrnod, ond er bod
hynny'n byrhau'r daith, roedd hi'n gyfnod annifyr i'r teithwyr.
Mentrodd Joseph ar y dec ar 24 Chwefror a gwyliodd y morwyr
yn ceisio ymladd yn erbyn yr elfennau:

The rope snapped and the sail hung flapping about and
rent to pieces ... many of the sails are taken in ... only
ten remained on ... Remained on deck for one hour but
too cold and went to my berth.

Y bore wedyn clywodd, 'They do not expect to be in moderate
weather for another nine days', ond cafodd beth cysur drwy law'r
capten: 'Seventy two days out at sea ... The Captain gave me
some cheese for a few days in lieu of butter'.

Gwawriodd 27 Chwefror, sef diwrnod ei ben blwydd yn 51
oed, ond ni bu fawr o ddathlu: 'I felt unwell and spent time in my
berth reading and lying on the bed.' Fodd bynnag, nid oedd yn
rhy sâl i gofnodi ei anfodlonrwydd ynglŷn â'r cwrs a gymerwyd
gan y llong:

It appears they will sail thousands of miles from the
nearest course for the sake of a fair wind. They keep too
much to the South for that. If we were on the right course
it would be moderate weather – All steamers take that
course ... They can go well in calm weather.

Ond bwrw yn ei blaen yn gyflym a wnaeth y llong: 'Breeze
increases so the ship in speed. By dusk sailing at twelve knots an
hour ... wind increasing ... regular gale. All hands engaged.'
Cyfansoddodd Joseph Jenkins bennill yn disgrifio'r sefyllfa:

> The heavy seas begin to dash
> Against the stern and sides;
> The wind by dusk became more rash,
> The ship now swiftly glides.

Oherwydd yr holl drafferthion a'r anawsterau, teimlai nad oedd y llong yn gwbl addas ar gyfer teithwyr. 'She is a good sailing vessel but not intended as a passenger ship and ought never to be engaged in that trade … she is too wet and heavy laden.'

Ar Ddydd Gŵyl Dewi, er nad oedd Joseph yn holliach, mentrodd ar y dec am 5.30 a.m., ond roedd yn rhy beryglus iddo aros yno'n hir. 'Tremendous seas visited the main decks, several times over the poop, over the forecastle and sides.' Creodd y storm dipyn o ddifrod:

> 1 March 1869
> Many things washed overboard … the hen roost and shed … the second cabin Ladies' water closet was completely carried away … the ship pens were overturned, but saved with their inmates … Some of the fowl went … It was by far the worst gale and squall we had yet … Dangerous and slippy on deck … very few sails out, which are tightly filled and hard pressed by the wind.

Yn anffodus, ei dro ef oedd paratoi'r bwyd, ond gan ei fod yn sâl bu'n rhaid iddo dalu i rywun arall wneud hynny yn ei le. Ni hysbysodd y swyddogion am ei salwch am ei fod yn ofni y byddai'n effeithio ar ei laniad ym Melbourne:

> 1 March 1869
> I paid 1/6 to a man to be a substitute cook. I could have a certificate from the Doctor, but it might go against my landing in Melbourne and my age is unfavourable. I might be better off for not telling the truth.

Wedi cyrraedd Awstralia byddai'r llong yn cael archwiliad trwyadl. Petai unrhyw arwydd o afiechyd difrifol ar ei bwrdd, gallai olygu ei bod hi a'r teithwyr yn cael eu cadw mewn cwarantîn am gyfnod. Hyd yn hyn, ar wahân i ryw fân afiechydon, ni chafwyd unrhyw heintiau peryglus ar fwrdd yr *Eurynome*. Yr oedd marwolaethau ar fwrdd llongau'n gyffredin ar fordeithiau i Awstralia, ond ni chofnodwyd un yn ystod y fordaith hon. Pan ymfudodd Mary Jones ar y *White Star* yn 1856 cafwyd pedair claddedigaeth ar y môr.[1] Gallai Joseph ddweud gyda hiwmor du: 'Neither man nor beast has been very ill – but I do not know about the rats which are very numerous in the cargo'.

Er gwaetha'i anhwylder, bu Joseph yn ddigon ffodus i gael ychydig o'i hoff fwyd i ddathlu Dydd Gŵyl Dewi. 'I had some fine cheese from the Captain this evening, which must be kept private!' Haerai fod y caws yn llesol ar gyfer ei stumog dost. Nid oedd arwydd bod y storm am ostegu, a'r diwrnod canlynol roedd hi bron yn amhosibl i Joseph ysgrifennu:

2 March 1869
The ship rolls so badly that I cannot wield my pen … the barometer falling …all the Chief Officers are on their constant look out … Driving onwards at 11 knots an hour. Order of All Hands on deck proclaimed …

Ond er gwaethaf yr anawsterau a'r annifyrrwch, bu Joseph yn edmygwr mawr o'r criw trwy gydol y fordaith. Ymddiddorai ym mhob agwedd o fywyd ar y llong ac roedd yn dipyn o ffefryn gan y morwyr. Wedi gweld y llongwyr yn codi'r hwyliau mewn tywydd garw, aeth ati i gyfansoddi llinellau maith sy'n cyfleu darlun byw o fwrlwm bywyd ar fwrdd llong, a'r gwaith peryglus roedd yn rhaid i'r morwyr ei wneud, yn enwedig dringo'r mastiau:

[1] LlGC MS 222846D

The order came without a check
All hands directly upon deck;
From many quarters up came all
Ready trimmed to meet the squall ...
All hands and feet were grappling hard
In equal rows, half round the yard.

Nineteen all and a fearless lot
And each was busy at his knot.
In wind and rain and hail and snow
They are laughing at the waves below,
This ship will thus reach Melbourne soon,
And out again sail for Rangoon.

Roedd y llong yn nesáu at Awstralia, a sylwodd Joseph: 'The Captain and crew are looking cheerful. I think we will be at Port Phillip, being the port of Melbourne in fourteen days. Melbourne is nine miles from Port Phillip'. Serch hynny, parhau wnaeth y stormydd ac wynebent ddiwrnod arall o frwydro yn erbyn yr elfennau:

3 March 1869
It is nearly impossible to write for the rolling of the ship
... If a closed book be left in the middle of the table, the rolling of the ship would cause it to slide over with good speed. There is no use leaving dishes, knives and so on ... a tin pan full of milk or water would soon be moved along.

Mae'n amlwg bod Joseph Jenkins yn awyddus i gofnodi pob agwedd o'r fordaith ar gyfer yr oesoedd a ddeuai, ac aeth i drafferth i esbonio pam y dilynodd y llong y llwybr a'i harweiniodd yn nes i'r de, gan annerch y darllenydd yn uniongyrchol:

The reader may see by the map and chart that we have

sailed far south and that was to catch the Western Wind.
They call it a Trade Wind and it is more like a trade wind
than any we have had since the beginning of the voyage.
Should this wind continue, we will be in Melbourne in
another seven days.

Wrth droi tuag at Awstralia hwyliodd yr *Eurynome* tua'r
gogledd gan adael peth o ffyrnigrwydd y gwyntoedd ar ôl.
Calondid i'r teithwyr oedd gweld y capten a'r morwyr yn
dechrau paratoi'r llong ar gyfer glanio. 'The Captain is walking
to and fro along the deck and makes out for something useful to
all the crew. They prepare for land. I expect to see some strange
sails about Sunday as we are getting more North ...' Mae Joseph
yn mynd ymlaen i ymhelaethu ar ei esboniad o'r llwybr a
gymerodd y llong:

5 March 1869
This will show the reader the ship was steered so far
south as the temperature allowed. Two more days sailing
would take her among the icebergs. We are within 1,000
miles of our destination ... The ship sailed about 300
miles during the last three days, but had been above three
weeks sailing the same distance at the commencement of
the voyage.

Wedi bron i dri mis o fywyd ar y môr, roedd pawb yn disgwyl
yn eiddgar am gael glanio – 'great talk on board of being in Port
Phillips and Melbourne early next week' – ond mynnai Joseph
leisio nodyn o rybudd wrth gofio am drychineb y *Royal Charter*,
a hithau mor agos i'r lan:

6 March 1869
Time will tell. The Royal Charter[1] was within thirty miles

---

[1] Suddwyd y *Royal Charter* 25 Hydref 1859 gerllaw Moelfre, Ynys Môn, wrth iddi
hwylio o Awstralia i Lerpwl. Collwyd dros bedwar cant o fywydau yn y drychineb.

of Liverpool, she was bound there from the Colonies and a great talking on board about a merry landing at Liverpool. We cannot foretell things with any certainty.

Er iddo deimlo braidd yn sinicaidd, ceisiodd wneud ei fywyd mor gyfforddus ag oedd bosibl yn ystod dyddiau olaf y fordaith. Erbyn hyn roedd y bwyd wedi gwaethygu a'r teithwyr ail ddosbarth wedi hen flino ar ei safon isel. Gwelsom eisoes hoffter Joseph o gaws, ac aeth at y capten i ofyn ffafr ganddo. Ond y tro hwn bu'n rhaid iddo dalu am ei damaid:

7 March 1869
I did ask a favour of the Captain for cheese, which he consented to give if I would make an impromptu verse to the steward who was born and bred in South Wales.

Mae'n debyg fod y capten a'r criw yn dueddol o wneud sbort am ben ysfa'r gwladwr hwn am gaws, a dyma'r llinellau a gyfansoddodd i dalu am y cosyn:

> You are my county kinsman
> And always like to please
> An old and honest Welshman
> Give him a crust of cheese.

Rhaid cyfaddef mai Joseph Jenkins ac nid y stiward gafodd y fargen orau!

Noda hefyd eu bod wedi llwyddo i gadw rhywfaint o gyflenwad o ddŵr ar fwrdd y llong drwy gydol y daith:

8 March 1869
We are not far from land … The fresh water did last our voyage … The tank contains about 2,000 gallons of water and it was full when we left Liverpool. Our allowance was only three quarts a day including for washing, tea and coffee.

Erbyn hyn roedd treialon y 'roaring forties' y tu ôl iddynt, a'r llong yn awr yn agosáu at arfordir Awstralia. Amcangyfrifai Jenkins y byddent yn cyrraedd yno erbyn dydd Ffair Garon a gynhelid ar yr 16eg o'r mis. Yr oedd yna deimlad o ryddhad ymhlith y criw a'r teithwyr wrth iddynt ddianc yn ddianaf rhag y peryglon a hwylio drwy ddyfroedd mwy heddychlon. Aeth y paratoadau ar gyfer glanio yn eu blaen, yn enwedig y gwaith o lanhau'r llong. Paentiodd y morwyr y mastiau o'r top i'r gwaelod; sgwriwyd y deciau, a glanhawyd y rhwd oddi ar y cadwynau a'r angor. Hefyd, rhoddwyd sglein ar y ddau ganon a gariai'r llong rhag ofn y byddai unrhyw helyntion annisgwyl.

Yr oedd modd i'r teithwyr hamddena ar y dec unwaith eto i fwynhau'r bywyd gwyllt o'u cwmpas. Gwelwyd morfil anferth yn dod i'r wyneb ac yn chwythu dŵr mor uchel â hanner ffordd i fyny'r prif fast. Sylwodd Jenkins yn fanwl ar un albatros arbennig a'i ddisgrifio: 'It was very large with strong webbed feet much bigger than the common goose ... I watched it taking many fish and eat them just like cranes do with eels'.

Er iddo ryfeddu at yr holl bethau dieithr o'i gwmpas, ehedai ei feddyliau yn ôl i Drecefel o bryd i'w gilydd. Roedd yn amlwg yn gweld eisiau'r plant, ac ar 9 Mawrth nododd: 'I dreamt of my two young sons Tom Jo and John David'. Meddyliodd hefyd tybed sut y byddai ei ferch, Anne, a'i fab, Tom, yn mwynhau'r profiad o fod ar y môr.

Bu'r fordaith yn llesol iawn o un safbwynt. Yr oedd wedi addunedu cefnu ar ei hen fywyd, ac yn enwedig ar demtasiynau'r ddiod, ac ar wahân i lwncdestunau yn ystod y Nadolig a'r flwyddyn newydd, fe fu Jenkins, fwy neu lai, yn llwyrymwrthodwr. Yn wir, fe'i beirniadwyd gan ei gyd-deithwyr am beidio â chyfrannu at brynu potel o win gwerth pedwar swllt. Beth bynnag ei gymhelliad, boed yn brinder arian ynteu'r awydd

i goncro'i fwgan, glynodd yn weddol agos at ei adduned drwy
gydol y fordaith.

Yr oedd 10 Mawrth yn ddiwrnod cofiadwy i'r gŵr o Drecefel.
Yn ôl ei arfer, crwydrai o gwmpas y llong, a thua hanner awr
wedi un y prynhawn gwelodd un o'r morwyr oedd ar 'look out'
i fyny'r mast yn disgyn yn o gyflym. Nododd Joseph yr achlysur
yn ei ddyddiadur:

> 10 March 1869
> He [the sailor] told me privately to climb the mast to see
> land. I was not allowed to go, therefore I told the chief
> mate who came there directly and ascended the mast.
> Before he was half way up, he called 'Land Ahoy!' All
> rushed up on deck with great glee on hearing the long
> expected news.

Ond ni fedrai rannu llawenydd ei gyd-deithwyr yn llwyr. Er i'r
fordaith fod yn un beryglus a thrafferthus, ar y llong roedd wedi
mwynhau rhyw fath o loches wrth iddo gael ei gludo'n
ddaearyddol bell o'i holl ofidiau yn Nhregaron. Yn awr, wrth
weld cyfandir newydd a dieithr yn nesáu, byddai'n rhaid iddo
wynebu canlyniadau a gwir arwyddocâd y cam a gymerodd y
noson honno wrth ymadael â Threcefel, a cheir nodyn o
ansicrwydd yn ymddangos yn ei ddyddiadur:

> 10 March 1869
> Everybody is cheerful except myself. Some are going
> home soon, others to meet their friends and relations at
> the harbour. Not a single acquaintance for Joseph. Only
> strange place, strange people, and no hope of meeting
> any acquaintance. Poor Jo!

Yng nghanol yr ofnau a'r amheuon a ddaeth i'w boeni,
teimlai'n edifar nad aeth i America at ei frodyr:

I'm sorry that I did not embark for North America to see
my brothers. I could have seen plenty of wonders of
nature there and be far enough away from my enemies in
the old country. The effects of those enemies will very
likely shorten my life. My heart is crushed. It may be my
fate – because I was crushed in my mother's womb,
which has caused many disagreeable hours to me on this
voyage.

Ni chafodd fawr o amser i foddi mewn hunandosturi, fodd
bynnag, oherwydd wrth iddynt nesáu at Awstralia dechreuodd
bywyd ar y llong brysuro. Gorchmynnodd y capten y teithwyr ail
ddosbarth i lanhau eu mannau cysgu, ac ar ôl iddynt gwblhau'r
gwaith rhoddwyd potel o 'gin' yn anrheg i'r dynion a 'claret' i'r
menywod. Pan oedd y llong o fewn deuddeng milltir i Fae Port
Phillip, 'the Union Jack was hoisted on the foremost and the red
flag was placed half mast on the mizen mast. This was the sign
for the pilot to come on board'. Yn ystod y nos aeth y llong i
mewn i'r bae a rhyfeddodd Jenkins wrth weld y gwahanol
oleuadau ar y lan:

The Bush fires are throwing a good light to view the
bordering brushwood which are half covered by drifts of
sand, like the snow drifts in Wales, but more dreadful to
man and beast.

O'r diwedd, ar 12 Mawrth 1869, ar ôl taith o dri mis drwy
stormydd, gwres ac oerfel, daeth yr *Eurynome* i'r lan a
gollyngwyd yr angor. Gallai Joseph a'r gweddill ddiolch eu bod
wedi cyrraedd yn ddiogel, oblegid nid dyna fu tynged cannoedd
ar gannoedd o ymfudwyr eraill. Tua'r un adeg ag yr ymadawodd
yr *Eurynome* â Lerpwl, suddodd y cliper *Gossamer* ar ei thaith i
Awstralia a chollodd tri ar ddeg eu bywydau, gan gynnwys y
capten a'i wraig. Yn eironig iawn cofnodwyd yn Lloyd's

Register of Shipping i'r *Eurynome* ei hun suddo ar fordaith i Awstralia yn 1881 pan gollwyd pob un o'r criw a'r teithwyr. Ond yn awr yr oedd Joseph Jenkins ar dir sych, yn wynebu sialens gwbl newydd. Bodlonodd ddioddef tymhestloedd y cefnfor er mwyn ceisio ffoi o'r stormydd fu yn ei fynwes ei hun. Bellach byddai'n rhaid iddo geisio goresgyn y rheini ar ei ben ei hun mewn gwlad ddieithr.

PENNOD 12

YSGWYDDAF FY 'SWAG'

Yr oedd yr argraff gyntaf a gafodd Joseph Jenkins o Awstralia yn un ffafriol. Wrth nesáu at Port Phillip ysgrifennodd:

How beautiful everything looks, with the government hospital on the southern side backed by green short brush wood and the noise of the sea beating Port Phillip's beach.

Wedi glanio, aeth yn syth i brynu tocyn trên o'r porthladd i Melbourne, ac yno cafodd ei synnu gan lendid y ddinas a'i phrydferthwch: 'the streets were clean and broad with streams of water, running both sides between the roadway and the walks'. Ond mae'n amlwg fod hiraeth am Gymru'n cydio'n dynn yn ei galon, oherwydd aeth yn syth i swyddfa'r post i weld a oedd yna lythyrau'n ei ddisgwyl. Yn ystod y fordaith roedd ef ei hun wedi danfon dros ugain o lythyrau at wahanol bobl, ond siom a gafodd gan nad oedd un llythyr yno.

Yr oedd popeth yn ddieithr iddo yn y wlad newydd hon – y bobl, y coed, y planhigion o'i gwmpas, ac yn enwedig y tywydd. Gadawodd Drecefel yng nghanol oerni'r gaeaf, ond yma roedd yn haf a rhaid oedd cyfarwyddo â'r gwres tanbaid. Wrth gerdded o gwmpas y strydoedd mae'n sicr iddo ddenu sylw yn ei ddillad brethyn trwchus a'i sgidiau hoelion trwm. Cariai ei holl eiddo ar ei gefn, gan gynnwys ei Feibl Cymraeg, ei lyfrau barddoniaeth,

Man glanio Joseph Jenkins yn Awstralia. Talodd naw swllt am gael ei gludo ar y trên i ddinas Melbourne.

ac wrth gwrs ei ddyddiadur hollbwysig. Ar ôl hir chwilio daeth
o hyd i lety yn y Waterman's Hotel, ond y noson honno methodd
â chysgu winc gan iddo gael ei boeni gan fosgitos. Yr oedd y
diwrnod canlynol yn ddydd Sul, a bu'n chwilio'n ofer am gapel
Undodaidd. Ymhen ychydig dechreuodd y gwres llethol a'r
blinder effeithio arno a chwynodd, 'I am feeling very unwell
with a swollen head, body and legs'.

Ar 16 Mawrth cododd gyda'r wawr ar ôl methu cysgu.
Sylwodd ar y dyddiad a llifodd atgofion yn ôl iddo am Ffair
Garon. Sylweddolodd mai dyma'r tro cyntaf iddo fethu â'i
mynychu ers ugain mlynedd, a chafodd bwl o iselder ysbryd. 'I
think of my friends', meddai, 'who used to call at Trecefel on
this day ... of all the chats we used to have ... it's not as hot there
as it is here.' Nid oedd wedi ystyried y noson y gadawodd ei
gynefin beth fyddai'n ei ddisgwyl ar y cyfandir newydd. Wrth
geisio torri'n rhydd o'i ofidiau, torrodd gysylltiad â'i deulu a'r
gymuned glòs y bu'n gymaint ran ohoni, a byddai'r dasg o geisio
creu bywyd newydd mewn gwlad estron ac ymhlith dieithriaid
yn un anodd iawn, yn enwedig i ŵr wedi croesi'r hanner cant.

Ar 20 Mawrth aeth i swyddfa'r post eto, a'r tro hwn yr oedd
llythyr oddi wrth ei ferch, Margaret, yn ei aros. Hi oedd ei ferch
hynaf, a'i ffefryn, ond ni ddaeth y llythyr â fawr o gysur iddo.
Dywedodd fod ei ymadawiad wedi bod yn ergyd drom i'r teulu a
soniodd am hiraeth y ddau blentyn ieuengaf, Tom ac Anne, am
eu tad. Ni allai Joseph ond wylo, 'The letter made me cry when
it mentioned that Tom and Anne were calling for me'. Cymaint
oedd y loes nes iddo fynd ar ei union i'r porthladd er mwyn
ceisio prynu tocyn i ddychwelyd i Gymru. Yr oedd yr *SS
Agamemnon* yn paratoi i hwylio am Tilbury, ond wedi gwneud
ymholiadau, sylweddolodd nad oedd ganddo ddigon o arian ar ôl
i brynu tocyn. Yn y porthladd cyfarfu â chyd-wladwr iddo,

Richard Jones o Gricieth, a phenderfynodd ddanfon dyddiadur y fordaith yn ôl gydag ef i'w drosglwyddo i'w deulu yn Nhrecefel. Yn y dyddiadur hwn ceir nodyn yn ceisio cyfiawnhau ei benderfyniad i adael Trecefel am Awstralia:

> 23 March 1869
> This is my 40th Journal. I wish it to be kept. I was engaged in canvassing for a proper member to serve my native county ... and looking out for a ship to embark in for the colonies. Both ideas may turn out a bitter sorrow to me. I was opposed in my politics even by my youngest children ... I have done my best ... and too much to bring forward the benefit of others. Neglecting my own business, which is a great fault – and being my principal fault. My dear children, take care of yourselves first if you can. I dare any man to find any fault upon me personally, except that I served others.
>
> Jos Jenkins.

Wrth ddianc rhag y trafferthion gartref, ni allai fod wedi dychmygu natur y problemau a fyddai'n ei wynebu yn Awstralia. Ers blynyddoedd lawer, bu'r wlad yn gyrchfan gyfleus i droseddwyr a alltudiwyd o Brydain. Hyd yn oed mor ddiweddar â Ionawr 1868 fe gyrhaeddodd yr *Hougemont* a 279 o garcharorion arni, ac yn eu plith lawer o Wyddelod a alltudiwyd am eu bod yn Ffeniaid. Ond yr oedd y llywodraeth yn awyddus i ddatblygu a chynyddu poblogaeth y wlad, a chynigiwyd tocynnau'n rhad ac am ddim i'r 'Bounty Immigrants' fel y'i gelwid.

Pan ddarganfuwyd aur yn y pumdegau cynnar, bu mewnlifiad sylweddol iawn wrth i lawer weld cyfle i ddianc rhag eu tlodi a dod o hyd i ffortiwn. Nid dyna oedd cymhelliad Joseph Jenkins, ond cafodd y gwladwr diwylliedig hwn ei hun yn awr mewn cymdeithas lle roedd y trachwant am aur yn cael dylanwad ar y safonau byw ac ar yr agweddau moesol. Roedd y cyfan yn ddieithr iddo, ac yn fuan cafodd ei ddadrithio'n llwyr gan y math o fywyd a welodd ym Melbourne:

This town is full of life and I have found out the gold diggers sooner than I wished to see them. They are up to many things here that London, Liverpool and Birmingham would be ashamed to do. Should the sharpers of such places be put to-gether and coupled with those of Paris and New York, here are the tops!

Er i ambell un ddod yn gyfoethog, go anodd ar y cyfan oedd bywyd i'r newydd-ddyfodiaid. Yr oedd cryn ddiweithdra yn y wlad, a'r economi'n dioddef o effeithiau'r sychder mawr a barhaodd am saith mlynedd. Felly nid oedd yr argoelion yn dda.

Ar 25 Mawrth cafodd Jenkins lety mwy addas gan Gymro o'r enw Ellis Thomas yn 'the Caernarvonshire Temperance Boarding House, 132 Queen Street (next door to the Council Club) Melbourne'. Gan ei fod erbyn hyn yn gwneud pob ymdrech i osgoi'r ddiod, roedd y llety hwn yn ddelfrydol. Lletyai dau Gymro arall yno hefyd, a theimlai Jenkins yn gwbl gartrefol wrth iddo fedru sgwrsio yn y Gymraeg am y tro cyntaf ers misoedd. Wedi aros noson, cododd yn blygeiniol i fynd am dro o gwmpas Melbourne. I un oedd wedi rhoi ei fywyd i amaethu, roedd yr hyn a welodd yn sioc enfawr iddo:

Good Friday, 26 March 1869
The state of the country is deplorable to the utmost ... looking more like burnt hearths than grass fields ... Cattle are bellowing for water and dying by the score ... The stench of their carcasses is almost unbearable. Thousands of sheep are dying for want of water ...

Nid oedd wedi gweld y fath olygfeydd erioed o'r blaen. Roedd wedi gobeithio dod o hyd i ryw fath o waith ar y tir, ond wedi

gweld y sefyllfa hon, sylweddolodd fod pethau'n anobeithiol. 'I
walked hard', meddai, 'with very little to eat for three miles ... it
looks gloomy. No work. No money, and no friend.'

> Yma heb un cydymaith — yr wyf;
>   Araf iawn yw'm gobaith
>   I weld un math o eildaith,
>   A mawr yw lled y môr llaith.

Wrth iddo ddychwelyd i Melbourne, a saif ar lannau afon
Yarra, bu'n dyst i ddamwain echrydus. Yr oedd llawer o gychod
pleser ar yr afon, ac yn sydyn gwelodd ddau gwch yn taro yn
erbyn ei gilydd gan daflu tri chrwt ieuanc i'r dŵr. Er i ddau
ohonynt lwyddo i gyrraedd y lan, diflannodd y llall o dan y dŵr.
Er bod Joseph Jenkins wedi tystio i amryw o drychinebau yn ei
fywyd, cafodd ei syfrdanu gan ddifaterwch a diffyg consýrn y
tyrfaoedd ar lan yr afon. Ni wnaed fawr o ymdrech i geisio achub
y bachgen, a gresynodd wrth weld y bobl yn dal i ganu a
chwarae, hyd yn oed ar ôl y ddamwain. 'The people took not the
least notice of the case more than if a common cat had been the
victim of the watery grave.' Nododd fod hyd yn oed perthnasau'r
bachgen a foddwyd yn rhy feddw i chwilio amdano, gan ddweud
'that they would let nothing spoil their merry Good Friday'.
Sylweddolodd nad oedd yr un moesoldeb yn bodoli yn y wlad
newydd hon ag yn yr hen wlad. Yn Nyffryn Teifi byddai'r
gymuned gyfan wedi ymateb mewn amgylchiad o'r fath, ond
yma, yn Awstralia, gwelodd fod yr agwedd yn gwbl wahanol.

Erbyn hyn, prin oedd y croeso i ymfudwyr gan fod yna
genhedlaeth frodorol newydd wedi dod i oed, na theimlai ac na
ddangosai unrhyw deyrngarwch i'r hen wlad. Fel un a barchai'r
frenhiniaeth, roedd hyn yn wrthun i Joseph Jenkins:

Tudalen o ddyddiadur cyntaf Joseph yn Awstralia

25 March 1869
The colony does not look very promising for immigrants
yet ... It appears that they are against emigration, as soon
as they will get all the money from the immigrants, they
scoff at them and tell them to go home, as if they could
enjoy the colony themselves without doing anything, if
they cannot meet an immigrant to rob and abuse.

Prin bod hynny'n syndod o gofio'r diweithdra a fodolai yno
eisoes, ac roedd yna broblem arall hefyd. Er i filoedd dyrru yno
i gloddio am aur, methiant fu'r fenter i'r mwyafrif, felly roedd
angen dod o hyd i waith arall i'r rhain yn ogystal. O ganlyniad,
nid oedd gan dalaith Victoria fawr i'w gynnig i'r gŵr o Drecefel.
Ceisiodd ymateb yn stoicaidd, 'Let things turn out better than my
expectation at this moment. It looks gloomy. Cheer up Joseph!'
Ysgrifennodd y cwpled hwn, yn tynnu sylw at ei sefyllfa
echrydus:

> Fel crwydryn rwyf yn cerdded
> Yn wag fy mol a'm poced.

Yr oedd heb waith, heb arian, ac i bob golwg heb obaith. Gan
ei fod eisoes mewn dyled o 14/6d i Mr Ellis Thomas am ei lety,
nid oedd dim amdani ond gadael Melbourne a throi'n 'swagman',
gan grwydro o fan i fan yn chwilio am unrhyw fath o waith. Yr
oedd miloedd ar filoedd o'r crwydriaid hyn yn y dalaith erbyn
hyn, ond doedd gan Jenkins yr un dewis arall. Cododd ei bac a
nodi: 'I intend to shoulder my swag'. Felly, o fewn byr amser ar
ôl cyrraedd Awstralia, roedd Joseph Jenkins ar yr heol, a daeth
cyn-Warden yr Eglwys, a Chwnstabl y Plwyf, amaethwr amlwg
a chyfaill gwŷr bonheddig, yn 'old crawler', sef yr enw dilornus
a ddefnyddid i ddisgrifio'r crwydriaid hyn.

PENNOD 13

Y DWYMYN AUR

Ar 27 Mawrth ymadawodd Joseph Jenkins â dinas Melbourne.
Cerddodd ar hyd y briffordd o Castlemaine i Bendigo a'i 'swag'
ar ei ysgwydd yn cynnwys ei holl eiddo. Ond nid swagman
cyffredin oedd hwn. Yn ei bac, a bwysai rhyw 70 pwys, roedd ei
ddyddiadur ffyddlon, ei botel inc a'i gwilsen, ac amryw o lyfrau.
Teithiodd ar ei ben ei hun, ond daeth ar draws ugeiniau o
swagmen eraill ar y ffordd. Prin fod yr un ohonynt mor llengar a
diwylliedig ag ef, ond ni fyddai ei ddysg yn fawr o gymorth iddo
yn Awstralia. Yn y gwres llethol a'r sychder mawr cwynai ei fod
yn dioddef o 'a raging thirst and an empty belly'; ac er crwydro
o fferm i fferm, ofer fu ei ymdrechion i gael gwaith.
Sylweddolodd yn awr pa mor llesol oedd dyfroedd gloyw afon
Teifi. 'For the first time in my life', ysgrifennodd, 'I begin to
appreciate the value of water.' Byddai stormydd llwch yn codi'n
sydyn gan ei dagu a llosgi ei lygaid, a byddai'n rhaid iddo
orwedd ar ei hyd ar lawr er mwyn ei arbed ei hun rhag mygu.
    Ni ddewisodd y diwrnod gorau i gychwyn ar ei daith gan mai
hwnnw oedd dydd rasys ceffylau Castlemaine. Teithiai llawer o
gerbydau ar y ffordd gan godi cymylau o lwch. O ran
chwilfrydedd, galwodd Joseph yn y rasys. Disgrifiodd yr olygfa
fel 'a place where everything could be had for money ... A great
many wagers were laid from 1/- to £1,000'. Ildiodd i'r

demtasiwn o roi swllt ar geffyl, ac enillodd hwnnw ei ras, ond pan aeth i gasglu ei enillion roedd y bwci wedi diflannu. Bu'n rhaid iddo ddysgu drwy brofiad chwerw fod safonau cwbl wahanol yn bodoli yn ei wlad fabwysiedig. Chwysai dan bwysau ei bac a throdd yn ôl i'r ffordd fawr yn isel ei ysbryd.'I am all disheartened, – No go.'

Drannoeth roedd hi'n dal i fod yn llethol o boeth, a sylwodd fod y gwres wedi codi i 118°F erbyn un ar ddeg o'r gloch. Nid oedd awel dyner i ysgafnhau'r awyrgylch, ac yn waeth byth, nid oedd ganddo'r un diferyn o ddŵr i'w yfed. Gallai hynny fod yn sefyllfa argyfyngus yn y wlad hon, ond bu'n ffodus oblegid, 'I had a drop with an old Irishman'. Wedi datrys y broblem honno, fe'i hwynebwyd gan berygl arall na fyddai wedi breuddwydio amdano yng Nghymru:

28 March 1869
As I was walking I saw something moving on my right side ahead in the dust. It was a black snake about 2' long. As I went forward I was challenged – its head was well up all the time. I had no stick, and I threw my swag between us. I picked stones but I missed my aim. The snake crept outside the fence and I missed it a second time. It then slipped into a load of big stones. I was glad of that.

Ar ôl osgoi'r neidr, a oedd yn un wenwynig iawn, daeth ar draws golygfa arswydus arall. Gwelodd 'some 22,000 sheep dying for want of water'. Yr oedd yr aroglau drwg o gyrff y defaid yn annioddefol a bu'n rhaid iddo gilio o'r fan cyn gynted ag y gallai. I amaethwr mor gydwybodol a gofalus ag yntau, roedd sefyllfa o'r fath yn ddirdynnol o boenus. Y noson honno cafodd ei ddal gan sydynrwydd dyfodiad y tywyllwch, a nododd, 'in this country there is no twilight, after the sun disappears it is dark within minutes'. Rhaid oedd dod o hyd i ryw fath o lety ar frys. Gwariodd ei chwe cheiniog olaf ar wely mewn gwesty lleol ond bu'n rhaid iddo droi i'w wâl y noson honno 'on an empty belly'.

Ni fedrai fforddio brecwast y bore canlynol ond rhaid oedd bwrw ymlaen. Medrai ddioddef poenau newyn, ond yn y gwres ni fedrai fod heb rywbeth i'w yfed. Bu'n rhaid iddo werthu'r menig a brynodd yn Lerpwl er mwyn prynu peint o 'small beer'. Gan fod y sychder wedi parhau am gyfnod mor hir, clywodd Jenkins fod diwrnod arbennig, sef 'Humiliation Day', i'w neilltuo er mwyn gweddïo am law. Dewiswyd y dydd Gwener dilynol a threfnwyd cyfarfodydd gweddi ar draws Victoria. Cofiodd am achlysuron tebyg yng Nghymru pan fyddai pobl yn gweddïo am dywydd braf er mwyn arbed y cynhaeaf, ond dyma'r gwrthwyneb yn digwydd yn y wlad hon.

Wrth gerdded ar hyd y 'bullock tracks' gwelodd 'a great traffic of timber waggons drawn by 16 oxen carrying crops and other loads'. Curai ar ddrysau ffermydd i holi am waith ond heb fawr o lwc. O'r diwedd bu'n ffodus i ddod ar draws Cymro, Alexander Roberts o Gaerfyrddin, a chael pryd o fwyd ganddo. Wedi cyrraedd treflan Kyneton, nid oedd ganddo'r un ddimai goch i dalu am lety, felly bu'n rhaid iddo dreulio'r noson o dan y sêr 'with nature as my bed!'

Gwawriodd diwrnod tanbaid arall, a'r un oedd y drefn, sef crwydro'n ofer o fferm i fferm a chyda'r nos chwilio am le i gysgu. Cafodd ganiatâd gan ryw ffermwr i lochesu tan y bore mewn sièd go simsan, ond fe'i cyfrifai ei hun yn ffodus oherwydd o leiaf roedd ganddo do uwch ei ben. Gwnaeth wely o fath o'i swag, a pharatoi i gysgu. Yna, yn sydyn, gwthiwyd y drws ar agor, ac yn ôl ei ddisgrifiad ef ei hun:

31 March 1869
A traveller rushed to my newly made bed – contest and
scuffle for my bedclothes. I was the stronger – In the
dark I lit a match and found that he had an axe; I had a
pickaxe close by ... I grappled the axe from his hand. He
had a dog which I soon dispatched ... Both on the road!

Penderfynodd nad oedd yn ddiogel i aros yn y sièd a
threuliodd noson arall o dan y sêr. Er gwaethaf y profiad
brawychus, fe'i swynwyd gan seiniau gwahanol llawer o
glychau, ac yn y bore gwelodd mai clychau a glymwyd o gylch
gyddfai'r hyrddod, y geifr a'r gwartheg oeddynt, fel y gallai'r
perchenogion ddod o hyd iddynt yn y *bush*. Roeddynt hefyd o
gymorth i gadw'r cangarwiaid draw.

Wrth deithio rhwng Kyneton a Taradale bu'n rhaid iddo
gerdded trwy anialwch cras ac undonog y *bush,* ond collodd bob
synnwyr cyfeiriad ac aeth ar goll. Mae cerdd Saesneg yn ei
ddyddiadur yn cofnodi sut yr achubwyd ef gan gyd-ddigwyddiad
anhygoel:

> Through the Bush I tried my way
> And soon did find myself astray,
> I could not guess which way to go
> There only walking to and fro ...
> As I was resting on a log
> I heard the barking of a dog ...
> A Welshman came to my delight
> And said in Welsh that I was right,
> He called me in for drink and meat
> You may rely, it was a treat.

Mae'n wir bod miloedd o Gymry wedi tyrru mewn i dalaith
Victoria, ond roedd hi'n ffodus dros ben ei fod wedi dod ar draws
Cymro Cymraeg yng nghanol yr anialdir pan oedd ef ei hun wedi
colli ei ffordd. Nid yw'n enwi'r Cymro croesawgawr hwn, ond

ar y cyntaf o Ebrill cafodd ragor o lwc. Ar ôl cyrraedd pentref Chewton cafodd bryd o fwyd gan ŵr a gwraig a gadwai westy yno, ac yna aeth y ddynes ag ef i gartref 'a long searched and desired friend from Cardiganshire'. John Lewis, gynt o Lan-non oedd hwn, ac yn ystod ei alltudiaeth hir yn Awstralia byddai Joseph yn cadw cysylltiad agos ag ef a'i deulu. Bu'r cyfarfod rhyngddynt yn un emosiynol iawn, ac ar ôl crwydro am ddyddiau lawer heb fwyd, dŵr nac arian, roedd hi'n rhyddhad ac yn gysur i fod gyda theulu John Lewis yn fferm Bryn-coch, Forest Creek, Castlemaine, gerllaw'r meysydd aur. Cafodd Joseph Jenkins gyfle i gyfarfod â nifer o Gymry eraill yn ystod ei arhosiad yno:

I saw many Cardiganshire and Carmarthenshire men. In fact, it was a regular Welsh neighbourhood, all speak Welsh in a homely manner and the children can talk both Welsh and English.

Fel y mwyafrif o Gymry, denwyd John Lewis i'r rhan hon o'r wlad gan y freuddwyd o ddarganfod aur. Pan gyfarfu Jenkins ag ef roedd wrthi'n gweithio ar ei gloddfa:

I went to meet John Lewis and asked him in Welsh what he would take for his cart load? He looked at me and shouted out 'Trecefel boy! What brought you here?' Shaking hands was the next process ... and to talk about the old country and old times. I never was so glad to see a real acquaintance since I left Aberystwyth.

Gafaelodd y dwymyn aur yn Awstralia wedi i ŵr o'r enw Edward Hargreaves ddarganfod aur yn Lewes Pond Creek, New South Wales ar 12 Chwefror 1851. Erbyn Awst 1851 roedd aur wedi cael ei ddarganfod yn Ballarat a Bendigo hefyd, a chefnodd miloedd ar filoedd o bobl ar eu gwaith a llifo yno i geisio'u ffortiwn. Lledodd y newyddion i Gymru, ac yn 1852 cyhoeddwyd y gyfrol *Gwlad yr Aur neu Cydymaith yr Ymfudwyr Cymreig i Awstralia* gan ap Huw, a'r gyfrol *Awstralia: Cloddfeydd Aur* gan Glanmor, sef J. Williams. Ynddynt ceir cyfarwyddiadau ynglŷn â dod o hyd i aur: 'I wneud y gwaith yn hwylus, y mae eisiau pedwar o ddynion, un i geibo a rhawio'r pridd, un i'w gario a'i hwylio, un i siglo'r cryd a'r pedwerydd i dywallt dŵr i'r cryd'.

Cloddio am aur yn Victoria

Aeth John Lewis â Joseph Jenkins gydag ef i'r 'diggings,' a cheir ganddo ddisgrifiad manwl o'r profiad o geisio dod o hyd i'r metel gwerthfawr. 'I will never forget the process of separating the precious metal from the earth ... after 2 washings he [Lewis] had about £1-4-0 worth of pure gold in very small nuggets.'

Yr oedd gan John Lewis dri pheiriant 'pwdlo', ac fe'i cynorthwyid gan ei fab, Evan, a'i frawd-yng-nghyfraith, Walter Davies. Nododd Jenkins fod hyn yn oed y plant lleiaf wrthi'n ddyfal yn chwilio am aur: 'even the small children were busily engaged in searching for surface gold which appears in small lumps to the experienced and keen eye'. Yn y 'diggings' daeth ar draws tri o weithwyr eraill a chafodd dipyn o sioc wrth eu cyfarch. 'I gave them good morning and was answered, "Oes dim Cymraeg gennych chwi?" They were from Carmarthenshire, out just a month before me.' Wedi'r cyfnod o unigrwydd ac iselder ar ôl glanio yn Awstralia, yr oedd erbyn hyn yn teimlo dipyn yn fwy hyderus a hapus. O'r diwedd roedd ymhlith ei gyd-wladwyr, a medrai sgwrsio'n gyson yn y Gymraeg. Lleiafrif bychan o'r mewnfudwyr oedd yn Gymry o'u cymharu â'r Saeson, y Gwyddelod a'r Albanwyr, ond tueddai llawer ohonynt i heidio i drefi megis Ballarat, Castlemaine, Bendigo a Maldon yn y meysydd aur, ac yn eu plith roedd amryw o sir Aberteifi.

Cymaint oedd y dwymyn nes i laweroedd adael Melbourne a rhuthro i'r meysydd aur. Mae sôn bod 38 o blismyn wedi ymddiswyddo gan adael dau yn unig i ofalu am gyfraith a threfn mewn dinas o ugain mil o bobl. Yn y porthladd gadawodd tua hanner y morwyr eu llongau, a bu'n rhaid codi'r cyflog i forwyr o £8 i £120 am y daith yn ôl i Brydain er mwyn eu cadw. Bu'n rhaid i'r capteiniaid angori eu llongau ddwy filltir o'r tir er mwyn rhwystro'r criw rhag diflannu. Cyrhaeddodd y newyddion am ddarganfyddiad yr aur gefn gwlad Ceredigion, ac ymhlith y rhai a ymfudodd i geisio'u ffortiwn oedd David Jones, Rhiwonnen, y fferm nesaf at Flaenplwyf, a David a Daniel Davies, Cefnbysbach, gweision i Jenkin Jenkins, tad Joseph.

Yn sgil y darganfyddiadau, tyfodd y trefi aur fel madarch, ac ar y cyfan go gyntefig oedd y cyfleusterau byw ynddynt ar y dechrau. Dyma ddisgrifiad J. Williams o Ballarat: 'Tref gynwysiedig o bebyll a bythod yn abl i lochesu saith mil o bobl. Gwnaed y bythynnod hyn o ddail a rhisgl (stringy bark)'.

Wrth i'r trefi hyn ymestyn daethant yn ganolfannau llawn prysurdeb. Yn ôl J. Williams eto:

> Y mae yma lawer o ystordai, cigydd-dai, gefeilydd gofaint a gweithdai pob crefftwr ... Mae nifer mawr o bobl ar waith naill ai yn palu, yn ceibo, yn cario y pridd mewn dysglau at y dwfr, yn ei hwylio mewn berfau, ei lusgo mewn llaw geirt neu ei lwytho mewn troliau.

Gwelsom eisoes fod Mary Jones o Lanfihangel-y-Pennant ymhlith yr ymfudwyr cynnar.

Wedi cyrraedd Ballarat cwynodd yn ei dyddiadur fod prinder bechgyn o Gymru yno a bod llawer o'r merched Cymraeg yn priodi Gwyddelod am eu bod 'yn werth eu miloedd'.[1]

Er cyn lleied oedd nifer y Cymry ar y cyfan, aethant ati'n syth i greu sefydliadau Cymreig. Anogodd ap Huw y rhai a fwriadai ymfudo i Awstralia i 'ymfudo enaid yn ogystal a chorph' ac i fynd ag 'ychydig lyfrau crefyddol a buddiol' gyda hwynt. Hefyd i gadw 'oddiwrth ddiodydd meddwol, a da fyddai pe bwriech y cettyn [pib] i donnau Mor Iwerydd'. Mae'n debyg bod yr ymfudwyr cynnar yn ymddwyn yn weddus iawn, yn arbennig felly ar y Sul. Nododd J. Williams eu bod yn 'ddystaw a thangnefeddus ar y Sabbath a'r gweinidogion yn cael cynulleidfaoedd lliosog ac astud i wrando ar yr efengyl'.

[1] LlGC MS 222846D

Sefydlwyd Eisteddfod Ballarat gan y mwynwyr yn 1855, a bu Joseph Jenkins yn cystadlu'n gyson ynddi yn ystod ei arhosiad yno.

Erbyn iddo gyrraedd yr ardal yn 1869, roedd y trachwant am aur yn ei anterth. Er i amryw ddod yn gyfoethog, llafur caled am ychydig o elw oedd tynged y mwyafrif o'r gweithwyr, ac ar ôl treulio ychydig o amser yn helpu John Lewis a'i deulu, a chael y profiad melys o ddod o hyd i ychydig bach o aur, penderfynodd Joseph Jenkins nad dyna'r bywyd iddo ef. Aeth ati i lunio cerdd faith yn Saesneg yn dwyn y teitl 'Gold, its Power and its Influence', a danfonodd hi i bapur lleol. Dyma rannau ohoni:

> All things are bought, all things are sold
> All things are done for the sake of gold.
> Gold is adored in every place
> Where we can find the Christian race,
> Too much gold has caused much strife
> And want of gold can bring peace of life.
>
> Gold has built the biggest town
> And gold, in time, will bring it down.

Ar ddiwedd ei gerdd, cyfeiriodd at un enghraifft benodol o ymddygiad gwarthus un o'r Cymry. Yn ei ddyddiadur disgrifiodd y modd y cymerodd Griffith Joseph o Gaerfyrddin fantais ar ŵr o China a dwyn ei gloddfa aur oddi wrtho. Yr oedd un o bob saith o'r dynion a weithiai yno'n hanu o China. Roeddynt yn weithwyr caled ond caent eu cam-drin yn hiliol mewn modd creulon yn fynych iawn. Yn yr achos hwn, neidiodd y gŵr o sir Gâr i mewn i'r twll a gloddiwyd gan y Chinead gan erlid hwnnw i ffwrdd. Ni allai Joseph Jenkins oddef y fath gamwri oblegid, er ei ffaeleddau, bu'n elyn cyson i hiliaeth drwy ei oes. Mynegodd ei atgasedd at Griffith Joseph yn ei gerdd:

The golden rules are now unknown
To reap and take what we have sown,
That's the man who took and stole
And jumped another person's hole.

Er iddo fod yn hallt ei feirniadaeth o'r rhai'n fu'n trachwantu
am aur, ceir tystiolaeth bendant ei fod ef ei hun, ar adegau, wedi
dilyn yr un trywydd. Gwyddom, er enghraifft, ei fod wedi codi
trwydded i gloddio am ei ffortiwn. Fel y mwyafrif o gloddwyr,
ni fu'n lwcus, ac yn y bôn dadrithiwyd y gŵr o Drecefel gan y
rhuthr am gyfoeth ac aur. Meddai, 'Nid oes moesoldeb na
thegwch yn rhinweddau amlwg ymhlith y rhai a lafuriai yn y
meysydd aur'. Gadawodd gartref John Lewis er mwyn chwilio
am waith mwy cydnaws â'i anian. Trodd yn ôl at y tir, a mynnai
mai yno, nid mewn aur, y ceid gwir gyfoeth Awstralia. 'There is
more wealth to be found in cultivating soil properly', meddai,
'than in tearing up the land in search of bits of yellow metal.'

PENNOD 14

YCHYDIG A FEDDYLIAIS ...

Wrth ysgwyddo'i bac a throi am yr heol fawr, bu'n rhaid iddo
wynebu unwaith eto y siomedigaethau a'r caledi oedd yn rhan
anochel o fywyd crwydryn yn nhalaith Victoria. Yn ei eiriau ef
ei hun:

> I'm walking hard from farm to farm
> With heavy bedding on my arm.

Crwydrodd o amgylch trefi megis Castlemaine, Taradale a
Maldon, a daeth ar draws amryw o wŷr a hanai o Geredigion a
sir Gâr, felly cafodd gyfle i sgwrsio yn y Gymraeg yn weddol
aml. Ond er iddo gael croeso ganddynt, methiant fu ei ymgais i
gael gwaith. Un diwrnod, ar ôl cerdded milltiroedd yn y llwch a'r
gwres, daeth ar draws ffynnon o ddŵr clir a manteisiodd i'r
eithaf ar y fendith hon. 'I saw clear running water which was a
treat ... I took off my long stockings, shirt and so on ... I had
plenty of soap ... and I washed myself all over.'

Yn ystod ei deithiau daeth ar draws nifer o 'stations', neu'r
ffermydd enfawr sydd mor nodweddiadol o Awstralia. Arnynt
gwelodd filoedd o ddefaid yn wyna, ond cafodd ei dristáu wrth
weld yr holl golledion: 'many carcasses of newly born lambs lay
rotting everywhere'. Mor wahanol fyddai pethau yn Nhrecefel.
Treuliodd un noson mewn caban bugail a chysgu ar grwyn

defaid, ond o'r diwedd cafodd waith gan Morgan Lane,
amaethwr o Wyddel, gerllaw pentref Smeaton ar gyflog o
bymtheg swllt yr wythnos. Am y tro cyntaf oddi ar iddo adael
Cymru fe'i cafodd ei hun unwaith eto'n llafurio ar y tir, er bod ei
amgylchiadau dipyn yn wahanol erbyn hyn:

> 14 April 1869
> It is not so easy to plough here as in the old country.
> Some parts are stoney and abound in boulders ... I think
> I am with very nice people ... Good victuals. Chaffing
> after supper. I sleep in the stable with the horses ... Better
> bed than I had since leaving Aberystwyth.

Teimlai'n esmwythach ei fyd, er bod yna eironi dybryd yn ei
sefyllfa. Rai misoedd ynghynt fe roddai lety dros nos yn y tai
mas i ambell drempyn a alwai heibio Trecefel, ond yn awr ei lety
ef ei hun oedd y stablau!

Arhosodd ar fferm Morgan Lane am ryw dair wythnos. Pan
ddaeth y gwaith i ben roedd yn rhaid troi unwaith yn rhagor at yr
heol, a golygai'r math hwn o fywyd fod Joseph Jenkins yn
dibynnu ar westai i raddau helaeth am luniaeth a llety. Arhosodd
noson yn yr Hit or Miss Hotel yn Smeaton. Cymro o'r enw John
Jones oedd y landlord, a bu rhyw gweryl rhyngddo a Joseph
Jenkins. Er mwyn dial ar Jenkins, perswadiodd y landlord ffrind
iddo i wisgo fel heddwas er mwyn ei ddychryn, a chofnodwyd y
digwyddiad rhyfedd hwn yn ei ddyddiadur:

> 8 May 1869
> All the Welshmen were not very kind to me especially
> Mr John Jones, Landlord of the Hit or Miss Hotel,
> Smeaton. He (the man disguised as a policeman) rode
> after me and did stop me on the road ... stating that he had
> an authority to apprehend me for a bloody crime. I had
> no stick in my hand at the time or else I would apply it to
> the right quarters and in self defence. He was obliged to

YCHYDIG A FEDDYLIAIS ...

ride back with speed ... I was told that his name was
Reuben Winterburn, the Landlord of the Karoo Chang
Hotel, Smeaton ... I will proceed against him as the road
ought to be free for every honest traveller.

Wedi treulio noson mewn gwesty arall, The Sportsman Hotel,
teithiodd ar hyd priffordd lydan a choediog, a nododd ei bod yn
'3 chains or 66 yards wide, not cleared of standing timber, with
gum trees, box and stringy bark in abundance ... one was 9 yards
in circumference and three persons could sleep inside'. Wrth
iddo gerdded gallai glywed sŵn y clychau am yddfau'r gwartheg
wrth iddynt bori yn y *bush*.

Yn Smeaton, cafodd waith yn aredig y tir am bunt yr wythnos
gan Almaenwr, Herr Minster, perchennog y Cumberland Hotel.
Wedi diwrnod caled aeth at y ffynnon yn ymyl y gwesty i dorri
ei syched ac ysgrifennu yn ei ddyddiadur:

13 May 1869
        Diolch i Dduw am ddiod dda
        Fy nisychedu'n rhâd a wna.

Ond yn anffodus, nid oedd hyn wrth fodd Herr Minster,
oherwydd disgwyliai i Jenkins wario'i gyflog ar y cwrw a
werthid ganddo yn y gwesty. Gwrthododd Jenkins, ac unwaith
yn rhagor bu'n rhaid iddo roi'r gorau i'w waith. Ni fu ei brofiad
o aros mewn gwestai'n bleserus iawn hyd yn hyn, a mynegodd
ei ddirmyg tuag at y rhai a'u cadwai:

Hotel keepers are the worst sort of swindlers in the
Colony ... They will not forfeit a morsel of bread to save
a man's life! I'm determined I will not take their drink for
money. It looks dark on Joseph again!

Druan ag ef, bu'n rhaid iddo adael heb y ddwybunt oedd yn
ddyledus iddo. Eto glynodd yn gadarn wrth ei benderfyniad i

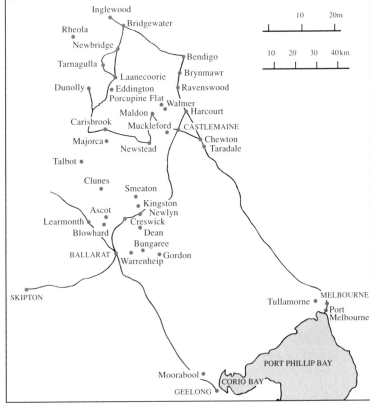

Cylch teithio Joseph fel swagman

ymwrthod ag alcohol a pheidio â derbyn cwrw yn lle arian.

Ond daeth haul ar fryn unwaith yn rhagor a chafodd waith yn o fuan ar Kangaroo Farm, Smeaton. Enw ei gyflogwr oedd George Hepburn, ffermwr cyfoethog a gŵr busnes. Talai hwn gyflog teg i'w weithwyr a sicrhau bod eu hamodau byw'n foddhaol. Gweithiai Jenkins mewn tri lle o eiddo Hepburn, sef Smeaton House, cartref y teulu, y Sportsman Hotel, a Tea Tree Farm. Bu wrthi'n clirio perllannau, yn diwreiddio coed, yn dyrnu ac yn aredig. Gweithiai oriau meithion bob dydd ond ni faliai ddim am hynny. O'r diwedd yr oedd ganddo beth urddas, a châi gyflog deg am ei lafur. Ni fu ofn gwaith caled arno erioed, fel y tystiodd yn y llinellau hyn:

30 July 1869
But digging I can do,
And any honest living
I boldly can pursue

Eto, ni wenai ffawd arno bob tro. Am ryw reswm roedd yn dueddol o gael ei gamddeall a'i ddrwgdybio gan bobl, a gwelsom enghreifftiau o hyn ar y fordaith ac ar ôl iddo gyrraedd Awstralia. Ar 10 Medi cafodd gyflog o £4-18-0 a phenderfynodd wario peth o'r arian ar got frethyn a throwsus newydd. Prin y gallai fod wedi rhag-weld yr helynt a ddilynodd:

10 September 1869
I did put them on the road in order to fit them, and who came but the Superintendent police and his assistant. They took me in charge for stealing the clothes. I did go back a little with them, but they soon released their captive.

Er bod ganddo lety yn Tea Tree Farm roedd arno awydd am fwy o annibyniaeth a mwy o lonydd, a llwyddodd i rentu caban bychan gan ffermwr o'r enw Mr Bateman, a oedd, yn ei dyb ef,

yn well nag aros mewn gwesty. Mae'n rhoi darlun delfrydol o'r
caban lle gallai yn awr fyw mewn cymundeb llwyr â byd natur
o'i gwmpas:

14 September 1869, Joseph's Hut
I slept comfortable. I have only a table and bed as
furniture. It stands near a fine creek. Good water. Very
convenient for washing ... Two Chinamen are gardening
near my hut. They put in peas, onions, carrots and so on.
Some of their cabbage are nearly fit for use. Very few
words of them I can understand ... obliged to make signs
... Possums all around in the gum trees ... Mr Bateman's
children shoot them in the moonlight.

Cyfeiria at y profiad o wrando ar y brogaid yn ystod y nos,
ond hefyd at y peryglon oedd ym mhobman yn Awstralia:

15 September 1869
The croaking of young frogs are wonderful during the
night – something very much like young ducks at home
– There are millions of very small young frogs along the
creek close to my hut ... Black snakes begin to appear ...
They swim in the creek – They are dangerous when
trodden upon.

Yn ystod ei chwe mis cyntaf yn y wlad newydd llythyrai yn
gyson â'i deulu a'i berthnasau yn ôl yng Nghymru, a gwyddom
ei fod wedi derbyn nifer o lythyrau oddi wrth ei blant, Lewis,
Margaret a Nel, ac oddi wrth ei frodyr, Cerngoch, Jenkin a
Benjamin; a hefyd oddi wrth ei gefnderoedd a'i ffrindiau yn
Nhregaron. Yn anffodus, aeth bron pob un ohonynt i ddifancoll,
ond mae un llythyr a dderbyniodd gan Lewis ei fab ym mis Medi
1869 yn dal ar glawr. Oherwydd cyflwr gwael y llythyr, mae'n
anodd deall yr ysgrifen. Serch hynny mae'r naws gymodlon a'r
ewyllys da a fynegir ynddo'n rhyfeddol o gofio'r awyrgylch yn

Nhrecefel cyn i Joseph Jenkins gefnu mor ddirybudd ar ei gyfrifoldebau. Er ei bod yn amlwg ei fod wedi gadael llu o broblemau ar ei ôl, y syndod yw gweld nad oes arlliw o ddicter yng ngeiriau ei fab:

Trecefel
Nr Tregaron
Cardiganshire
South Wales

7 June 1869

Dear Father,
Many months have now passed since you have imigrated [sic] for a country which has undoubtedly proved beneficial to thousands. Yet, many are the hardships in the best of countries, but very seldom we hear of that in either Australia, America or California and other colonies ...
This Country, or rather Countrypeople you Disliked to the utmost, whatever it has been to you ... It deals miserably with us at present ... the demands for money... Debts to the amount of above 600 have already appeared... unfortunately at present...
All of us expect and hope to hear from you often ... and hope that peace and prosperity will prove your lot as one of our Antipodes [sic]. A Correspondent from Sydney wrote to the Dispatch, of Australia as one of the most favourable, Economical [sic] productive and healthy of the Colonies ... The late droughts have been destructive to both Animals and Vegetables as I have read in the papers, but rain falls in abundance since then. The farm stock are looking about the same as usual, except the horses, which are exceedingly low, the cattle stock is light, only two could be sold this spring. Your landlord's mare (Bess) fell over Trecefel Bridge to the river in April and was immediately killed ...

We have not yet received the Diary. I send two papers off with this letter, viz The Welshman and Dispatch ...

If we can manage to gather some money, and if there be any necessity for the same, we shall try our best. It may be sooner than anticipated – But I don't see what need has a man for money in such a productive, fertile and lightly populated country where English gold is swiftly found.

I remain with our best wishes from all at Trecefel, and many others to [sic] numerous to be named have wished themselves to be remembered to you ...

Lewis Jenkins 7th June 1869[1]

Mae'n siŵr bod llythyrau o'r fath wedi dwysáu'r poen a'r hiraeth a deimlai Joseph am ei deulu a'i gydnabod; teimladau a fynegodd yn ei lythyrau ac mewn penillion:

> Addewais ysgrifennu
> Attoch chwi a'ch teulu
> Pa fodd y byddwn ar fy nhaith
> Wrth chwilio gwaith amaethu.
>
> Tri pheth wy'n lwyr ddymuno
> Cael gwaith ag iechyd wrtho,
> Ail weld fy ngwraig a'm plant yn fyw
> A heddwch Duw i'm llywio.

Erbyn dechrau mis Hydref roedd yn hiraethu am gyfeillgarwch a chwmni ei gyd-Gymru, felly cododd ei bac a dychwelyd i Fryn-coch, cartref John Lewis. Cafodd groeso gwresog yno ac aeth ati unwaith eto i gloddio am aur yn Forest Creek yng nghwmni ei gyfaill. Ond yna, yn ddisymwth, daeth newyddion trasig o Drecefel:

---

[1] Letter – Lewis Jenkins to Joseph Jenkins, 7 June 1869. Diaries of Joseph Jenkins. State Library of Victoria, Melbourne, Australia.

Thursday the 14th of October 1869. Byxxxh
I was up before the sun of Forest creek
cold and frosty morning, if not frosty
light breeze from E. N. E. I did light a
good fire and Lewis prepared breakfast
we were at work by six o'clock. It became
fine and warm soon after breakfast. we were
called for the morning lunch at half past
nine o'clock. The sun is encircled by
a plain and distant band. Having
seen the moon at home many times
encircled in the same way before a storm
we went back to resume our work. The
daughter of Jenkin Davies brought me
a packet containing one newspaper
the Welshman and two letters, one
from Recefel dated July 26th 1869 [Melbourne Sept. 28th 1869]
and another from Paul dated [at] Paul
on the 4th [and 7th] of July 1869 at Melbourne [expex]
August 30th 1869. After giving up work at Nerra
I did open the Welshman newspaper dated at
Carmarthen July 9th 1869. Having never
looked at the deaths in the old Country, but alas
I was astonished to read the following account—
Jenkins, on the 28th ult. after five days' illness, aged 20 years
deeply regretted. Mr. Lewis Jenkins, second son of Mr. Joseph
Jenkins of Recefel, Kegewin Cardigan shire" ! !
& what an unexpected term I view it?

Yr ysgytwad o ddarllen am farwolaeth Lewis, ei ail fab

14 October 1869, Forest Creek
The daughter of Jenkin Davies brought me a packet
containing the Welshman newspaper and two letters from
Trecefel dated 26 July, 1869 ... Alas, I was astonished to
read the following statement in the Deaths -
    "Jenkins, on 28th Ult. after five days illness aged 20
    years, deeply regretted, Mr Lewis Jenkins, second son
    of Mr. Joseph Jenkins, of Trecefel, Tregaron,
    Cardiganshire."
O What an unexpected turn of news!!

Agorodd y ddau lythyr a ategai'r newyddion drwg ac a
adroddai hanes salwch ei fab, ei farwolaeth, a'i angladd. Yn
naturiol ddigon, roedd y newyddion yn ergyd fawr iddo.
Teimlai'n hollol ddiymadferth ac yntau dros bymtheng mil o
filltiroedd o Drecefel, a'r unig beth y medrai ei wneud oedd troi
at farddoniaeth i chwilio am gysur a mynegi ei alar:

14 Hydref 1869
        O bridd yw dyn heb wraidd dano – difai
        Difywyd pan syrthio:
        Hedd i'w enaid ddihuno
        A dywyll fedd diwall fo.

        Mae'n ddiwedd ar bob stormydd
        Pob tristwch a llawenydd,
        Mae'n derfyn ar elynion gaed
        Yn sathru traed eu gilydd.

        Hyd eithaf y gwnes deithio
        Rhyw atteb nol gewch etto:
        Ond Lewis aeth mor bell nas ceir
        Mwy glywed gair oddiwrtho.

Ychwanegwyd at ei drallod gan y ffaith fod Lewis wedi
ysgrifennu ato ychydig ynghynt, ac mae'n sicr ei fod yn gofidio

na fu'r berthynas rhyngddo ef a'i fab yn un gwbl esmwyth.
Erbyn hyn, yr oedd wedi colli dau o'i feibion, Jenkin a Lewis.
Cyfansoddodd y pennill coffa hwn iddynt:

I GOFIO AM JENKIN A LEWIS
Waeth beth fo'n hoed, ein grym a'n dawn,
Marw a wnawn er pob peth,
Y ddau ym mlodau'u hoes cyn dod
I ennill clod mewn rhywbeth,
Archebwyd rhag trafferthion byd
Cans beth oedd hyd eu hamcan,
Yn frawd a chwaer yn dad a mam
Diolch am y cyfan.

Gan fethu â ffrwyno'i emosiynau, gadawodd Joseph y
cloddfeydd aur a'i daflu ei hun i mewn i wleidyddiaeth leol. Bu
hyn yn fodd i liniaru rhywfaint ar ei alar. Gan fod cynifer o
swagmen ar y ffyrdd erbyn hyn, cododd gelyniaeth yn eu herbyn
a chythruddwyd Jenkins gan ddisgrifiad ohonynt yn y papur
newydd *The Australian* fel 'loafers and vagabonds'.
Penderfynodd ymateb drwy godi ei ysgrifbin a chyfansoddi llith
yn eu hamddiffyn. Mynnodd fod hyn yn 'false representation
open to create a bloody revolution through the Colony', a
dadleuodd mai'r swagmen oedd 'the backbone of the colonies'.
Cyhoeddwyd ei sylwadau mewn llythyr yn dwyn y pennawd
'Pity the Swagman' yn *The Australian*, 18 Tachwedd 1869:

To travel 30 or 40 miles in search of work with 70 pounds
of swag is not an easy task ... Going through the Bush on
an empty belly ... to lie down on the bare ground on a
severe frosty morning ... or during Summer where all
sorts of colonial snakes abound is not a pleasant position.
The time is at hand to provide work for the Swagman ...
to tax all the waste and neglected land to the amount of
one shilling per acre per annum ... would amount to a

round sum every year and let the same be laid out in
public works. With due respects to honest labourers.

Yours Jos Jenkins, Swagman

Cafodd yr hen ysbryd gwrthryfelgar ei ddeffro fel cynt wrth
iddo weld anghyfiawnder. Ni fu arno ofn dangos ei ochr erioed,
er bod hynny'n gallu arwain at amhoblogrwydd, ac fe'i
huniaethodd ei hun ag achos y crwydriaid yn gadarn ac yn
gyhoeddus.

Aeth yn ei flaen unwaith yn rhagor i Ballarat gan letya yn y
Temperate Hotel. Gwelsom mai tref wedi ei hadeiladu ar aur
oedd Ballarat a bod yna garfan o Gymry wedi ymsefydlu yno yn
y pumdegau. Erbyn 1869 roedd 'y dref o bebyll a chytiau rhisgl'
wedi newid yn sylweddol. Bu rhai'n lwcus iawn i ennill digon o
gyfoeth i godi tai moethus, crand. Yr oedd teulu Mary Jones, y
cyfeiriwyd ati eisoes, yn gweithio tair cloddfa, sef Llanberis,
Serenty, a Last Chance, ac erbyn 1860 roeddynt wedi codi tŷ
gwerth £500. Ond yn ôl J. Williams (Glanmor), yr oedd Ballarat
hefyd wedi denu 'ysgarthion ac ysgubion moesol Melbourne'.
Yn y dref gosmopolitaidd hon, yn ôl Griffith Parry, 'roedd bob
math ar grefyddau neu sectau ... synagogau Iddewig, Joss Houses
y Chineaid ... ac amryw fathau o Gristnogion oddiar gyfandir
Ewrob'[1].

Wedi cyrraedd Ballarat aeth Joseph Jenkins ati ar unwaith i
chwilio am ei gyd-wladwyr, a chyd-ddigwyddiad rhyfedd oedd
dod o hyd i David ac Evan Daniel Davies. Hanai'r ddau o
Gefnbysbach, sef un o'r bythynnod a godwyd i'r gweithwyr ar
dir Blaenplwyf. Ond mor wahanol oedd eu hamgylchiadau erbyn
hyn; Joseph yn weithiwr cyffredin, a David ac Evan Evans yn
wŷr cymharol gyfoethog ac yn byw mewn tŷ moethus yn ardal

---

[1] William Griffith Parry, 'Hanes fy Nhaith o Nantmor i Awstralia' LlGC Ffacs 449.

Sebastopol o Ballarat. Er hynny, cafodd Joseph groeso twymgalon a lletygarwch gan y ddau frawd, a rhoddodd gwraig David fenthyg punt iddo i'w helpu ar ei ffordd. Roedd y rhod wedi troi oddi ar y dyddiau pan fu Joseph a'i deulu'n helpu teulu Cefnbysbach a hwythau ar y pryd yn byw mewn tlodi mawr.

Llwyddodd Jenkins i gael gwaith unwaith yn rhagor yng nghyffiniau Ballarat. Fe'i cyflogwyd am bymtheg swllt yr wythnos ar fferm Mr Wilson, Spring Gardens, Mount Blow Hard. Roedd y gwaith ar y cynhaeaf yn eithriadol o galed a'r gwres yn annioddefol:

15 December 1869
Up at 4 a.m. – too close to sleep. Thermometer in the shade 135°. At noon I had to carry the reaper knives home and was obliged to cut a handful of grass in order to save my hands from scorching. My two mates went to the adjoining Hotel. I took my Billy and had real 'tea total stuff' with ice water. The ice was very expensive.

Roedd ei flwyddyn gyntaf yn Awstralia'n dirwyn i ben, a'r diwrnod cyn y Nadolig derbyniodd ei gyflog o dair sofren gan Mr Wilson. Cynhelid Eisteddfod Ballarat ar Ddydd Nadolig ac roedd Joseph Jenkins wedi gweld cyfle i ailgydio yn ei ddiddordebau barddol. Bu wrthi am wythnosau'n cyfansoddi penillion, ac ar fore'r Nadolig cododd cyn i'r wawr dorri:

25 December 1869
I was up at 3 o'clock and did prepare for Ballarat and began my journey at 4 o'clock. I reached town and had myself shaved and so on in order to attend the Welsh Eisteddfod ... I had to pay 2/- for my entrance ticket. A.R. Williams was in the chair. I did ask permission to address the meeting and he told me to be there early at 2 o'clock.

Am fod ganddo dair awr mewn llaw, penderfynodd ymweld

Plantation a Sturt Street, Ballarat, adeg ymweliad Joseph Jenkins

unwaith eto â'r brodyr o Gefnbysbach. Talodd dair ceiniog am gerbyd i'w gludo i'w tŷ yn Sebastopol, ac yno cafodd ginio Nadolig bendigedig gan gynnwys 'fat geese, mutton, and beef followed by various rich puddings'. Gwnaeth yn siŵr hefyd ei fod yn talu'r bunt a fenthycodd yn ôl i wraig Evan Evans, a diolch iddi am ei charedigrwydd.

Cynhaliwyd yr eisteddfod yn y Mechanics Institute a oedd, yn ôl Joseph, 'a very fine place'. Wedi'r cinio swmpus, daliodd gerbyd arall er mwyn cyrraedd yr eisteddfod mewn da bryd, oherwydd roedd yn awyddus iawn i annerch y gynulleidfa. Ar ôl cyrraedd, safodd ar ben y grisiau yng ngŵydd pawb a mynd ati i adrodd dau ar hugain o'r penillion a gyfansoddodd ar gyfer yr achlysur. Ceir nodyn braidd yn goeglyd yn y dyddiadur: 'I was warmly applauded by the very few that could understand it'.

Thema'i gerdd oedd galwad i'r Cymry feithrin a chadw'u diwylliant. Yng ngholofnau *The Australian* cwynwyd yn gyson nad oedd y Cymry gartref yn cymryd fawr o ddiddordeb yn hanes eu cyd-wladwyr a ymfudodd i Awstralia. Yr oedd yna duedd hefyd i lawer o'r Cymry geisio cael eu cymathu o fewn eu gwlad fabwysiedig gan anghofio'u hiaith a'u diwylliant. Lleiafrif bychan oeddynt o fewn y wlad o'u cymharu â'r Gwyddelod a'r Albanwyr a fu'n fwy parod i lynu at ei gilydd a chydnabod eu hetifeddiaeth na'r rhelyw o'r Cymry. Gweld y duedd hon a barodd i Joseph Jenkins gyfansoddi penillion gwladgarol ac emosiynol:

25 Rhagfyr 1869, Dydd Nadolig
    Hardd yw gweled Meibion Gwalia
    Heddy'n tario yn Victoria,
    Gan gasglu nghyd i noddi'u hiaith
    Ar diroedd maith Awstralia.

O wnawn ni i ymdrechu
I gadw'n hiaith i fyny,
Gwell colli gwlad, na cholli dawn
Wrth hon y cawn ein barnu.

Iaith fy mam rwy'n arddel
Ymdrecha i chadw'n ddiogel
Dyna'r gwir ar hyn o dro
O enau Jo Trecefel.

Bu'n fuddugol yng nghystadleuaeth yr englyn dair blynedd ar
ddeg yn olynol.

Gadawodd Ballarat y noson honno'n weddol fodlon ar ei
ymdrechion yn ystod y dydd. Wynebai daith o ddeng milltir yn
ôl i Spring Farm, a chyn cyrraedd fe'i daliwyd mewn storm o
lwch gyda'r gwaethaf a welwyd ers amser. Bu bron â mygu a
gorfu iddo orwedd ar ei hyd ar lawr rhag i'r llwch lenwi ei
ffroenau a'i ysgyfaint. O'r diwedd llwyddodd i gyrraedd y fferm
yn oriau mân y bore, ond wedi'r un diwrnod o wyliau, disgwylid
iddo fod wrth ei waith unwaith yn rhagor ar doriad gwawr:

26 December 1869
Up at 4 a.m. ... at the Threshing Machine by 5 a.m. ... all
covered by running sweat ... I was on top of the rick
attending the tail of the straw elevator and was nearly
blind with sweat.

Dyna fu patrwm ei fywyd yn ystod y dyddiau nesaf, sef codi'n
blygeiniol a chwysu am bymtheg awr bob dydd.

O'r diwedd daeth y flwyddyn ryfedd hon yn ei hanes i ben.
Pwy allai fod wedi dychmygu'r newid a ddaethai i'w ran yn
ystod y cyfnod byr hwn? Roedd wedi gobeithio dianc rhag ei
orffennol, ond hyd yma ni lwyddodd – ac ni fynnodd, mae'n
amlwg – i'w ddileu yn llwyr, a chadwodd mewn cysylltiad â'i
deulu drwy lythyru â hwy. Fe'i brifwyd i'r eithaf gan farwolaeth

Lewis a phrociwyd ei gydwybod yn aml wrth ddarllen llythyrau'r plant eraill. Felly, er iddo groesi'r moroedd a rhoi pellter daearyddol rhyngddo a'i deulu, roedd y rhwymau a'u cydiai wrth ei gilydd yn dal yn syndod o dynn.

Er caleted bywyd Joseph Jenkins, ni allai pethau fod yn hawdd i'w wraig Betty chwaith. Wedi colli ei gŵr i bob pwrpas, fe'i gadawyd i ofalu am y fferm ac i fagu'r plant ar ei phen ei hun. Yn ei ddyddiaduron mae Joseph yn ei beio hi'n aml am ei holl drafferthion, ac fe ellid disgwyl iddi hithau fod yn chwerw iawn yn ei hagwedd tuag ato ef. Ond mewn llythyr a ysgrifennodd ychydig wedi marwolaeth Lewis, fe gawn ddarlun cwbl wahanol. Er ei phroblemau, mae ei geiriau'n mynegi teimladau rhyfeddol o garedig tuag at ei gŵr:

> Fy Unig Briod
>   Yr wyf yn hela atoch, efallai i godi mwy o gasineb attaf, ond os felly y bydd, nid oes dim i wneud, waeth yr wyf yn darllen rhai o'ch llythyron chwi at y plant a fy nghefnder pa rai sydd yn dangos i mi mai fi a Lewis oedd yr achos o'ch ymadawiad, os felly yr oedd, chwi sydd yn gwybod, ond yr wyf i yn siwr nad oedd neb yn dymuno mwy o ddaioni i chwi na'r plant a finnau. Ond nid oes gyda nhw na finnau dim help i wneud, ond mi allwn ni hela rhai dillad atoch chwi a'r llyfrau. Y mae yr awrlais i'w chael hefyd ond mi leiciwn ei chadw, ond os ydych yn meddwl hela eich oes yn Australia, efallai y bydd i'r plant i'w danfon i chwi. Y mae arian yn brin, ac nid oes gobaith y daw'n well, gan nad oes gennym neb i hela gwaith yn mlaen. Dim ond Daniel Lloyd ag un crwt bach, yr hwn nas gall ddala yr arad, ond yr ydym wedi cael y cynhaeaf yn dda, ond mae yn rhaid trio cael rhyw fachgen, ond nid wyf yn gwybod pa le i'w gael. Yr ydym yn meddwl hau gwenith yn cae cnwcsarn os nad aiff yn rhy ddiweddar. Yr ydym heb dynnu tato. Nid oes gennyf

un newydd i'w hela attoch gan fod eich brodyr a'ch
brodyr yng nghyfraith a'r plant yn hela pob newydd a
popeth yn mynd yn y blaen. Yr oeddech yn gofyn pa faint
o ddyled yr ydym wedi talu, nid wyf yn gwybod pa faint
dalodd Lewis, canys yr oedd yn dywedd y gwnai ei orau
i'w dalu i gyd a magu y rhai bach – Ond och yn awr nid
oes gennyf neb i ofalu amdanynt mwy, ond mi wnaf fy
ngorau. Mae Jane Lloyd, eich chwaer heb fod yn iach ers
pum wythnos. Ei phen y mae yn achwyn.

Mae Marged a Mary heb fod yn iach – dolur gwddwg
sydd ar Mary, y mae wedi torri dair gwaith – a mae Mary
wedi derbyn llythyr oddi wrthych yr hwn sydd yn
cynnwys llawer o bethau siarad – Ond y mae yn ddrwg
gennyf glywed eich bod heb fod yn iach, ond efallai ei
bod yn well na phe byddech yma gyda ni – canys yr
ydych yn dangos fi yw mam y drwg, a thrwy hynny, mae
yn well cadw draw – Ond cofiwch mae bara a chaws i'w
cael a lle i gysgu.

Ni fuodd gwraig David eich brawd a finnau yn auction
Sunny Hill – fe barodd bedwar diwrnod. Mae y plant a
finnau yn cofio attoch, gan obeithio eich bod wedi
gwella, a cawn eich gweld etto os byw fyddwn,

Hyn yn anhrefnus oddiwrth
Elizabeth Jenkins[1]

Mae'n amlwg bod cynnwys y llythyr wedi cyffwrdd â Joseph
mewn rhyw fodd, oherwydd copïodd y geiriau uchod a'u cadw
ar ddalen rydd yn ei ddyddiadur; collwyd y llythyr gwreiddiol.
Hyd y gwyddom, dyma'r unig gofnod o eiriau uniongyrchol
Betty sydd ar gael.

Beth tybed fu effaith hynawsedd geiriau ei wraig ar Joseph
Jenkins? Nid oes modd i ni wybod. Ei unig ddihangfa ef yn awr
oedd ymgolli mewn gwaith caled; lleddfai hynny beth o'r ing a

---

[1]   Gweler Atodiad 5.

chuddio peth o'r euogrwydd. Er maint ei flinder ar ddiwedd y dydd, mynnai droi at ei ddyddiaduron ffyddlon. Ynddynt cafodd ymgeledd, a buont yn fodd iddo ddatgelu ei emosiynau dwysaf. Gallai fynegi ei ddicter, ei ragfarnau a'i deimladau dirgel o fewn eu cloriau – yn ogystal â'i hiraeth a'i dristwch. Ar ddiwrnod olaf 1869 mae'n crynhoi ei feddyliau ac yn pwysleisio pwysigrwydd ei ddyddiaduron yn ei fywyd:

31 December 1869
Here I am on last day of the year 1869. Ychydig a feddyliais y byddwn yn treulio blwyddyn gyfan mor bell o'm bro enedigol. It is strange; fate or not. Should life and health permit, I do really hope that I will be able to write and keep some sort of daily account of the remainder of my life whether here, at home, or on some other quarter of the globe.

PENNOD 15

BYWYD SLAFUS

Wrth i'r wawr dorri ar Ddydd Calan 1870 ni ddaeth neb i hel
calennig i fferm Spring Gardens, Mount Blow Hard, ger
Ballarat. Yr unig gyfarchiad oedd y chwiban cras am bump o'r
gloch y bore yn galw'r gweithwyr i'w llafur wrth y peiriant
dyrnu. Yng Nghymru fe fyddai pawb yn paratoi i ddathlu, ond
yma nid oedd Dydd Calan yn wahanol i unrhyw ddiwrnod
gwaith arall. Am y tro cyntaf ers iddo ddechrau cadw'i
ddyddiadur, nid oes gan Joseph Jenkins unrhyw sylwadau
proffwydol ar drothwy blwyddyn newydd. Yn hytrach ceir y
cofnod hwn yn disgrifio diwrnod caled o waith a fyddai'n parhau
am ddwy awr ar bymtheg:

1 January 1870
We were up at 4 o'clock and were called soon after
breakfast. The whistle of the Threshing machine was
oppened [sic] after 5 o'clock. All hands attended.

Er mwyn cael sicrwydd o waith cyson, ymunodd Jenkins â
thîm o ddeunaw o ddyrnwyr. Dilynent y peiriannau anferth o
fferm i fferm yn ystod y cynhaeaf llafur, a chofnododd, 'The
equipment consisted of an engine, a winnowing machine and an
elevator drawn by a dozen or more horses'. Treulient hyd at
bythefnos ar bob fferm, yn dibynnu ar ei maint, er mwyn dyrnu

miloedd ar filoedd o ysgubau barlys. Gallai'r gwaith fod yn
beryglus, roedd yr awyrgylch yn boeth a llychlyd, a sŵn y
peiriannau'n fyddarol; ond telid cyflog da.

Ar y cyfan, go anystywallt oedd ei gyd-weithwyr. Treulient eu
horiau hamdden yn yfed cwrw, gamblo a chwarae cardiau, a
phrin bod eu hiaith goch yn ennyn cymeradwyaeth Joseph
Jenkins. 'They are a hard swearing crowd', meddai. Cysgent ar
welyau o wellt o dan y peiriant dyrnu fel arfer, ond weithiau
byddent yn ffodus i gael to dros eu pennau mewn gwesty fel y
Rose and Shamrock Hotel ger Ballarat. Yno buont yn cysgu
gyda'r ceffylau: 'we slept in six stalls in a small stable'. Tybed
pa argraff a wnaeth y Cymro parchus ar ei gyd-weithwyr garw?
Treuliai lawer o'i amser ar ei ben ei hun, a thra oedd yn gweithio
ar fferm Spring Brook, Miners Rest, Ballarat, nododd yn ei
ddyddiadur:

> 20 February 1870
> On Sunday I read some of the Bible and part of the New
> Testament and then went to wash my clothes. Cleanliness
> next to Godliness! The team went to drink grog.

Bu'n rhaid i'r gŵr darllengar a chrefyddol hwn ddygymod â
sefyllfaoedd cwbl estron, ac ar adegau, rhai oedd yn gwbl
wrthun iddo. Collodd ei statws a disgynnodd yn is na'r gwas
distadlaf ar ei fferm gartref. Roedd y bywyd newydd yn
anghyfforddus a bu'n rhaid iddo ymgodymu â gwahanol
beryglon yn feunyddiol; cyfeirian'n aml at y gofid parhaus am
nadredd gwenwynig:

> 22 February 1870
> There is no proper place for workmen for the night. I
> choose straw stacks – but the snakes are fond of
> approaching straw ... they are out at night and fond of

mice and rats. Everybody must be particular to hang his
bedclothes during the daytime as snakes sometimes
crawl into them.

Bu mis Mawrth yn annhymhorol o oer a gresynai Joseph
Jenkins at y driniaeth a roddwyd i ŵr o China fu'n gweithio
gydag ef. Gwelsom fod yna ragfarn hiliol yn erbyn y Chineaid yn
y cloddfeydd aur, ac roedd yr un peth yn wir ar y ffermydd:

6 March 1870, Mount Cavern Farm, Ascot
Piercingly cold. Obliged to pull straw over myself last
night. We had a good supper. A Chinaman came in for
his supper who had been working the previous days on
the sheaf stack. No supper for John Chinaman! He was
collared out of doors like a dog. It appears that he was not
paid for his previous work done. O what a country of
white Christians!

Ar y cyfan cadwai'r mewnfudwyr o China at ei gilydd gan
weithio'n bennaf fel garddwyr. Drannoeth wedi'r profiad
amhleserus hwn, penderfynodd y Chinead godi ei bac ac
ymadael â'r fferm, ond bu'n rhaid i Jenkins ei hun ddioddef yn
arw am iddo godi llais i'w amddiffyn:

8 March 1870
Mr Galway made me prepare double duty ... No
Chinaman present – then the poor and helpless
Welshman must be the scoffing pole – so goes the world.
I took it without grudging.

Yng nghanol yr holl drybini câi blwc o hiraeth yn aml iawn,
yn enwedig wrth weld pobl ieuanc o'i gwmpas. Meddyliai'n
fynych am ei ddau blentyn, Anne a Tom, fel y gwelwn yn y
penillion hyn:

HIRAETH

Gwelaf Hwsmon yn aredig
Yn bleserus wrth y fan,
Mab a merch yn ddigon tebyg
Eu mantioli i Tom ac Ann.
Ar ei ôl wedd rhain yn chwarae
Gwaeddu, 'Dada, Look at Tom,'
Hêd fy meddwl tuag adre
Gormod baich yw calon drom!

HIRAETH AM EI BLANT

Rwy'n edrych tua'r dalar draw
Gan ddisgwyl gweled Tom ac Ann
Yno'n chwareu'n llaw yn llaw,
Och! cofio'r pellder yn y fan,
Yn y nos wrth hanner huno
Gyda'r plantos iengaf wyf,
Am wladyddiaeth yn ymgomio
Ond wedi deffro, dyna'r clwyf!

Dioddefodd gan hunllefau drwy gydol ei fywyd, ac un noson ym mis Chwefror cafodd freuddwyd arbennig o drist am ei fab, Tom. Awgryma hyn ei fod yn teimlo euogrwydd ac yn ofni bod rhyw drychineb ar fin ei daro. Byddai breuddwydion tebyg yn dod i'w boeni'n rheolaidd:

22 March 1870
Last night I dreamt that I was looking at my son Tom struggling in deep water. I could not render my assistance so he drowned in deep clear water.

Mae'n ddiddorol nodi i ddau o wyrion Joseph Jenkins, sef Daniel John (16) ac Evan David (11) foddi yn afon Teifi gerllaw Trecefel ar brynhawn Sul yn 1904.

Daeth dydd Gwener y Groglith, a'r diwrnod cyntaf o hamdden – ar wahân i'r Suliau – oddi ar y Nadolig. Manteisiodd Joseph ar hynny er mwyn ysgrifennu cerdd arall i'w fab, Tom. Roedd y teimlad ei fod wedi esgeuluso'i fab wyth mlwydd oed yn amlwg yn dal i'w gnoi. Ar ôl colli Jenkin a Lewis, Tom oedd yr etifedd bellach, a mynnodd ddanfon ychydig eiriau o gyngor iddo:

CYNGOR I'W FAB TOM
O! gwrando, f'anwyl blentyn,
Tad arnat sydd yn erfyn
Am gym'ryd pwyll, rhag mynd ar gam,
Gwna fel bo'th fam yn gofyn.

Rhag treulio oriau segur
Dysg gadw dydd gofiadur;
Gaiff rhywrai addysg yn ddi-os,
Wrth edrych ar dy lafur.

Hawdd iawn oedd danfon cyngor o bellafoedd byd, ond eraill fyddai'n gorfod ysgwyddo'r baich o weithredu arno. Ond er yr hiraeth am Gymru, ac er yr euogrwydd, mynnai Joseph o hyd mai ar y teulu oedd y bai am ei orfodi i ddianc. Daliai i'w cyhuddo am ei gam-drin yn arw:

Mi gofiaf am y Wlad
A pryd gadewais Cymru,
Blin cofio y sarhâd
A gefais gan fy nheulu.

Mae'r cymhlethdod meddyliol hwn yn nodweddu ei feddylfryd yn ystod y blynyddoedd yn Awstralia: euogrwydd yn gymysg â dicter, a hiraeth yn gymysg â'r rhyddhad o ffoi rhag ei broblemau.

Daeth mis Ebrill â diwedd y cynhaeaf, a chafodd ei hun yn ddi-waith unwaith yn rhagor. Ychwanegwyd at ei ofidiau pan ladratawyd peth o'i eiddo personol, gan gynnwys ei ddyddiadur amhrisiadwy:

> I've lost the labour of my brains
> Invaluable treasures, future gains ...
>
> You honest man, I crave on thee
> Return'st my writings back to me.

Wrth lwc, daeth o hyd i'r dyddiadur, ond collodd bopeth arall, a gorfu iddo, unwaith eto, godi ei bac ar ei gefn a throi at yr heol i chwilio am waith. Erbyn mis Medi roedd yn dal heb unrhyw fath o gynhaliaeth. Cyfaddefodd ei fod mewn cyflwr truenus ac yn methu dal 'life and limb to-gether'. Ysgrifennodd lythyr at ffermwr cefnog o'r enw W. Nash Esq., yn erfyn am unrhyw fath o waith:

> 8 September 1870
> Letter to W. Nash Esq. Lorrumbary Station
>   I am sorry that my present circumstances compel me to implore your humanity. I am out of work since 23 July last ... I am a stranger to this part of the Colony and do feel hungry ... I ask your immediate aid during my present miserable condition.
>
>> I am your most humble servant
>> Joseph Jenkins.

Mae'n amlwg ei fod yn isel iawn ei ysbryd, a beiodd ei sefyllfa eto ar ei anlwc. Ychwanegodd ar ddiwedd y llythyr, 'I came with ill luck from my mother's womb'.

Mae'n debyg i'r ffermwr gael ei gyffwrdd gan y llythyr oblegid fe gyflogwyd Jenkins ganddo fel cneifiwr. Ond buan iawn y sylweddolodd Joseph Jenkins nad oedd ei iechyd yn ddigon da bellach i ymgymryd â gwaith trwm fel hyn, ac fel arfer, rhoddodd y bai am ei gyflwr ar y driniaeth a gafodd gan ei deulu yn Nhrecefel:

26 September 1870
I signed an agreement to shear all the sheep on
Lorrumbary Station at 1/3 a hundred ... my shears were
blunt and I was obliged to grind them ... But alas, I found
out directly that I could not go on for my injured ribs and
breastbone ... The effects of the cruelties of my family
tell so badly ... One of the shearers could dispatch two
sheep to my one!

Bu'n ffodus iawn i gael gwaith ar Spring Vale Farm,
Kinnersley, Learmonth, wedyn. Er nad oedd y gyflog yn hael,
roedd yr amodau gwaith a'r bwyd yn ei blesio, ac arhosodd yno
hyd y Nadolig. Bu'r gaeaf yn un anarferol o oer a dechreuodd
feddwl am y gwahaniaeth rhwng y Nadolig hwn a'r un llynedd
pan oedd ar fwrdd yr *Eurynome* yn hwylio trwy wres y
trofannau: 'I remember this time last year when I could not bear
any bedclothes or wearing apparel, even my shirt, when in bed
for heat ... now I pull more straw over myself to keep warm'. Ar
ddiwrnod olaf Rhagfyr cofnododd: 'As this is the last day of
1870 ... I consider that many strange things happened during the
year', ac o gofio am ei helyntion yn ystod y flwyddyn, prin bod
hynny'n orddweud!

Agorodd ei ddyddiadur newydd ar gyfer 1871 â'r geiriau:
'Here I do begin my 32nd diary, but on different sides of the
world'. Mae'n amlwg ei fod yn teimlo'n ddigalon. Roedd ei
iechyd yn fregus, ei amgylchiadau'n gyfyng a'i ysbryd yn drwm,
ac adlewyrchir ei gyflwr yn ei gofnod agoriadol:

Sunday, 1 January 1871
The morning was cold ... I began to write letters ... I
wrote 17 pages to my daughter Margaret ... I did write
until my fingers got tired ... Time is dull. No money to be
merry ...

Mae'r penillion a ysgrifennodd at 'Gyfaill yn yr Hen Wlad' yn llawn hunandosturi. Honnodd ei fod erbyn hyn yn gymaint o garcharor ag unrhyw droseddwyr a alltudiwyd i Awstralia, ond yn y pennill a ganlyn ceir enghraifft odidog o'i hiwmor du:

1 January 1871
    Rwy mhell o wlad fy nhadau,
    Rwyn llesg ble byna'r rwyf,
    Does neb ond torrwyr beddau
    Yn gofyn sut yr wyf.

Yn ôl ei arfer mynega'r gred fod cwrs ei fywyd wedi ei ragordeinio cyn diwrnod ei eni:

    Gwedi'm llunio ynghrôth fy mam
    Cyn cof gen i, y cefais gam.

Ond buan yr aeth ati â rhyw nerth o'r newydd i lafurio'n galed. Bu'n aredig y tir caregog diffaith gydag ychen, ac yn diwreiddio coed anferth un droedfedd ar bymtheg o led. Cododd ffens o goed o amgylch tri chan erw o dir a diolchodd fod ei dad wedi ei hyfforddi gartref ym Mlaenplwyf: 'I'm always grateful to my father for compelling me to gain experience in every aspect of farming'.

Tua chanol Ebrill daeth y gwaith hwn i ben a wynebodd gyfnod arall o segurdod. Treuliodd lawer o'i amser yn Kinnersley ond nid oedd hynny wrth ei fodd: 'I do find the day three times longer when idling in Town'. Aeth yn ei flaen i dref arall, sef Clunes, 'A new golden sprung up town and the fifth largest in Victoria', a chafodd lety yn y Belle Vue Hotel. Clywodd fod yna waith dŵr enfawr ar gyrrau'r dref, a chan ei fod wedi llwyddo i gael gwaith unwaith drwy ysgrifennu at gyflogwr arbennig, penderfynodd roi cynnig ar yr un dacteg eto. Danfonodd lythyr at reolwr y gwaith dŵr:

Joseph Jenkins yn ei ddillad gwaith

19 April 1871

Sir,

   Having a family of eight who are dependent on my
returns from my daily labor [sic], I am out of work. I do
implore to be employed. I am able to perform the duty of
either a general laborer or a heavy [sic].

Wishing my humble prayer to succeed,

Yours obediently,
Jenkins
The Manager
Clunes Water Offices

O gofio ei fod wedi gadael ei deulu, a'i fod ef yn aml yn
ddibynnol ar yr arian a ddanfonid iddo ganddynt hwy, yr oedd y
llythyr yn camliwio'r sefyllfa a dweud y lleiaf. Beth bynnag am
hynny, ni lwyddodd i berswadio'r rheolwr i'w gyflogi.

Trodd yn ôl at y *bush*, ac wrth gofio am y peryglon, aeth â llu
o feddyginiaethau gydag ef y tro hwn. Yn eu plith roedd pupur
Cayenne, dŵr arbennig at ei lygaid, *quinine*, a photel o *laudanum*
a brynodd yn Lerpwl. Treuliodd weddill y flwyddyn yn crwydro
o fan i fan yng nghyffiniau trefi Creswick, Smeaton, a
Maryborough gan weithio'n achlysurol ar y tir. Daeth yr
athronydd ynddo i'r amlwg unwaith eto ar ddiwedd y flwyddyn.
Mynnodd mai Duw yn unig a benderfynai dynged pob un ar y
ddaear hon:

31 December 1871
Man is a creature obliged to abide by circumstances as
they happen ... God never gave to mortal man authority
to will and to work out his own plans. He, the Harbinger
of all thoughts, has ordained for man to be rewarded
according to his knowledge and experience of things ...
Adieu 1871

Elinor Jenkins, Blaenplwyf; mam Joseph

Gallai cred o'r fath fod yn gysur ac yn gyfiawnhad iddo, oherwydd golygai nad ef oedd yn gyfrifol am ei drafferthion, ond yn hytrach mai Duw a'u hordeiniodd. Yn hyn o beth roedd yn Galfin i'r carn.

Yn ôl yng Nghymru âi bywyd yn ei flaen, ac o bryd i'w gilydd deuai newydd iddo am farwolaeth aelod o'r teulu. Clywodd gan ei frawd Benjamin fod Elinor, ei fam, wedi marw yn 77 mlwydd oed, a daeth ton o dristwch drosto. Ym mis Ionawr 1872 cafodd lythyr oddi wrth Margaret, ei ferch hynaf, sy'n ddiddorol oblegid dengys agwedd rhai o'r plant at eu tad afradlon. Er i Joseph fod yn barod iawn i daro'r bai ar ei deulu, yn enwedig ar ei wraig Betty, mae llythyr Margaret yn dangos nad oedd Betty ei hun yn dal dig yn ei erbyn. Mae Margaret yn hysbysu ei thad fod y teulu'n bwriadu danfon £25 i'w helpu, a dywed mai ei mam oedd y cyntaf i gyfrannu £5 tuag at y swm hwnnw. Mae'r llythyr yn cloi gyda'r geiriau:

> 7 January 1872, Trecefel near Tregaron
> We are thinking of you ... I hope that you will receive this letter and the five pound paper safe. We are all here giving our kind love to you and a happy new year. This from your daughter Margaret to her Father Joseph Jenkins.

Ni fu 1872 yn flwyddyn ddihelbul iddo. Er iddo ddod o hyd i waith, cwerylodd â'i gyflogwr, lladratwyd ei *billy can* a oedd yn anghenrheidiol i wneud te, a chollodd lawer o'i eiddo personol. Yn fwy difrifol o lawer, cafodd ei frathu gan neidr wenwynig:

> 26 October 1872, Mount Bolton
> I did sweat much to-day and worst of all I was bitten by a snake which are very poisonous here. My thumb is very painful and swells. I must go to the Doctor if not to the hospital. Could not sleep a wink for my hand and thumb. I did bathe them and apply my remedy.

Llwyddodd i wella ond cafodd brofiad arswydus arall gyda neidr ar ddechrau 1873:

6 January 1873, Cogshill's Creek
I went to reap and bind, O what a narrow escape I had from being bitten by a big black snake ... The snake was under a swathe, as I had my hand under it, the big black reptile crept out from the swathe ... Nothing was at hand to kill it, it was too big to tread upon. I called to the binders, but neither would go near it ... I ran for a big stone and despatched it. It was 4 foot 7 inches long.

Byddai'r crwydriaid yn dioddef ymosodiadau achlysurol gan gŵn hefyd, pan fyddai ffermwyr gelyniaethus yn eu herlid o'u ffermydd. Yn ôl Joseph, 'Many swagmen kept a dog on a leash and carried a revolver for protection against attacks', ond nid oedd gan Joseph na chi ffyrnig na *revolver* i'w amddiffyn, a bu'n rhaid iddo fod yn wyliadwrus iawn.

Bu tlodi'n gydymaith cyson iddo, a theimlai'n ffodus petai'n cael pum swllt y dydd ar ôl gweithio o fore tan hwyr. Fel Cardi, roedd yn ofalus iawn â'i arian, ac yn ei ddyddiadur cadwai fantolen o'i ofynion wythnosol:

6 August 1873

	s. d.		s. d.
Bread/2 loaves	1 – 4	Candles	6
Meat. 12lbs	3 – 0	Oatmeal	6
Sugar 2lbs	10	Newspapers	6
Tea 2ozs	4	Mustard	2
Potatoes 14lbs	6	Onions	4
Salt	1	Soap	7
Pepper	1	Tools and Clothes	
Tobacco	1 – 0	(wear and tear)	2 – 0
Matches	1	Total	11 – 5
Medicine	4		

Daeth Dydd Nadolig arall a threuliodd hwnnw yng ngwesty Mr Mckay yn Lake Learmonth. Nododd gyda chryn falchder ei fod wedi ymuno â'r Good Templars, sef cymdeithas ddirwestol. Oddi ar glanio yn Awstralia roedd wedi gwneud ymdrech lew iawn i goncro'r clefyd a achosodd gymaint o drafferth iddo ef a'i deulu yng Nghymru. Profodd y Nadolig yn gyfle prin i ymlacio: 'After a rich dinner I went down to-wards the Lake and had a short swim'. Roedd wedi dechrau ymddiddori mewn criced, ac ar 26 Rhagfyr nododd, 'The All England Eleven cricketers began to play against Melbourne Clubs'.

Felly daeth blwyddyn gymysglyd arall i ben. Gwelodd gyfnodau o segurdod, lladratawyd ei eiddo o leiaf ddwywaith, a chafodd ei frathu gan neidr. Erbyn hyn gwerthfawrogai'r heddwch a gâi wrth deithio drwy'r *bush*. Wedi'r holl drafferthion a ddaethai i'w ran, profodd unigrwydd y *bush* yn falm i'w enaid. Yma, gallai dreulio oriau mewn cymundeb llwyr â natur, a chyfeiriodd at yr hafan hon fel 'a lovely place, a lonely place, where all is peace without temptation'. Yn ystod ei flynyddoedd helbulus yn Awstralia, dyma un o'r ychydig fannau lle y gallai ddod o hyd i noddfa rhag tensiynau a brwydrau bywyd.

PENNOD 16

CYFNOD O SALWCH

Er bod Joseph Jenkins yn hael ei glodydd i rinweddau Awstralia,
gallai hefyd feirniadu'r hyn a welai o'i gwmpas yn llym.
Cymerai ddiddordeb mawr ym mhlanhigion a bywyd gwyllt y
wlad, ac mae ei ddyddiadur yn frith o gyfeiriadau at y modd y
dioddefai'r anifeiliaid fferm mewn cyfnodau o sychder mawr.
Teimlai hefyd nad oedd y dulliau ffermio yn addas ar gyfer
ffyniant economi'r wlad, a mynnai petai'r tir yn cael ei
ddatblygu a'i drin yn fwy effeithiol y byddai modd i Awstralia
fwydo'r holl fyd. Ond yn anffodus, nid felly yr oedd pethau.
Beirniadodd y llywodraeth yn llym am beidio â chymryd camau
i godi argaeau er mwyn sicrhau cyflenwad digonol o ddŵr mewn
cyfnodau sych, ac o ganlyniad, 'the land is neglected and
exhausted'. Nid oedd fawr o gynllunio ymlaen llaw, ac
anfoddhaol oedd yr ymdrechion i wrteithio'r tir. Cyfeiria at y
ffaith fod ffermwyr Awstralia yn taflu gwrtaith da y byddai
ffermwyr Ceredigion yn fodlon talu pum swllt amdano. Gresynai
hefyd fod cymaint o dir da ym mherchenogaeth cyn lleied o
dirfeddianwyr mawr: 'one man is allowed to hold a million acres
of land with good surface soil ... neither rated nor taxed'.
    I un a godwyd yng nghymdeithas gapelgar Dyffryn Teifi
roedd yr anhrefn a'r torcyfraith yn Awstralia yn ofid cyson iddo.
Yn un o'i oriau du aeth mor bell â dweud, 'so wanting are high

principles, humanity and morals ... that no honest man should set foot in Australia'. Mae ei farn am Melbourne yn gwbl groes i'r hyn a ysgrifennodd y nofelydd o Sais, Anthony Trollope, am y ddinas, sef, 'There is perhaps no town in the world in which an ordinary working man can do better for himself than he can in Melbourne ... He has greater consideration paid to him than would have fallen to his lot at home'. Ond yn ôl Joseph Jenkins, 'Melbourne is full of cheats, thieves and sharpers who rob a man if he does not look to his possessions'. Safbwynt un yn ymdroi ar lefel isaf cymdeithas a geir gan Joseph Jenkins, tra oedd Trollope yn gweld pethau o bellter; dau safbwynt sy'n deillio o ddau begwn cymdeithas.

Roedd Joseph Jenkins yn dal i gael ei gam-drin wrth iddo lafurio er mwyn ennill ei damaid bara. Bu'n gweithio i William Ross o Newlyn, Ballarat, 'a notorious slave driver', a gorfodwyd ef i godi am dri o'r gloch y bore i roi harnes ar y ceffylau cyn cychwyn am y caeau. Bychan oedd ei gyflog, a'r prydau bwyd yn annigonol a sâl. Penderfynodd adael, a thociwyd pum swllt o'i gyflog gan y cyflogwr diegwyddor.

Erbyn 1874, ac yntau'n 56 oed, yr oedd y gwaith caled yn dechrau effeithio ar ei iechyd. Dyma'i hunllef fawr, oblegid sylweddolai petai'n colli ei iechyd nad oedd ganddo deulu na fawr o ffrindiau agos i ofalu amdano. Dioddefodd gyfnodau poenus o'r gwynegon a bu'n anodd ar adegau iddo ysgrifennu ei ddyddiadur. Fe'i poenwyd yn fynych hefyd gan y ddannoedd; cafodd ei frathu gan neidr eto, a thro arall cafodd ddamwain i'w law. Yn fwy difrifol fyth, ym mis Gorffennaf 1874 bu'n rhaid iddo fynd i ysbyty Maryborough yn dioddef o'r diphtheria a'r *quinsy*. Roedd yn ddifrifol wael a bu'n rhaid iddo aros yn yr ysbyty am ddeugain niwrnod. Tra oedd yn yr ysbyty daeth wyneb yn wyneb â'r driniaeth gywilyddus a gâi'r bobl dduon

frodorol gan y bobl wynion. Sylwodd ar un gŵr yn arbennig a
ddisgrifiwyd gan Joseph fel 'a very sick and lean Aborigine
labouring under great shortness of breath'. Fel swagman, yr oedd
yntau'n agos i waelod cymdeithas, ond gwelodd fod y bobl hyn
y tu allan i'r gymdeithas yn gyfan gwbl. Pan fu farw'r Aborigine
ysgrifennodd, 'no more heed or notice was taken of his passing
than if he were a fly or a moth'. Dyma achos arall o
anghyfiawnder i gorddi Joseph Jenkins, a chyfansoddodd y
llinellau hyn i gofnodi ei deimladau:

Dangosodd Joseph agwedd oleuedig a dyngarol at achos y
brodorion du

July, Maryborough Hospital 1874
>   All class of people, race and tie
>   Were born to life, to live and die.
>   This world of strife is nothing more
>   Than tragic shipwreck near the shore.

Wedi gadael yr ysbyty, cafodd loches yng nghartref David Evans, Rheola, ger Inglewood, gŵr a adwaenai gynt yn Nhalsarn, Ceredigon. Roedd bod gyda David Evans a'i wraig, Margaret, yn nefoedd ar y ddaear iddo, a bu'n helpu ar y fferm ac yn y winllan, ond daeth tro ar fyd unwaith eto. Ymhen deufis bu'n rhaid iddo ddychwelyd i Ysbyty Inglewood wedi ei barlysu gan ryw glefyd newydd. Ni fedrai hyd yn oed wisgo'i gôt, heb sôn am weithio, a bu hwn yn gyfnod anodd a gofidus iawn. Cwynodd, 'I feel very weak and can scarcely use my arms or legs'. Mae'n amlwg ei fod mewn poen ddifrifol. Ond er gwaethaf ei ofid ei hun, sylwodd eto ar greulondeb dynion tuag at y brodorion duon yn yr ysbyty. Bu dadl ffyrnig rhyngddo ef a'r bobl o'i gwmpas ynglŷn â thriniaeth yr Aborigines, ac fe'i cythruddwyd yn arw wrth glywed rhai ohonynt yn dadlau y dylid cael gwared â'r brodorion yn gyfan gwbl: 'The majority of patients held it was a right, and even a Christian obligation to be rid of them all'. Ysgrifennodd yn ei ddyddiadur, 'In the name of everything, whence came such authority!!!?'

Treuliodd fis yn yr ysbyty ac o'r diwedd canfuwyd mai effeithiau'r gwynegon a achosodd y parlys. Yn ffodus, cafodd adferiad a bu'n bosib iddo adael, neu fel y dywedodd, 'I escaped from their clutches'. Unwaith yn rhagor trodd at David Evans, Rheola. Bu hwn yn gyfaill arbennig iddo, ac iddo ef yr ymddiriedodd ei ddyddiaduron a'i holl eiddo yn ystod ei arhosiad yn yr ysbyty.

Ar ôl cyfle i ymgryfhau, daeth yn amser i adael Rheola, ac ar

*Ysguboriau Spray Farm, East Bellarine. Un o'r ffermydd gorau y bu
Joseph yn gwasanaethu ynddi.*

20 Rhagfyr 1874 bu'n rhaid iddo, unwaith yn rhagor, ddechrau
chwilio am waith. Meddai, 'I walked twenty five miles a day in
search of work'. Ymhen dau ddiwrnod cafodd waith yn
gwarchod ieir a gwyddau ar fferm John Whelan yn Warrenheip.
Ni pharodd hynny'n hir oblegid bu rhyw anghydfod rhyngddo
a'r perchennog. Gadawodd yn sydyn ar 17 Ionawr 'without my
wages for Christmas and New Year's Day'. Nid yw'n rhoi'r
rhesymau am y cweryl.

Llwyddodd yn fuan wedyn i gael gwaith yn Spray Farm, East
Bellarine, a oedd yn eiddo i'r miliwnydd Mr C. Ibbotson.
Lleolwyd y fferm yn Geelong a phlesiwyd Joseph yn fawr gan y
golygfeydd o'i amgylch:

27 February 1875
O what a beautiful bay. I can see the Heads of Port Phillip Bay where the world's biggest ships enter for Melbourne.

Ym mis Ebrill 1875 danfonodd Betty £5 i David Evans i'w rhoi i'w gŵr. Ar y pryd roedd Joseph yn isel iawn ei ysbryd fel y tystia'r cwpled hwn:

> We walk uncertain through this life,
> And always prone to pain and strife.

Am ryw reswm annealladwy credai fod Betty wedi danfon yr arian i gwrdd â chostau ei gladdu yn Awstralia, ac o ganlyniad ni ddangosodd fawr o ddiolchgarwch:

> She [Betty] ought to be told that a man cannot be buried decently in this Colony under £14. A grave in the cemetery costs £2; hire of the carriage or hearse £5; and the undertaker £7.

Roedd y ffeithiau ar flaenau ei fysedd, mae'n amlwg!

Fe'i cyflogwyd ar y fferm i dyfu llysiau, megis pys. Cafodd gyflog cyson ac amodau gwaith teg. Manteisiodd Joseph yn aml ar y cyfle i nofio yn y môr, ond roedd yr amgylchiadau dipyn yn wahanol i'r hyn a brofodd yn ei ieuenctid ar draeth Aberaeron:

> 26 March 1876
> I went down to the Bay in order to bathe ... The tide was full ... The sharks are numerous and ferocious. Either a living man or dog are desired baits. They devour fish and a shark club is talked of.

Er mawr ofid i Joseph daeth ei ddiwrnod olaf ar Spray Farm:

> 31 March 1876
> I went to mend bags and overhaul potatoes in the barn.

Joseph yn barod am yr heol

Very squally. As my master Mr Ibbotson is giving up cultivating this farm, my quarter is at an end to-day. No more work here for Jo. I had over 14 months work and thanks for that! I saved my £30-0-0.

Wedi cyfnod cymharol hapus o waith dan amgylchiadau pleserus, bu'n rhaid iddo unwaith yn rhagor wynebu treialon ac ansicrwydd bywyd ar y ffordd:

1 April 1876
I prepared myself for the Swagman's Track

Ar ôl bod mor sefydlog ar Spray Farm, profiad go amhleserus oedd gorfod gosod ei bac ar ei gefn. Ar ddechrau Ebrill 1876 cofnododd:

Started my swagging along Wallowby's track and found the adjacent farms in a miserable state, with never a sign of any attempt to treat the soil as it should be treated.

Gwelodd hefyd mai bach iawn yw'r byd mewn gwirionedd. Wrth ddianc o Gymru yn 1868 ei fwriad oedd cefnu ar bopeth cyfarwydd a dechrau bywyd newydd mewn gwlad newydd. Ym mis Ebrill 1876 cafodd gryn ysgytwad pan ganfu nad oedd modd iddo ddianc rhag ei orffennol. Arhosai yn y Golden Age Hotel, Tarangulla, a gedwid gan ryw Mrs Lewis, dynes a ddeuai yn wreiddiol o Ddyffryn Aeron. Buan y sylweddolodd Joseph ei bod yn gwybod cryn dipyn o'i hanes ef ei hun cyn iddo ddatgelu pwy yn union ydoedd:

15 April 1876
Mrs Lewis knew my father in law Jenkin Evans, Tynant and was in school with Betty ... She recounted to me my personal history, most of which was grossly distorted before I had revealed my identity!

Ar y cyfan roedd y Suliau'n ddyddiau o hamdden a roddai gyfle a'r heddwch iddo ganolbwyntio ar ei ddyddiadur. Chwiliai am fannau tawel lle gallai anghofio helbulon yr wythnos. Ar 12 Mai 1876 daeth o hyd i fan delfrydol:

> This being Sunday I visited the creek. There I found a big stone which served as a chair; another one I adopted as my writing desk which suits me admirably because it does not shake. There is nothing here to disturb me. The water murmurs as it runs over the pebbles in the creek, the magpie sings melodiously overhead … I am deliriously happy.

Mae'r cofnod yn creu darlun hudolus ond, fel arfer, byr fu parhad ei hapusrwydd. Ychydig wythnosau'n ddiweddarach cafodd ddolur pan giciodd ebol ef yn ei goes; ond ni chafodd fawr o gydymdeimlad gan Mrs Clarke, gwraig perchennog Mount Cameron Farm lle gweithiai ar y pryd, oherwydd rhoddodd honno orchwyl anhygoel o amhleserus iddo'i chyflawni:

> 14 June 1876
> Mrs Clarke ordered me to clean out two pigstyes. They were last cleaned nine years ago. The litter was over six feet deep. I had to take off the roof before I could enter. It is written of Hercules that he did much heavy work, but it could hardly be heavier than cleaning out those pigstyes. When I completed the work, Mrs Clarke only remark was – 'Wash your boots before you come in to supper!'

Llwyddodd i adael y fferm honno fis yn ddiweddarach a chael gwaith gan William Westcott, Sal Sal Farm, Morabool Creek ger Bungaree. Er bod y gwaith hwn yn galed, cafodd ei drin yn deg gan ei feistr newydd. Enillai gyflog o 17/6 yr wythnos am aredig, ond cymharai ei sefyllfa â'r un gynt yn Nhrecefel: 'Back in Cardiganshire they talk of working hard ... I do more work in a day than two men working for me at home!'

Dal i'w boeni wnâi ei gydwybod, yn enwedig wrth gofio am ei feibion, ac meddai, 'I should be at home training my two boys in the way of living'. Eto daliai i fod ystyfnig ar yr un pryd: 'But my conscience is easy because it was not my fault that I absented myself from my and their home'. Cafodd lythyrau o Gymru yn gyson, ac ym mis Mehefin 1876 daeth y newydd bod ei dad-yng-nghyfraith, Jenkin Evans, Tynant, wedi marw yn 94 oed. Ym mis Hydref cafodd wybodaeth gan ei ferch, Nel, fod y Barnwr John Johnes o Ddolaucothi wedi cael ei saethu gan Henry Tremble y bwtler. Bu gan Joseph barch mawr at Johnes fel gŵr bonheddig, diwylliedig a theg:

22 October 1876
Mr John Johnes was shot dead by his own Butler and afterwards his daughter was shot, but not mortally. The assassin shot himself after the cruel and dastardly deed. Mr Johnes was a man of unequal usefulness ... an important Judge and Justice, a Liberal landlord and a great antiquarian. He was a gentleman in every sense of the word -

Y Barnwr a'i sel, heb elyn –
Ynad, ynadon Caerfyrddin.

Wrth agor ei ddyddiadur am 1877 ceir nodyn braidd yn ddiamynedd ynglŷn ag Eisteddfod Ballarat. Yr oedd, yn ei dyb ef, wedi tyfu'n fwy o gyngerdd nag eisteddfod, 'Where singing takes the place of composition'. I Joseph Jenkins, sefydliad i hyrwyddo'r Gymraeg oedd yr eisteddfod, ac felly, 'I do not consider that singing alone is of any advantage to keep up the language of the Ancient Britons'.

Ond er iddo gael cyfle o bryd i'w gilydd i droi at ei ddiddordebau diwylliannol, nid oedd modd iddo ddianc rhag llafur ei fywyd beunyddiol. Ar Sal Sal Farm bu wrthi'n brysur yn casglu ffrwythau ar gyfer gwneud jam, ond unwaith yn rhagor cafwyd cyfnod o sychder mawr yn y wlad a nododd yr effeithiau andwyol:

1 August 1877
Beasts are suffering from want of grass ... Bush fires rage and the atmosphere is foul with smoke. Five miles from here many farms have been burnt out.

Ym mis Chwefror 1877 bu'n aredig un erw ar ddeg mewn wyth diwrnod, ond cwynodd fod y tir sych, y cerrig anferth a'r hen foncyffion coed yn gwneud y gwaith yn anodd. Am ei fod yn cael ei barchu fel amaethwr, gofynnwyd iddo hyfforddi rhai o'r bechgyn ieuanc. Cafodd hynny'r effaith arferol o wneud iddo deimlo'n euog wrth feddwl am ei blant yn Nhrecefel: 'Perhaps it would have been better if I had stayed at home to train my two young sons in the arts of ploughing and handling horses instead of teaching the young casual workers on this farm'. Unwaith eto yr unig feddyginiaeth rhag gori yn ei iselder ysbryd oedd ymroi'n galetach i'w waith, ac aeth ati i dorri brwyn mewn cors llawn peryglon: 'I worked in a swamp which teemed with black snakes; I encountered five and succeeded in killing two after a heated contest'.

Roedd wedi gwneud ei ewyllys cyn iddo adael Lerpwl, gan apwyntio'i dad-yng-nghyfraith, Jenkin Evans, Tynant, a'r Parchedig Latimer Jones yn ymddiriedolwyr. Roeddynt i ofalu am fuddiannau'r plant nes iddo ddychwelyd. Ond bellach roedd Jenkin Evans wedi marw, ac yna gwelodd mewn copi o'r *Welshman* y newyddion am farwolaeth Latimer Jones. Nododd: 'The Trustees over my children until my return to Wales are now both dead'. Teimlai'n gwbl ddiymadferth am nad oedd ganddo'r modd i ddychwelyd i Gymru. Doedd ganddo ddim dewis ond palu ymlaen a gwneud y gorau o bethau ymhlith dieithriaid, ac fe gâi hynny'n anodd.

Teimlai hiraeth am Gymru a'i defodau yn aml, yn enwedig ar droad y flwyddyn. Ar Nos Galan 1878 fe'i dihunwyd gan ergydion drylliau; roedd yr Albanwyr a'r Gwyddelod wrthi'n dathlu'r flwyddyn newydd, ac ar Ddydd Calan bu dros dair mil ohonynt yn bresennol yn Sal Sal Falls lle cynhaliwyd rasys ceffylau. Gresynai Joseph eu bod mor barod i wastraffu eu harian wrth gamblo.

Yn y cyfamser roedd tanau yn y *bush* yn achosi problemau, ac ym marn Jenkins rhai o'r swagmen fu'n gyfrifol am ddechrau llawer ohonynt. Wrth iddynt grwydro'r wlad yn chwilio am waith fe'u herlidiwyd yn aml 'by ferocious dogs and foul words', a ffordd rwydd o ddial am y driniaeth frwnt, yn ôl Joseph, oedd 'a lighted match in the grass'.

Ar Ddydd Gŵyl Dewi daeth cyfle i anghofio am y tanau wrth iddo gerdded y pum milltir i Ballarat i fynychu'r eisteddfod flynyddol. Ar ddiwrnod tanbaid iawn cwynodd fod y daith yn dechrau mynd yn ormod 'for an aged and hard working man', ac er mwyn ysgafnhau ychydig ar y siwrnai, aeth ati i gyfansoddi araith i'w thraddodi yn yr eisteddfod. Ar ôl cyrraedd, safodd ar y llwyfan i annerch y dorf a nododd: 'Scarcely one third of the meeting could understand my address, yet I had long and warm cheers and continual clapping of hands'. Roedd hefyd wedi cystadlu ar yr englyn ar y testun 'H.M. Stanley' a dyfarnwyd y wobr gyntaf iddo. Erbyn hyn, yr oedd Joseph Jenkins yn un o brif gefnogwyr yr eisteddfod a chofnododd gyda balchder:

1 March 1878
A certain young lady presented me with a silk purse full of silver to hang it around my neck. Several knots of flowers were thrown up on the stage to me.

Joseph y gŵr parchus

Ar ôl taith flinderus i Ballarat penderfynodd ddal cerbyd yn ôl
i Sal Sal Farm, ond yn anffodus, 'I was too late, all the seats were
taken'. Erbyn hynny, roedd hi'n rhy hwyr i ddechrau cerdded a
threuliodd y noson yn y Bridge Hotel a gedwid gan Gymraes:

1 March 1878
Having retired at 9 o'clock sharply and left scores of my
countrymen singing the compositions of 'Dai'r Cantwr'.
I have an excellent bed, but dear for a shilling. It is a
respectable house kept by Mrs Ann Thomas, in fact it is
a Ballarat Hospital for Welshmen whether they have
money or not. My room was No. 19. Very warm.

Ond fore trannoeth roedd Jenkins yn ôl rhwng cyrn yr aradr yn
ceiso osgoi'r nadredd. Gwelodd wŷr dieithr yn edrych o gwmpas
y fferm a chlywodd mai cynllunio rheilffordd oedd eu bwriad.
Nododd yn ei ddyddiadur, 'Surveyors on the farm deciding the
course of a new railway track'. Mae'n sicr i hynny ddwyn
atgofion iddo am y rhan flaenllaw a chwaraeodd yn natblygiad
lein yr M&M yng Ngheredigion, ond prin y byddai pwysigion y
Gordon Warreinheip Railway wedi cymryd fawr o sylw o'r gŵr
a welsant yn llafurio yn y caeau. Byddai Jenkins wedi bod yn
gaffaeliad iddynt petaent ond yn ymwybodol o'i alluoedd a'i
brofiad.

Yn y cyfamser bu newidiadau mawr yn nhalaith Victoria gan
fod y boblogaeth wedi cynyddu'n aruthrol ac wedi croesi'r
miliwn. Roedd mewnfudwyr o bob rhan o'r byd yn dal i arllwys
i mewn i'r wlad, ac ofnai llawer o'r Awstraliaid y byddent yn
ychwanegu at y broblem o ddiweithdra ac yn creu
ansefydlogrwydd. Nid heb reswm; fe gredir bod yna 200,000 o
swagmen yn Victoria yn unig.

Poenai Jenkins am ddatblygiad y dalaith a mynnodd fod angen
rhaglen o wario cyhoeddus i wella'r cyfleusterau ac i greu gwaith

i'r bobl. Penderfynodd y llywodraeth fenthyca yn agos i hanner
can miliwn o bunnoedd i'w gwario ar adeiladau cyhoeddus,
ffyrdd, a rhwydwaith o reilffyrdd, ac roedd y ddyled wedi codi o
£20 i £50 y pen erbyn 1890. Yn ystod y nawdegau fe ddeuai
dydd o brysur bwyso wrth i'r dyledion gynyddu y tu hwnt i bob
rheolaeth. Wrth i'r ychydig fynd yn fwy cyfoethog, mynd yn
dlotach wnaeth y rhelyw, yn enwedig y rhai oedd ar reng isaf
cymdeithas. Yn eu plith roedd y gweithwyr ar y tir, a
phenderfynodd Joseph Jenkins ddwyn eu cyflwr truenus i sylw'r
cyhoedd. Danfonodd lythyrau i'r *Geelong Times* yn tynnu sylw
at 'the scores of half starved men who are craving work without
success', a chyhoeddodd erthygl dan y pennawd 'The Farm
Labourers and their Rights' yn yr un papur ar 22 Mehefin 1878.
Ymgyrchodd dros hawliau a chyflog teg i'r gweithwyr gan honni
bod amryw o'r swagmen yn gorfod dioddef cyni mawr a newyn
oherwydd prinder gwaith. Galwyd cyfarfod anferth ym
Melbourne i brotestio yn erbyn y sefyllfa. Er bod dyfodiad y
rheilffordd wedi creu mwy o waith, dal yn fregus oedd sefyllfa'r
crwydriaid a'r gweithwyr amaethyddol, a daliodd Joseph Jenkins
ati i gadw achos y di-waith a'r tlodion yn fyw yng ngholofnau'r
wasg. Wedi'r cwbl, roedd ganddo ef brofiad personol o dlodi a
diweithdra.

    Wedi treulio dros ddwy flynedd gymharol ddiddig ar Sal Sal
Farm, Morabool Creek, gyda Mr Westcott, daeth cysgod
afiechyd i'w boeni unwaith eto, ac oherwydd ei wendid corfforol
bu'n rhaid iddo roi'r gorau i'w waith. Y tro hwn cafodd y gyflog
o £20-4-0 oedd yn ddyledus iddo a gwnaeth ei orau glas i gynilo.
Rhoddodd ddecpunt yn ei gyfrif yn swyddfa'r post, cyfrif a oedd,
erbyn hyn, wedi cyrraedd £40. Ond unwaith yn rhagor bu'n rhaid
iddo fynd i'r ysbyty, y tro hwn yn Ballarat. Roedd y driniaeth yn
boenus dros ben oherwydd bu'n rhaid i'r meddyg wneud

archwiliad o'i bledren. 'I cannot express in words', meddai, 'the pain I had ... I could not sleep a wink at night, the pain was constant without a moment of intermission.' Ymhen pum niwrnod llwyddwyd i leddfu'r boen, ond wrth orwedd yn ei wely cafodd bwl o atgasedd tuag at ei wraig. Beiodd yr ymosodiad arno yn Nhrecefel am ei salwch:

7 October 1878
I feel better. I slept a few hours. Such pain as the present reminds me of the Female Devil at Trecefel who was, and is, the very cause of it through twisting my testicles at different times without the least provocation.

Cafodd nifer fawr o ymwelwyr tra oedd yn yr ysbyty ac roedd hyn yn gysur mawr iddo, er na allai ddyfalu sut y gwyddent am ei dostrwydd: 'I cannot make out how they knew I was ailing'. Serch hynny, gwerthfawrogai'r holl garedigrwydd a'r consŷrn am ei gyflwr. Wedi deunaw diwrnod yn y gwely roedd yn ddigon da i adael yr ysbyty, a threuliodd noson arall yn y Bridge Hotel, Ballarat. Bu'r gwesty'n fath o noddfa iddo a thalodd ddau swllt i Mrs Ann Thomas am ei wely a phryd o fwyd. Erbyn hyn roedd gryn dipyn yn well a theimlai'n ddiolchgar iawn fod ei fywyd wedi ei arbed.

Er mwyn dathlu, aeth i gael ei lun wedi ei dynnu gan ffotograffydd a danfonodd ddeuddeg copi ohono yn ôl i Drecefel i'w ddosbarthu rhwng y teulu a'i ffrindiau. O gofio'i ddicter tuag at deulu Trecefel ychydig ddiwrnodau ynghynt, roedd hynny'n syndod a dweud y lleiaf! Ond nid oedd cysondeb yn un o'i brif rinweddau. Gadawodd y Bridge Hotel a mynd i aros gyda John Lewis, Ravenswood, Walmer, am gyfnod er mwyn atgyfnerthu.

Daeth yn amlwg yn weddol fuan nad oedd Joseph Jenkins wedi cael adferiad llwyr. Ymhen ychydig wythnosau, ar ddechrau Tachwedd, roedd yn ôl yn yr ysbyty, y tro hwn yn

Castlemaine. Yr un oedd y broblem, sef rhyw ddiffyg ar y
bledren a olygai ei fod yn dioddef poenau dybryd. Bu teulu John
Lewis yn ymwelwyr cyson â'r ysbyty ond, yn anffodus, prif
amcan y teulu hwn oedd benthyca arian oddi wrtho yn hytrach
na phoeni am ei gyflwr. Defnyddient eu hymweliadau i geisio
benthyca mwy a mwy o arian ganddo oherwydd, er i John Lewis
dreulio blynyddoedd yn cloddio am aur, ni chafodd fawr o lwc,
a bu'n rhaid iddo ennill ei damaid fel ffermwr. Ond roedd yn
ffermwr gwael, heb fod hanner cystal â Joseph Jenkins, ac ni fu
unrhyw lewyrch ar ei fferm. Dros y blynyddoedd benthycodd
John Lewis a'i wraig tua £40 gan Joseph Jenkins. Ac yntau'n dal
i fod mewn poen, roedd yn anodd iddo wrthod.

Suddodd i bydew arall o ddigalondid a dychwelodd yr hen
feddyliau i'w boeni. Teimlai unwaith yn rhagor ei fod yn wynebu
angau a daeth hiraeth am weld ei blant i ychwanegu at ei boen.
Ysgrifennodd, 'I would like to see my children once more', ond
mae'n amlwg na theimlai'r un fath am ei wraig, Betty, oherwydd
daliodd i'w beio hi am ei sefyllfa:

> 21 November 1878
>> My pains are so severe
>> I'm tired of my life,
>> More I cannot bear
>> I wish for final strife;
>> The very cause of this
>> Is half the globe away,
>> She cant enjoy the bliss
>> Of my tormenting day.

Cymaint oedd y poen a'r iselder erbyn hyn nes iddo ddyheu
am gael marw:

>> I cannot choose, or wish for more
>> Than death to grant release.

Ar ben y cwbl, daeth John Lewis a'i wraig ar ymweliad arall i'r ysbyty, yn gwbl ddigywilydd, i ofyn am ragor o arian, a chododd Joseph ddecpunt o'i gyfrif yn swyddfa'r post. Ond roedd wedi dechrau eu drwgdybio erbyn hyn, a gofynnodd gwestiwn yn ei ddyddiadur: 'When shall I see the money again?' Yr ateb oedd, byth.

Ac yntau'n dal i ddioddef, trodd at ei Feibl am gysur, a darllen y Bregeth ar y Mynydd. Erbyn mis Rhagfyr teimlai ychydig yn well, a bu'n bosib iddo adael yr ysbyty, ond cyfaddefodd iddo deimlo'n 'weak, very tired and scarcely able to work'. Nid oedd ganddo ddewis ond manteisio ar ddyled John Lewis a throi unwaith yn rhagor ato ef a'i deulu yn Ravenswood. Cafodd groeso, ond fe dalodd yn ddrud, mewn nifer o ffyrdd, am ei lety. Teimlai o hyd fod John Lewis yn manteisio ar ei gyfeillgarwch ers dyddiau Ceredigion er mwyn benthyca rhagor o arian. Aeth ati i helpu ychydig ar y fferm, ond roedd yn dal yn rhy wan i weithio'n galed iawn, a chafodd ei siomi o weld y modd anhrefnus y gweithiai John Lewis ei fferm o ddau can erw. Esgeulusai'r tir a'r anifeiliaid, ac roedd hynny'n wrthun i Joseph Jenkins. Lleolwyd fferm John Lewis mewn man anghyfleus a diarffordd a dechreuodd Joseph anesmwytho a theimlo ei fod wedi ei ynysu a'i gaethiwo o fewn ei ffiniau:

18 December 1878
This is a very curious spot in the Colony. No travellers passing by. No newspaper can reach it. No Post Office near the place and the inhabitants are so indifferent to the transactions of the rest of the world. The Bush Rangers might have ransacked all the Banks throughout the Colony as far as we know!

Cyfeiriad at Ned Kelly a'i gang oedd hwnnw at y 'Bush Rangers', a chawn weld fod Joseph Jenkins yn ymddiddori'n fawr iawn yn helyntion y gŵr hwnnw. Ond yma, ar fferm John Lewis, nid oedd modd iddo hyd yn oed brynu papur dyddiol, ac nid oedd hyn yn sefyllfa dderbyniol i un a awchai am newyddion yn feunyddiol.

Roedd Jenkins wedi cael gwybod drwy'r 'Bush Telegraph', sef yr enw ar y dull o drosglwyddo negeseuon o berson i berson, fod llythyr cofrestredig yn ei ddisgwyl yn swyddfa'r post yn Walmer, ond ni theimlai'n ddigon cryf i gerdded yno. Roedd hi'n amlwg ei fod yn gofidio am ei iechyd, ac ar ôl ei brofiadau yn ystod y misoedd blaenorol roedd yn benderfynol o gymryd mwy o ofal ohono'i hun: 'It is my personal duty to look after my own health ... and I am not doing it when working 16 hours out of 24'. Serch hynny, daeth o hyd i'r nerth i adael Ravenswood, ac ar ei ffordd arhosodd yn Walmer rai milltiroedd i ffwrdd, er mwyn casglu'r amlen. Ynddi roedd pedwar papur pumpunt, swm nid ansylweddol o arian. Nid yw'n enwi'r person a'i danfonodd iddo o Gymru, ond mae'n debyg mai o Drecefel y daeth yr haelioni hwn. Er iddo gollfarnu Betty, bu hi'n hael iawn wrtho ar y cyfan, a danfonai arian ato o bryd i'w gilydd. Aeth Joseph yn syth i'r New South Wales Bank er mwyn rhoi'r arian yn ddiogel yno, ac yna aeth yn ei flaen i ymweld â'i hoff gyfaill, David Evans, Rheola. Mae'n amlwg nad oedd Jenkins yn teimlo'n holliach, ac ysgrifennodd ewyllys newydd a'i gadael yng ngofal ei gyfaill mawr:

> 23 December 1878
> I left my will with David Evans with all the security I have for my little money in order to defray my funeral expenses should I happen to die in this country.

Wedi iddo wneud ei drefniadau, dychwelodd eto at John Lewis a'i deulu yn Ravenswood, ond treuliodd y Nadolig gyda chyfaill arall o Geredigion, Walter Jones, Penwern.

Ysgrifennodd lythyr hir i Drecefel ac yna trodd at ei ddyddiadur. Ar 31 Rhagfyr, wrth grynhoi helyntion y flwyddyn a aeth heibio, mae'n sôn am ei ddioddefaint a'i afiechyd, ac yn mynegi ei ofid am gyflwr amaethu yn Awstralia ac am y diffyg diddordeb a gymerid ynddo:

31 December 1878
I should like to see the Colonials taking as much interest and using their skill in farming as they do in cricketing. Lord Harris and his Team of All Eleven from England are here now.

Yn ystod y flwyddyn 1878 go fregus fu iechyd Joseph Jenkins ar y cyfan, ond ar drothwy 1879 cyfaddefodd, 'My health has improved and I walked thirteen miles into the bush'. Ond er i'w iechyd wella, digalonnai wrth weld o'i amgylch effeithiau creulon y gwres gormesol a gydiai yn y wlad.

10 February 1879
It is hot and sultry with the smoke of bush fires filling the air. It is a sorry sight to witness the cattle suffering. They are moving in droves in search of water – they break down fences ...

Wedi methu dod o hyd i waith, dychwelodd yn erbyn ei ewyllys i gartref John Lewis yn Ravenswood, ac er i hwnnw fenthyca arian yn rheolaidd oddi wrtho, bu'n rhaid i Joseph Jenkins dalu am ei lety drwy adeiladu llaethdy newydd i Mrs Lewis. Gwnaed hwnnw o gymysgedd o laid a gwellt, a chwynodd Jenkins, 'my hands were sore and cracked from moulding clay'. Er eu bod yn hanu o'r un gornel o Geredigion, ychydig, erbyn hyn, oedd gan Joseph yn gyffredin â theulu Ravenswood, ac wrth weld Mrs Lewis a'i mab Evan yn cyrchu i'r capel ar y Sul i wrando ar bregeth Cymraeg, gwell gan Joseph oedd addoli mewn ffordd gwbl wahanol. Meddai, 'I walked into the bush to meet my God'.

Cwblhawyd y llaethdy ym mis Hydref ac yn fuan wedyn bu ffrae ffyrnig rhyngddo a John Lewis. Erbyn hyn roedd hwnnw'n dechrau gwadu ei fod wedi benthyca arian oddi wrtho. Yn naturiol, cododd hyn wrychyn Joseph, a chyfeiriodd at y teulu fel 'a lot of ignorant, self centred, self righteous, proud, penniless grudgers'. Erbyn diwedd mis Hydref roedd wedi gadael fferm Lewis a throi at gartref David Evans, Rheola, lle'r oedd yr awyrgylch yn dipyn mwy croesawgar.

Prin fu ei enillion yn ystod y flwyddyn 1879 a bu'n rhaid iddo dynnu'n helaeth o'r arian oedd ganddo wrth gefn; ond yn ystod y flwyddyn ganlynol byddai rhywbeth ar wahân i gynnen a phrinder gwaith yn hoelio'i sylw ef – a gweddill Awstralia.

PENNOD 17

HELYNTION NED KELLY

Wedi i Joseph Jenkins ymfudo i Awstralia, ac er gwaethaf ei amgylchiadau truenus, parhau wnaeth ei ddiddordeb brwd mewn materion cyfoes a'i awydd i ddarllen popeth a ddeuai i'w feddiant. Danfonwyd *The Welshman*, *The Cambrian News* a *The Aberystwyth Observer* ato'n rheolaidd o Drecefel, felly gwyddai am y prif ddigwyddiadau yng Nghymru. Yn ei wlad fabwysiedig derbyniai bapurau megis *The Leader*, *The Australian*, *The Age*, *The Geelong Times* a'r *Tarrangower Times*, a bu'r newyddion a gafodd yn y rhain yn ddeunydd parod ar gyfer llawer o'i sylwadau yn y dyddiaduron.

Yn 1880 roedd papurau Awstralia'n llawn hanesion am Ned Kelly a'i ddilynwyr. Daeth Ned Kelly yn un o'r *Bushrangers* enwocaf, ac yn gyfrifol am droseddau lawer yn erbyn y Goron. Bu'r *Bushrangers* yn bla yn ystod y cyfnod hwn, ac achosent gryn drafferth i'r rhai a chanddynt gyfrifoldeb dros gyfraith a threfn. Gweithredent yn union fel lladron pen-ffordd, yn ymosod ar deithwyr ac yn dwyn eu harian a'u heiddo. Yr oedd llawer ohonynt yn gyn-droseddwyr wedi eu halltudio o Brydain. Gan fod Awstralia'n dal i fod yn wlad gymharol newydd, ac yn eang iawn, anodd oedd cynnal cyfundrefn gyfreithiol effeithiol y tu allan i'r trefi, felly roedd yna gyfle bendigedig i'r rhain weithredu'n anghyfreithlon. Gyda'r darganfyddiadau yn y meysydd aur bu'r temtasiynau'n fwy, a daeth ymosodiadau ar fanciau ac ar eiddo'r cyfoethogion newydd yn fwy cyffredin. Yn ystod y saithdegau daeth y Kelly Gang i'r amlwg a buont wrthi'n creu pob math o alanas yng ngogledd-ddwyrian Victoria am flynyddoedd lawer cyn i'r awdurdodau roi terfyn arnynt. Amcangyfrifwyd eu bod wedi costio £50,000 i dalaith Victoria, a buont hefyd yn gyfrifol am lawer o lofruddiaethau.

Cyn-droseddwr o Van Diemen's Land oedd tad Ned Kelly, a ymsefydlodd yn y wlad anghysbell rhwng New South Wales a Victoria. Dechreuodd ei dri mab droseddu'n ieuanc gan ddwyn gwartheg a cheffylau. Mynnai rhai fod Ned Kelly ei hunan wedi dwyn 280 o geffylau yn ystod ei yrfa gynnar. O'r diwedd penderfynodd awdurdodau'r Goron gymryd camau pendant yn eu herbyn, a danfonwyd cwnstabl i'w caban er mwyn arestio Dan, y mab ieuengaf, am ddwyn gwartheg. Bu cythrwfl, ac ymosododd y teulu'n chwyrn ar y cwnstabl a fynnodd ei fod wedi ei saethu yn ei arddwrn gan Ned. Ciliodd y ddau frawd, Ned a Dan, i'r *bush,* ac yno ymunodd dau ffrind, Joe Byrne a Steve Hart, â hwy. Dyma ddechreuad y Kelly Gang. Wrth i'w drwgweithredoedd gynyddu daethant yn fwyfwy i sylw'r papurau newydd, a dechreuodd Joseph Jenkins gymryd diddordeb yn eu helyntion:

15 December 1878
I had the Leader and the Age. Full accounts of the Bush Rangers were in the papers. They are 4 in a gang and did rob a Bank, a Station etc, all in broad daylight and in a populated place. The Bank was in a township. Scores of Troopers and others are after them since the last 4 weeks… The Bank was only 93 miles from Melbourne and close to a Railway Station.

Aethant yn fwy beiddgar yn ystod y misoedd dilynol gan

ymosod yn amlach ar fanciau ac ati, ac er i'r heddlu wneud eu gorau glas i'w dal, llwyddent i'w hosgoi ac i gadw gam neu ddau ar y blaen iddynt. Gwyddent am bob twll a chornel o'r *bush* ac felly medrent ddiflannu oddi ar wyneb y ddaear pan fyddai angen. Ni chafodd yr heddlu fawr o gefnogaeth gan drwch y boblogaeth chwaith, oherwydd gan mai ymosod ar y cyfoethogion a wnâi Ned Kelly a'i griw yn bennaf, fe'u hystyrid yn arwyr ymhlith y bobl gyffredin.

Ond dal i chwilio amdanynt a wnâi'r plismyn, ac o'r diwedd cornelwyd y gang mewn lle o'r enw Stringy Bark Creek. Aeth pedwar plismon ar gefn ceffylau i'w harestio, ond cerdded i mewn i drap a wnaethant. Yr oedd y gang wedi cael rhybudd ymlaen llaw drwy'r 'Bush Telegraph' fod yr heddlu ar eu ffordd, felly roeddynt yn barod am y plismyn. Saethwyd tri ohonynt yn farw, a bu'r pedwerydd yn ffodus iawn i ddianc.

Creodd y llofruddiaethau gryn gyffro ymhlith yr awdurdodau yn nhalaith Victoria, a chynigiwyd £2,000 yr un am ddal aelodau o'r gang yn fyw neu'n farw. Daethpwyd â thros gant o blismyn i'r ardal er mwyn mynd drwy'r *bush* â chrib fân i geisio dal y troseddwyr. Er mai ieuanc iawn oedd y pedwar – Ned yn 24, Joe Byrne yn 21, Steve Hart yn 18 a Dan Kelly yn 17 – fe'u hystyrid bellach fel troseddwyr peryclaf Awstralia, ac am flwyddyn wedyn llwyddasant i osgoi holl ymdrechion yr heddlu i'w dal.

Codwyd gobeithion yr awdurdodau pan berswadiwyd gŵr o'r enw Aaron Sherritt i arwain yr heddlu i loches y gang am £4,000. Ond daeth hyn yn hysbys i Ned Kelly, a chyn i'r gŵr gael cyfle i'w bradychu, fe'i saethwyd yn farw ganddynt. O ganlyniad, penderfynwyd gyrru trên yn llawn milwyr a phlismyn o Melbourne er mwyn sgwrio'r *bush* unwaith eto a cheisio dod o hyd i'r pedwar llofrudd. Ateb Ned Kelly oedd ceisio dinistrio'r trên.

Aeth y Kelly Gang i dref fechan o'r enw Glenrowan oedd ar y
lein, a chymryd rhyw bedwar deg o wystlon a'u dal yn y
Glenrowan Hotel. Gorfodwyd rhai o weithwyr y rheilffordd i
ddinistrio rhan o'r trac er mwyn rhwystro'r trên. Yn ffodus,
llwyddodd Thomas Curnow, ysgolfeistr lleol, i ddianc o'r gwesty
a rhedodd i fyny'r trac gan chwifio mwffler coch a dal cannwyll
ynghynn er mwyn rhybuddio gyrrwr y trên. Llwyddodd hwnnw
i stopio cyn i'r trên ddod oddi ar y trac a chyn i drychineb
ddigwydd. Amgylchynodd y plismyn a'r milwyr y gwesty, ac nid
oedd modd i'r gang ddianc. Bu'r diwedd yn waedlyd a ffyrnig,
fel y tystiodd Joseph Jenkins wrth adrodd yr hanes yn ei
ddyddiadur:

Monday, 28 June 1880
News was inserted in to-days papers of the bloody
capture of the Kellys gang of 4 young desperate blood
suckers. They have shot about 7 policemen, and robbed
two banks before the present bloody and final affair on
their part. The outlaws came to the police bush camp and
shot a spy who pretended to be their intimate friend and
sympathiser. One of them, Joe Byrne, shot him dead
through the head and gave another ball through his body,
so he was out of pain instantly; 4 policemen were inside
but would not venture out against this even number, but
hiding themselves under a bed!! Latest news – about 50
policemen got the outlaws inside a certain Hotel so they
have not the least chance to escape. The watcher inside
was shot.

Tuesday, 29 June 1880
A terrible report is spread about the Bushrangers to-day
asserting that three of them were burnt intentionally
inside an Hotel at Glenrowan over a hundred miles from
Melbourne. To-day it was a regular battle shooting volley
after volley on both sides. Two children and the Landlord

were shot inside the Hotel with another man. The outlaws had about 40 prisoners inside. Quarter cannon was sent from Melbourne, but the house was burned down before the cannon arrived. It is said that the Bushrangers inside were shot before the house was set on fire. Two bodies were left inside to roast. The Bushrangers had steel armour and helmets, but the odd number was too much for them. Full account came out in the papers to-day. The contest took place on Sunday night and yesterday. Ned Kelly is alive to be hanged.

Y diwrnod canlynol rhuthrodd Jenkins allan yn fore i gael gafael ar bapur newydd, cymaint oedd ei ddiddordeb yn yr hanes:

Wednesday, 30 June 1880
Every report is a fact about the Bushrangers. So they are no more terror to the Bankers and Police officers. £8,000 reward will be distributed among those who assisted in the capture, or rather murders. Mr Sherritt, the spy, or the splitter, who was the principal cause of their capture was shot before enjoying any reward. The Bushrangers have been at large about a year and a half, and the government went to 60 thousand pounds sterling of extra expense in the hunt. The gang were all young Irish Colonials and the Police all are Irish, so it was only a bloody affray between Irish men, if they are entitled to be called men.

The two most notable things in this Colony during the month were the murderous and final attack of the Kelly gang of Bushrangers on the 27th and 28th, and the sudden dissolution of Parliament.

Erbyn hyn, roedd cydymdeimlad y cyhoedd fel petai'n troi o blaid Ned Kelly a'i gang unwaith eto. Teimlwyd bod yr heddlu wedi gweithredu'n annynol a chreulon wrth iddynt ymosod ar y troseddwyr yn y gwesty, ac adlewyrchir hynny i raddau yn agwedd Joseph Jenkins wrth gofnodi'r digwyddiad:

1 July 1880
I went to the reading room and found columns of additional news about the captured Bushrangers. It is evident that two of them, Dan Kelly and Steve Hart actually joined to shoot each other inside in order to avoid the pain of being roasted alive. Their prisoners inside can testify that arrangement by the wounds to prove it.

They stripped the armour plates for the purpose. The Authorities are now ashamed of their unusual cruelty and torment used after getting the notorious gang hemmed in without any chance of escaping alive. Shooting innocent men down as if they were mad dogs and without the least advantage in the capture, will astonish the whole

Union arfogaeth y Kelly Gang

civilized world. Mrs Sherritt who lost her beloved
husband when 4 armed troopers were inside a small two
roomed cottage or Hut, must remain a strange chapter in
history. In fact, they were there to defend Mr Sherritt and
his wife and family, as well as to arrest the Bushrangers.
The Bushrangers were a terror among the country
Bankers, but they came to a bad end at last, like every
other wickedness.

Mae Jenkins yn gorffen ei adroddiad gyda'r englyn hwn:

> Gwelwn draw ben draw pob drwg – yn ein byd,
> Unwn bawb rhag mawr ddrwg:
> Er tonau, mor, tân a mwg
> Daw hedd i ran y diddrwg!

Dyna welais i yn hyn.

Ar 3 Gorffennaf mae'n cwyno fod y papurau newydd wedi eu
gwerthu i gyd o ganlyniad i'r diddordeb cynyddol yn yr hanes.
Ei fwriad oedd danfon copïau i Drecefel er mwyn i'r teulu gael
hanes Ned Kelly a phrofi peth o'r cyffro mawr yn Victoria:

7 July 1880
I cannot obtain a copy of the Leader this time to send
home with the portraits and the history of their capture –
Having paid for 4 copies!! But I am afraid that they will
be scarce and dear if can be had at all. Should the
pictures be in shape and character of a renowned
preacher or Bishop the demand for them would be
different. Bush Ranging is the taste of the people.

Bum niwrnod yn ddiweddarach daeth Joseph o hyd i gopïau
yn adrodd yr hanes ac aeth yn syth i swyddfa'r post er mwyn eu
danfon i Mary, ei ferch, yn Nhrecefel, ac i'w frawd Benjamin ym
Mlaenplwyf. Tybed pa argraff a wnaeth yr hanes ar drigolion
parchus cefn gwlad Ceredigion? Mae pennod ola'r hanes trist

hwn yn cael ei hadrodd yn y dyddiadur ddydd Gwener 12 Tachwedd 1880:

Friday, 12 November 1880
It appears that Edward Kelly the notorious Bushranger was hanged yesterday morning at 8 o'clock a.m. All his confession on the scaffold were three words – 'Such is Life!' I cannot make neither head nor tail of them. It was not much life to his victims when shot down by him when in a defenceless state. The best life is to live and let live. The hangman was an exconvict over 70 years of age known by the name of Up-John. It is reported that his hair was as white as snow. I do not think that any nation will thrive by authorizing the old to hang and murder the young.

Unwaith eto mae'n cloi gydag ychydig linellau o farddoniaeth:

12 November 1880
        Up-John and drop the Kelly
        Give him a mortal swing,
        You'll have his clothes with money
        And be called the Hangman's King.

Daeth diwedd trist i hanes cythryblus Ned Kelly a'i gang felly, ac er iddynt fod yn gyfrifol am lawer o weithredoedd mileinig, gydag amser cawsant eu dyrchafu i fod yn arwyr gwerin. Wedi'r cwbl, roeddynt wedi herio'r awdurdodau am amser maith. Er nad yw Jenkins yn cyfiawnhau yr hyn a wnaethant, mae yna dinc o gydymdeimlad yn ei sylwadau yntau wrth iddo sôn am grogi un mor ifanc â Ned Kelly. Fel gyda hanes Wil Cefncoch a saethodd gipar Trawsgoed, 28 Tachwedd 1868, tyfu wnaeth agweddau arwrol y stori am Ned Kelly dros y blynyddoedd, ac erbyn hyn, cofir amdano mewn baled a chân, yn ogystal ag yn nyddiadur y sylwebydd dyfal o Geredigion.

PENNOD 18

BREUDDWYDION OD A NEWYDDION TRIST

Er mai cronicl o ddigwyddiadau cymharol ddibwys a geir yn nyddiaduron Joseph yn fynych, fe geir yn awr ac yn y man gip ar bersonoliaeth gymhleth y gŵr hynod hwn, a cheir hefyd hanesion sy'n taflu goleuni ar y gymdeithas y bu ef yn rhan ohoni ar ddau gyfandir mor wahanol. Roedd cadw dyddiaduron yn ffyddlon dros hanner canrif, a hynny dan amgylchiadau anodd iawn, yn gamp aruthrol, ac fe ddeil y rhain yn ffynonellau pwysig i haneswyr:

> 1 January 1881
> No user of my diaries can profit from reading about what time I rise in the mornings ... what I do during the day ... but he may appreciate the care and labour taken under great disadvantage ... it is no common thing for a hard toiling man to do.

Ond buont hefyd yn fodd i'w gynnal yn ystod y cyfnodau cythryblus a brofodd drwy ei oes, a chafodd loches feddyliol ynddynt dro ar ôl tro a chyfle i fynegi ei anawsterau a'i rwystredigaethau. Daliai i fynnu ar hyd y blynyddoedd fod eu cadw wedi bod yn gyfrwng i'w addysgu ei hun, ac yn Awstralia yn 1881 roedd yn dal i gymeradwyo annog plant i gadw dyddiadur:

1 January 1881
The present state of compulsive education would be
more complete ... if the Government were to provide a
blank diary for every boy and girl to be filled up
regularly ... It would lessen crime in the Colony. Writing
a diary would nurse their learning throughout life.

Ym mis Ebrill 1881 cynhaliwyd Arddangosfa Fawr ym
Melbourne. Teithiodd Joseph Jenkins yno gan aros mewn gwesty
o'r enw The Family Hotel, 'owned by an Englishman named
Smart who fully justified his name'. Gwelodd yn fuan fod
peryglon yn y ddinas gan fod 'pickpockets' wrth eu gwaith ym
mhobman. Talodd swllt i fynd i mewn i'r arddangosfa a swllt
arall am raglen. Ymddiddorodd yn fawr yn y gwahanol stondinau
ac arddangosfeydd, yn enwedig mewn model o waith dur o
Leeds. Rhyfeddodd wrth weld cymaint o beiriannau a
dyfeisiadau newydd, ond cafodd ei siomi am nad oedd yno 'an
improved dung cart and dung spreader'; peiriant y cyfeiria
Joseph ato fwy nag unwaith yn ei ddyddiaduron oherwydd ei
ddiddordeb mawr mewn peiriannau amaethyddol a'i gred mewn
gwrteithio'r tir. Ond yr hyn a wnaeth yr argraff ddyfnaf arno
oedd y bobl a fynychai'r sioe: 'I am shocked at the pride and
vanity of the people there with their costly and ornate dresses
parading the beautiful walks'. Gresynodd at y fath falchder gan
ddyfynnu o'r Beibl: 'Gair fy Nuw, agor fy neall i ffoi rhag ffyrdd
y balch cibddall'. Eto, yn ei farn ef, roedd yr arddangosfa hon yn
rhagori ar yr un yr aeth i'w gweld yn y Crystal Palace yn
Llundain yn 1851.

Diwrnod yn unig a barodd ei ymweliad â Melbourne, a dim
ond cipolwg a gafodd ar fywyd moethus y ddinas. Y bore wedyn
roedd wrthi ar Seven Hills Farm, Kingston, yn codi tatw mewn
cae oedd mor wlyb nes y bu'n rhaid cael chwe gwedd o ychen i

dynnu hanner llwyth oddi yno. Llanwodd 360 o sachau o datw cyn penderfynu rhoi'r gorau i'r gwaith. Nid peth hawdd oedd dod o hyd i waith arall, a chan fod ei boced yn gwacáu aeth at John Lewis, Ravenswood, i hawlio'r £40 a fenthycodd iddo. Ni chafodd fawr o lwc oblegid bu'n rhaid i Lewis gyfaddef nad oedd ganddo'r un ffyrling i'w dalu'n ôl. Roedd yr hen gyfeillgarwch rhyngddo ef a John Lewis wedi dirywio cymaint nes i Lewis ymateb yn ffyrnig i'w gais: 'When I asked John Lewis for some money, he called me by every name – that is the way I am treated for assisting him'. Felly aeth yn ei flaen at ei gyfaill arall, David Evans, Rheola, gan y gwyddai fod modd dibynnu ar hwnnw mewn cyfyngder. Erbyn hyn, roedd Evans yn berchennog gwinllan ac yn cynhyrchu gwin. Bu'n ddigon craff i weld bod diwallu syched y bobl yn talu'n well, ac yn rhoi incwm sicrach na'r cloddio di-ben-draw am aur. Roedd Joseph Jenkins yn falch o gael gwaith ganddo yn trin y gwinllannoedd am rai misoedd, gan fwynhau'r croeso a'r naws gartrefol Gymreig a oedd i'w cael yn nhŷ David a Margaret Evans.

Ym mis Awst ymadawodd â'r winllan gan mai tymhorol yn unig oedd y gwaith, ac fe'i cawn unwaith yn rhagor yn y *bush* ac yn byw mewn caban. Y tro hwn ceisiodd ennill bywoliaeth ar ei liwt ei hun drwy hollti coed. Câi'r rhain eu gwerthu fel polion i ffensio neu fel tanwydd ar gyfer peiriannau'r cloddfeydd aur, a llosgid nhw hefyd, er mwyn cynhyrchu golosg. I ŵr 63 mlwydd oed roedd y gwaith yn llafurus a chaled. Talodd goron am drwydded gan y llywodraeth i dorri'r coed am dri mis, ond prin iawn fyddai'r elw a ddeuai i'w ran. Ymhen ychydig wythnosau ymunodd Evan, mab John Lewis, ag ef. Roedd Evan yn gymeriad gwahanol iawn i'w dad, ond bu ef, druan, farw o Bright's Disease ymhen y flwyddyn. Daeth Evan Lewis â'i wn a'i ddau gi gydag ef i helpu Joseph yn y *bush,* a da hynny oherwydd un diwrnod wrth iddynt dorri coed:

> 20 September 1881
> The dogs disturbed a bear which came my way and I only
> had an axe to defend myself. Fortunately, the ferocious
> creature charged after the dogs ... Evan shot him and took
> him home where he skinned the animal.

Gan nad oedd yr arth yn anifail cynhenid i Awstralia, mae'n
debyg mai creadur wedi ffoi o syrcas neu rywbeth tebyg oedd
hwn. Ac nid dyna'r unig broblem a ddaeth i'w ran. Ymhlith ei
gyd-weithwyr roedd carfan gref o Wyddelod, ac ni fu fawr o
gariad rhyngddo ef a'r rhain. Cwynai fod eu hymddygiad tuag
ato'n gwbl amharchus, ond yn waeth fyth, mynnent feddiannu'r
coed gorau. 'They claimed the land and its produce in the name
of the Pope!' Cynddeiriogwyd ef gan hyn ac aeth pethau o ddrwg
i waeth wrth i rywun, neu rywrai, ddwyn ei fwyell, ei drawslif a'i
whilber. Roedd ei sefyllfa'n dorcalonnus, ac i goroni'r cyfan,
llosgwyd y caban-dros-dro a gododd yn y goedwig, a hynny'n
fwriadol. Pan ddaeth plismon i'r gwersyll ar 26 Medi, nid oedd
gan hwnnw fawr o ddiddordeb yn y troseddau a gyflawnwyd yn
erbyn Joseph:

> 26 September 1881
> The policeman paid us a visit looking if any of us were
> without a license ... I was able to produce my license, but
> there were many woodsplitters who were obliged to flee
> the policeman.

Ar 28 Medi roedd yn dal i weithio yn y gwersyll, ond wrth
gysgu'r noson honno cafodd freuddwyd hynod iawn:

> 28 September 1881
> I was dreaming that I was with the great poet Iolo
> [Morganwg]. I never saw the man when alive ... Poor Iolo,
> his equal never sang yet ... I am most fond of his verses.

Cofiodd iddo fynd i'r arwerthiant ym mhlasty'r Hafod ger Pontarfynach flynyddoedd ynghynt a phrynu cadair Iolo Morganwg yno. Cadwyd hon yn Nhrecefel am ryw ddeng mlynedd a thrigain nes i'r teulu ei rhoi i'r Llyfrgell Genedlaethol, lle gellir ei gweld heddiw.

Ond bu'n rhaid iddo ddihuno o'r freuddwyd bleserus hon ac wynebu bywyd unwaith eto. Parhaodd i lafurio yn y goedwig, ac yn ystod y misoedd nesaf llwyddodd i hollti pedwar deg saith tunnell o goed. Pan oedd ar fin eu gwerthu, cafodd sioc i ddarganfod:

7 November 1881
Forty seven tons of split timber ... was stolen and carried away by carters in the night.

Cymaint oedd ei anlwc, bron na ellid meddwl ei fod wedi ei reibio. Wedi'r holl slafio, nid oedd ganddo'r un geiniog goch yn wobr. Digalonnodd yn llwyr, a cheir y nodyn trist hwn yn ei ddyddiadur, 'It is not fair to rob an old man in this way'. Yn anffodus iddo, nid oedd tegwch yn cyfrif ryw lawer yn y gymdeithas hon; pob un drosto'i hun oedd y drefn.

Oddi ar glanio yn Awstralia, dilyn bywyd crwydryn tlawd fu ei dynged, ond yn Awst 1882 dechreuodd godi caban mwy parhaol iddo'i hun er mwyn bwrw rhyw fath o wreiddiau. O dan y Miners' Rights Act gallai hawlio un acer o dir i godi tŷ, tir ar gyfer ffordd i'r caban, a hefyd ffynnon y byddai'n rhaid iddo ef ei hun ei chloddio. Adeiladodd gaban pren gyda simdde, a tho o risgl coed, ac yn ôl ei ddisgrifiad ef ei hun, roedd yn un diddos a chlyd. Am y tro cyntaf roedd ganddo le sefydlog, a rhoddwyd yr enw Ants Mole Cottage, Walmer, arno. Gwerthfawrogai ei annibyniaeth newydd ar ôl treulio cynifer o flynyddoedd yn crwydro'r *bush* ac yn dibynnu ar garedigrwydd eraill. Teimlai'n

Y bush. *Dihangfa ysbrydol Joseph Jenkins*

hollol gysurus. Ni phoenai'r unigrwydd dim arno, oherwydd yn
y *bush* y llwyddodd i ddod o hyd i dawelwch meddwl: 'I feel
happy here because I feel the presence of the Author of Nature.
What more could one wish for?' Roedd cymuno â natur yn
brofiad ysbrydol iddo ac yn lloches rhag y peryglon o droedio'r
heol fawr. Ond un noson, cafodd freuddwyd ryfedd yn Ants
Mole Cottage:

> 18 December 1882
> I dreamt last night that the Queen of England came to
> visit me at Ants Mole Cottage and the Queen herself
> presented me with half a dozen ripe and delicious apples!
> My brothers Griffith and John, in their smart buttoned
> overcoats passed by, but of course they did not stop, nor
> interrupt my conversation with the Queen.

Fel llawer o Gymry'r cyfnod roedd yn edmygydd mawr o'r
Frenhines Victoria. Nodai ddyddiad ei phen blwydd yn ffyddlon
yn ei ddyddiadur, a chyfansoddai benillion iddi. Yn wir, pan fu
farw John Brown, cyfaill agos y frenhines, ym Mai 1883,
gyrrodd lythyr o gydymdeimlad i'r palas.

Cofnododd ei freuddwydion yn gyson, ond hunllefau oeddynt yn amlach na pheidio, yn enwedig pan oedden nhw'n ymwneud â'i fywyd gynt yng Nghymru:

1 December 1882
I had undesirable dreams about dead and living people in Wales. There were crowds about me and I had not the least chance to defend myself as they were all talking at the same time.

Hyd yn oed ar ôl pymtheng mlynedd yn Awstralia, mae'n amlwg nad oedd hen fwganod y gorffennol wedi llacio'u gafael arno a châi ei arteithio'n aml gan ei atgofion.

Tra oedd yn byw yn ei gaban syml, profodd gyfnod cymharol dawel, a hyd yn oed rywfaint o hapusrwydd. Cafodd ychydig o waith o bryd i'w gilydd, gan ennill 'just enough to buy my tucker'. Ond wrth iddo lenwi tudalen gyntaf ei ddyddiadur am y flwyddyn 1883 gwelwn fod yna bryderon yn dal i lechu dan yr wyneb, ac un o'r rheini oedd yr ofn y byddai'n marw fel anifail yn y goedwig. Aeth ati i sicrhau bod yna gyfarwyddyd yn y dyddiadur petai angau'n ei gipio'n ddisymwth:

1 January 1883
Ants Mole Hermitage, North Walmer
To be filled by Joseph Jenkins, Farm labourer.
This is my 44th diary all filled up until this day. As I am very lonely in this homeless colony and somebody might come across me dead in the bush. Whoever that may be, let them write to Mr David Evans, Rheola, Berlin who knew me at home and my books, boxes etc are in his custody. I arrived in this Colony on 12 March 1869 by the Ship Eurynome under the care of Walter Watson, Captain...

Er gwaethaf yr agoriad tywyll hwn, bu Joseph yn byw'n

gysurus ac yn weddol dawel ei feddwl yn ei gaban clyd am y chwe
mis nesa. Ar 8 Gorffennaf ymddangosai fel petai ar ben ei ddigon,
ac edrychai ymlaen yn awchus at ddarllen y wledd o bapurau a
ddanfonwyd ato o Gymru: 'I have a warm cottage with plenty of
ready cut firewood close to the door and I have 37 papers to look
over'. Un o'i bleserau pennaf oedd darllen am hynt a helynt ei
gyn-gymdogion yng Nghymru, ond y tro hwn yr oedd ergyd
anferthol yn ei aros wrth iddo bori drwy'r tudalennau, a syrthiodd
ei fyd yn deilchion o'i gwmpas unwaith eto. Gwelodd nodyn yn
un ohonynt am farwolaeth Margaret, ei ferch hynaf, yn dri deg
dau mlwydd oed. Bu hon yn ffefryn ganddo erioed ac roedd yn
agos iawn at ei thad yn ystod y blynyddoedd cynnar yn Nhrecefel.
Nodwyd ei bod wedi marw ar 29 Ebrill ac iddi gael ei chladdu yn
Nhregaron ar 3 Mai. Yn ei gaban gwag, hanner byd i ffwrdd o'i
deulu, teimlodd ei cholled hyd at fêr ei esgyrn. Heb neb i'w
gysuro, bu'n rhaid iddo droi unwaith eto at ei unig wir gyfaill, ei
ddyddiadur, i geisio mynegi ei alar a'i dristwch:

> 8 July 1883
> Margaret is on my mind all day. When I left Wales I
> placed my accounts and my books in her custody. She
> was very social and open hearted always … when my
> deceased daughter was only a child or as a baby, she
> would leave her mother's breast for my arms, especially
> when she was ailing. I thought to see her again and never
> thought of her dissolution, but very doubtful of myself
> according to age and distance from her.

Cyfansoddodd y llinellau hyn er cof amdani:

> 8 Awst 1883
>   Dymunwn gael ei gweled
>   Cyn iddi fynd i'w bedd;
>   Ond dyna fel bu'r dynged,
>   Does dim ond cofio'i gwedd …

Twym fynwes iawn a feddai hon
Tosturiai wrth y gwan,
Heb frad na rhagrith tan ei bron
Cyn ymadael, gwnaeth ei rhan.

Teimlodd y sioc o'i cholli i'r byw, ynghyd ag euogrwydd am nad oedd yn ei hymyl pan fu farw. Drannoeth ysgrifennodd, 'I never thought she would be the first to leave this not only uncertain world, but one that is mixed with many disappointments and many unbearable afflictions'.

Ni ddaeth yr un person i gydymdeimlo ag ef, ac ni allai sgwrsio ag unrhyw un ynglŷn â rhinweddau'r ferch a gollodd. Ei unig ryddhad oedd ymaflyd unwaith eto mewn llafur caled, ac fel dyn wedi'i feddiannu, fe weithiodd yn ddygn am ddwy awr ar bymtheg a thorri saith tunnell o goed.

Ni fu pall ar ei anlwc, oherwydd ym mis Medi collodd un o'r pethau mwyaf gwerthfawr yn ei feddiant – ei gyllell boced. A chan i hynny ddigwydd ar ddydd Gwener, daeth i'r un hen gasgliad ei fod wedi ei felltithio o ddydd ei enedigaeth:

15 September 1883
Lost a valuable pocket-knife. Something undesirable often happens to me on a Friday. I was born late on Friday when the moon was nearly full … When I consider that I was born like David Copperfield after sunset on Friday evening … it appears that no person born under such circumstances was ever happy and rich, but always annoyed by all kinds of disappointments and subjected to be bounced, enslaved and robbed by others.

Erbyn hyn roedd yn bump a thrigain oed ac wedi dechrau blino ar y chwilio diddiwedd am waith achlysurol, felly pan welodd fod galw yn nhref Maldon am rywun i weithio i'r Cyngor, gwnaeth gais am y swydd ar unwaith. Cafodd waith yn clirio tir a dadwreiddio coed ar gyfer gwneud ffyrdd newydd, ond am dymor penodol yn unig, ac am gyflog o bunt yr wythnos. Gan fod ei gaban tua chwe milltir o'r dref, bu'n rhaid iddo letya mewn stabal o eiddo Mr Rowe, ffermwr a chigydd cyfoethog ym Maldon.

Teimlai'n aml fod y gweision fferm a'r gweithwyr cyffredin yn cael eu trin yn annheg, a cheisiodd ymgyrchu yn erbyn y math hwn o anghyfiawnder. Danfonodd nifer o lythyrau i'r papurau yn dadlau dros amodau gwaith mwy teilwng, ac ymddangosodd apêl huawdl ganddo yn *The Leader* ar 23 Medi 1883.

Roedd y gwaith i Gyngor Maldon yn galed a blinedig; disgwylid iddo fraenaru 'land hardened by drays and bullocks', ac yn ychwanegol at hynny roedd y sychder a'r gwres yn gwneud y tir mor galed â haearn. Eto, roedd yna rywfaint o gysur yn y ffaith fod ganddo waith sefydlog. Aeth yn ôl i'w gaban dros y Nadolig, a chododd yn gynnar i fynd allan i'r *bush* gan brofi 'a lovely warm and sunny Christmas morning'. Dychwelodd i Maldon ar gyfer ei ginio Nadolig gyda Mr Rowe ac yna, 'after cooking and eating my plain but delicious dinner, I returned with a good forequarter of lamb on my shoulder', sef rhodd oddi wrth y cigydd. Wrth iddo ddychwelyd i Ants Mole Cottage daeth ar draws nifer o bobl ieuanc yn cael picnic yn y *bush*, a synnodd at eu hymddygiad gan nodi, 'The young man is allowed to tickle the young lady above the hip joint, well to the front of the left side! … Picnicking may be precious when young ladies wish to pick their men … Let the old customs have their sway.'

Tra oedd eraill yn gwneud y gorau o'r wlad newydd ac yn mwynhau, yr ochr dywyll i fywyd a welai Joseph yn fynych. Daeth blwyddyn ddiflas 1883 i ben. Ar lefel bersonol bu'n flwyddyn drallodus wrth iddo golli ei ferch hynaf, ond ni welai fawr o ddyfodol i Awstralia ychwaith:

13 December 1883

I consider 1883 … to be the most unfortunate year for me since my arrival in Australia … I have been half the year without work at all. Most of the people are shouting 'Advance Australia' – but in my opinion I never saw anything going faster to a complete destruction than this colony … The advance of its inhabitants to wards all sorts of iniquities surpasses the history of the destruction of Jerusalem!

Gwireddwyd proffwydoliaeth Joseph Jenkins i raddau. Ymhen pum mlynedd roedd economi Awstralia wedi dirywio'n enbyd a gwelwyd dechrau dirwasgiad a brofodd yn argyfyngus i'r wlad ac i lawer o'i thrigolion.

PENNOD 19

GWEITHIO I'R CYNGOR

Yn 1884 cafodd Joseph Jenkins waith parhaol gan Gyngor Maldon yn glanhau'r heolydd ar yr un cyflog o bunt yr wythnos. Felly daeth diwedd ar y crwydro o fan i fan yn ceisio gwaith, ac yn nhref Maldon y bu'n byw gan fwyaf yn ystod gweddill ei amser yn Awstralia. Tref oedd hon a sefydlwyd wedi i ŵr o'r enw Capten G. Mechosk ddod o hyd i aur ar Mt Tarrangower ym mis Mehefin 1853. Fe saif ryw 90 milltir o ddinas Melbourne. Cymry oedd llawer o'r trigolion, a phan ganfuwyd cloddfeydd cyfoethog yn Welshman's Reef, ffurfiwyd cwmni Jones & Co i'w datblygu. Cafwyd dros 3,000 owns o aur yno a daeth amryw o'r Cymry'n gyfoethog iawn gan godi tai moethus yn y cyffiniau.

Yn eu mysg roedd John Lewis o Landeilo. Roedd y John Lewis hwn yn dipyn gwahanol i'r John Lewis arall a hanai o Lan-non. Bu'n ffermio i ddechrau, ond darganfuwyd aur dan wyneb tir ei gaeau, a thros nos daeth yn un o drigolion cyfoethocaf tref Maldon. Un o Lyn Uchaf, Llangeitho, oedd Mary, ei wraig, ac mae'n debyg, er ei holl gyfoeth, iddi fod yn ofalus o bob ceiniog drwy gydol ei hoes hir. Cododd John Lewis dŷ eithriadol o grand yn Adair Street lle bu Joseph wrthi bob wythnos yn glanhau'r cwteri, a saif yno hyd heddiw. Cyfeiriodd at John Lewis fel 'my countryman who has a fine house and an income of £20,000 a year in interest from his investments ... He is as rich as Croesus'.

Mewn tref oludog fel Maldon roedd Joseph ar reng isaf cymdeithas wrth iddo dreulio'i ddyddiau'n clirio'r cwteri a glanhau'r strydoedd. Er bod mwy o arian y pen ym Maldon na'r un dref arall yn y meysydd aur, roedd y strydoedd mewn cyflwr gwarthus. Llifai carthion dynol, ymysgaroedd anifeiliaid, ynghyd â phob math o sbwriel a gwastraff arall trwy'r cwteri a'r ceudyllau, felly roedd gwaith Joseph yn bell o fod yn ysgafn a phleserus. Er cyfleustra, rhentiodd fwthyn yn y dref am swllt yr wythnos, ond cwynodd nad oedd yn ddim ond 'a smoky room with no fuel or water and not fit to harbour an otter when it rains'.

Gweithiai oriau rheolaidd o saith y bore hyd bump y prynhawn mewn amgylchiadau digon anodd:

> I came under the notice of all passers by ... Rain turns the dust to mud, ... wind turns the dust to thick clouds, whichever state presides, the ladies complain of soiled dresses, the children provoke me, and the shopkeepers and hoteliers grumble about the state of things.

Fel arfer ym mhrofiad Joseph Jenkins, doedd dim ennill i'w gael.

Erbyn hyn roedd yn chwech a thrigain oed, ond gallai glirio tunelli o garthion bob wythnos. Wrth iddo arllwys y carthion yma i'r tyllau dyfnion a adawyd gan y cloddwyr aur, nododd: 'If only this could be used to manure the land, the soil would be so much richer'. Fe'i canmolwyd am ei waith gan y rheolwyr, ond i eraill, ac yn enwedig y plant hŷn, roedd yn destun cryn dipyn o sbort. 'Dogs and small children are fond of me, but the mothers call them away immediately – and the older children abuse me on their way to school.' Prin y dychmygai trigolion Maldon fod yr hynafgwr lled ecsentrig hwn yn cadw cronicl manwl o'r digwyddiadau o'i gwmpas, ac y byddai ei ddyddiadur yn cael ei ddarllen heddiw yn ysgolion Maldon ac Awstralia gyfan!

Tref Maldon yn 1872. Un o'r canolfannau pwysicaf ar gyfer cloddio am aur.

Er bod y gwaith yn undonog a diflas, teimlai Jenkins yn bur galonogol. Medrai sylwi ar y prydferthwch o'i gwmpas a'i nodi yn ei ddyddiadur, 'All the almond trees are beautifully covered in white sheets of blossom as I work'. Ym mis Hydref 1885, ac yntau wrthi'n rhofio sbwriel, daeth aelod o Fyddin yr Iachawdwriaeth ato a gofyn, 'You are cleaning the gutter, but is your heart clean? That is the thing!' Cythruddwyd Joseph yn fawr ac atebodd gyda chlamp o bregeth a ddangosai ei wybodaeth eang o'r Beibl. Trawyd y gŵr yn fud a dihangodd cyn gynted â phosib. Ychwanegodd Jenkins, 'To my sorrow the Salvation Army man left without asking any more questions!'

Yn wythdegau'r ganrif ddiwethaf roedd hi'n beth cyffredin i glywed y Gymraeg ar strydoedd Maldon, ac mae llawer o ddisgynyddion y Cymry hyn yn dal i fyw yn y dref. Yn wir, cymaint oedd y Cymreictod o'i gwmpas nes i Jenkins ddechrau pryderu ynglŷn â safon ei Saesneg:

16 May 1885
I will never become proficient in speaking English here because half the time I converse in Welsh. To dinner with Rees Jones, Ponterwyd, Mrs Jones is from Penrhiwpal, Newcastle Emlyn.

Mwynwyr oedd llawer o'r rhai a ddaeth i weithio mewn cloddfeydd aur megis Parkins Reef, Welshman's Reef, neu Cymru Claim. Daeth nifer ohonynt o weithfeydd mwyn gogledd Ceredigion ac eraill o byllau glo de Cymru. Dechreuodd Rees Jones fwyngloddio wrth ochr ei dad ym Mhonterwyd pan oedd ond yn dair ar ddeg oed, a daeth yn rheolwr y New Beehive Claim, un o'r gweithiau mwyaf proffidiol ym Maldon. Parchwyd y Cymry gan fwyaf fel pobl weithgar, darbodus a chrefyddol. Codwyd un eglwys Gymraeg a dau gapel Cymraeg yn y dref, y naill gan y Bedyddwyr a'r llall gan yr Annibynwyr. Un o noddwyr amlycaf yr ail oedd John Lewis, Llandeilo, a gwelir arwydd o'i gyfoeth yn y beddrod teuluol anferth ym mynwent y dref. A'i gaib a'i raw yn ei law, ni fedrodd Jenkins bontio'r gofod rhwng y tlawd a'r cyfoethog yn Awstralia, ond prin y rhagorai neb arno mewn diwylliant a gwybodaeth. Ffermwyr, crefftwyr a siopwyr oedd ei gyfeillion yn bennaf, a phan fu farw Edwin John, a gadwai siop groser, yn Ebrill 1885, ysgrifennodd y llinellau hyn iddo:

> 19 April 1885
>
>   O angau pa'm y cwympais ti
>   Bren llawn o dwf a ffrwythau?
>   A gadael boncyff crin fel fi
>   I wywo hyd ei wreiddiau?

Roedd hwn yn ŵr mawr ei barch ym Maldon a daeth yn agos i fil o alarwyr i'w angladd, a Joseph Jenkins yn eu plith.

Ni fu'r un hiraeth ar ôl ei hen gydnabod John Lewis o Lannon, Ceredigion, pan fu hwnnw farw ym mis Tachwedd 1885. Er mai ef oedd un o'r cyfeillion cyntaf fu ganddo yn Forest Creek yn 1869, suro wnaeth eu cyfeillgarwch dros y blynyddoedd ac ysgrifennodd Jenkins yn hallt amdano:

> Looking over my accounts I see now I was wronged and betrayed by my countryman John Lewis (Llanon). I never thought that any man of the worst principles would attempt to treat his fellow creature as he treated me. I am not willing to allow people like John Lewis and William David to do me out of my hard and honest savings. Lewis was dishonest, mean, a liar, and cruel to man and beast – illtreating his horses and his friend. He abused his cattle, his dogs and his cats.

Wrth i'r tymhorau fynd yn eu blaen, cwynodd Jenkins fod gwres yr haf mor llethol nes ei gwneud hi'n anodd iddo gydio yn yr offer:

The crowbar was like a red hot rod of iron ... I have to wear a soaking muslin cravat over my cabbage leaf hat to prevent sunstroke ... my eyelids are so sore from sweating that I wear a veil to keep the flies from my eyes.

Gallai'r gwaith fod yn amhleserus iawn wrth iddo orfod glanhau pob math o fudreddi o'r cwteri: 'the gutters stink abominably of filth swept from the butchers' fronts and every type of objectionable rubbish which has to be cleared'. Yn y gaeaf daeth llifogydd i lenwi'r cwteri â graean a golchi'r pontydd troed i ffwrdd. Wedi glaw trwm bu'n rhaid iddo weithio am un awr ar ddeg y dydd yn ei 'oilskins' yn trwsio'r difrod.

O fewn ychydig flynyddoedd wedi iddo ymgartrefu ym Maldon, daethpwyd i adnabod Joseph Jenkins fel gŵr dysgedig a chanddo'r gallu i fynegi barn groyw ar faterion llosg y dydd. Fel yng Nghymru gynt, troai'r Cymry ato am gymorth i lunio ewyllysiau, ysgrifennu llythyron i'r wasg, neu gyfansoddi penillion ar gyfer achlysuron arbennig. Ymddangosodd llawer ohonynt mewn papurau lleol megis y *Tarrangower Times*, fel y pennill hwn sy'n mynegi ei deimladau arferol:

28 November 1885, North Maldon.

ORIGINAL POETRY FROM THE SCAVENGER'S DIARY
This world is always full of strife,
Our age is only a pace for life,
Some are pleased to run uphill,
While others down against their will —
Very few here can be found
That always run on level ground.

Gallai Joseph Jenkins godi o bydew anobaith i ryw fath o 'euphoria' yn aml iawn. Mae'n amlwg i hynny ddigwydd ar ddiwedd 1885, oblegid yng nghanol yr holl gymylau duon, cawn y cyfeiriad annisgwyl hwn ar ddydd olaf y flwyddyn: 'I have spent a most pleasant year and I'm 67 years old'.

Ar ddechrau 1886 roedd ganddo le i ddiolch oherwydd cafodd gytundeb blwyddyn arall gan y Cyngor. Ym mis Chwefror prynodd fwthyn iddo'i hun am £15 yn ymyl stesion Maldon; enw'r tŷ oedd North Gate Railway Lodge. Ond daeth problemau yn sgil hwn eto. Safai'r bwthyn ar ddarn o dir diffaith yn ymyl y rheilffordd a bu'n darged i'r 'larrikins' neu'r hwliganiaid ieuanc. Torrwyd i mewn i'r lle o leiaf chwe gwaith, a lladratawyd llawer o'i eiddo. Ym mis Mawrth nododd gyda phryder: 'Children broke into my cottage and destroyed many of my papers ... parts of my diary, and stole much of my property'.

Gan fod tref Maldon yn wasgaredig yr oedd yna 27 o filltiroedd o gwteri a sianelau dŵr i'w glanhau, ac ymhen amser dechreuodd y gwaith caled effeithio ar ei iechyd. Ym mis Gorffennaf 1886 cwynodd ei fod wedi colli ei awydd am fwyd a dechreuodd ddioddef yn enbyd o'r dysentri. Ceisiodd wellhad drwy gymryd rhyw feddyginiaethau lleol a gafodd yn yr Albion Hotel, ond parhau wnaeth yr afiechyd. Cafodd ei boeni eto gan y cymylau llwch mân a godwyd gan yr awel, rhywbeth na welodd erioed yng Nghymru: 'I am plagued by the fine dust which drifts like white snow and clouds of locusts, as big as sparrows, which I have to avoid by lying flat on the ground'.

Y Sul oedd ei unig ddiwrnod rhydd, a manteisiai ar yr oriau prin o hamdden i ymlacio a pharatoi ar gyfer wythnos arall. Byddai hefyd yn pori yn ei Feibl, a darllenai'r Bregeth ar y Mynydd yn rheolaidd bob dydd Sul. Sylwai ar yr hyn a ddigwyddai o'i amglych, a rhydd inni gipolwg ar fywyd prysur Maldon ar y Sabbath a oedd yn dipyn gwahanol i Dregaron:

Often on a Sunday I look through the window of my little cottage to see the world go by ... men go out to the bush

with their guns and greyhounds ... well dressed couples
walk to churches and chapels, people play cards and dice
on the Station platform ... and Chinamen run to and fro
with their baskets of fruits and vegetables.

Tua therfyn y flwyddyn 1886, ac yntau'n heneiddio, cronni
wnaeth ei bryderon y byddai'n marw fel tlotyn yn Awstralia. I
Gymro parchus roedd y posibilrwydd y byddai'n cael ei gladdu
'ar y plwyf' yn beth gwaradwyddus:

31 December 1886
I am strange and friendless in this part. Should I happen
to die suddenly, I wish to inform the person finding my
corpse to read this postscript. My address in Wales was
Trecefel, Tregaron, Cardiganshire. I have a friend and
countryman David Evans, Rheola, near Inglewood. I
wish the said person to telegraph him that I might be
buried without trespassing on the public money. Joseph
Jenkins, North Maldon, Victoria.

Bu dechrau'r flwyddyn 1887 yn eithriadol o boeth, a bu llawer
farw oherwydd effeithiau'r haul tanbaid. Hefyd dechreuwyd
llawer iawn o danau yn y *bush* unwaith eto, a beryglai fywyd dyn
ac anifail:

12 February 1887
The bush fires destroy sheep, ponies, homesteads, hares,
rabbits, foxes and alls sorts of wild animals, even snakes
go without mercy. Men have to flee for their lives on
horseback.

Er mor anghyfforddus y tywydd, bu'n rhaid i Joseph ddal ati i
lanhau'r strydoedd mewn gwres a oedd ymhell dros gan gradd.
Ond nid dyna'r unig beth a boenai drigolion y rhan hon o
Awstralia. Roedd cwningod a sgwarnogod yn bla erbyn hyn, a'u
nifer yn peryglu'r cnydau. Cymaint oedd pryder yr awdurdodau

nes iddynt drefnu gwyliau cyhoeddus er mwyn eu hela a'u lladd. Mae Jenkins yn sôn am dyrfaoedd, hen ac ieuanc, yn heidio tua'r *bush* â'u gynnau a'u pastynau er mwyn eu difa. Talwyd naw ceiniog am bob un a laddwyd. Torrwyd y clustiau fel prawf, a gadawyd y cyrff i bydru yn y *bush*. Cofnodir yn y dyddiadur: 'One party killed over 450 rabbits and hares and the Government spent £350,000 attempting to curb and eliminate these rabbits'. Mae hyn braidd yn eironig o gofio am y rhai a ddanfonwyd mewn cyffion i Awstralia o Gymru am botsio ambell gwningen neu sgwarnog i fwydo'u teuluoedd newynog.

Ar 27 Chwefror dathlodd Jenkins ei ben blwydd yn 69 oed. Efallai nad 'dathlu' yw'r gair priodol, serch hynny, oherwydd treuliodd y dydd mewn cwmwl o besimistiaeth. Suddodd i bwll o ddigalondid llwyr gan roi'r bai am ei gyflwr unwaith yn rhagor ar ei nam corfforol a'r ffaith iddo gael ei eni ar ddydd Gwener:

> 27 February 1887
> My mother would have done a good job by inventing some way to get rid of her hare lipped baby at once rather than leaving him to pine for 69 years on earth. Unlucky men are useless in this world and yet it is always the case when born late on Fridays and late in the last quarter of the moon. Such a thing causes me to believe firmly in Fate. The accident happened on the 27 February 1818 at Blaenplwyf, Ystrad, Cardiganshire, Wales.

Cafodd beth cysur wrth fynychu'r ysgol Sul Gymraeg ym Maldon, ond pryderai fod amryw o'r Cymry llwyddiannus, fel rheolwyr y cloddfeydd aur, yn troi at y capeli Saesneg. Cwynodd am ddifrawder y Cymru o'u cymharu â chenhedloedd eraill: 'The Welsh do not keep to-gether like the Irish and the Scotch – The Irish are very nationalistic and honour St Patrick far more than the Welsh honour St. David'.

Ymhlith ei gyfeillion pennaf yn y capel roedd William Rees a'i wraig. Yn wreiddiol o Forgannwg, buont ym Maldon am bron i ddeng mlynedd ar hugain. Gwahoddwyd ef yn aml i gael cinio yn eu cartref ar y Sul. Ffermwr oedd William Rees, ac felly roedd ganddynt ddiddordebau'n gyffredin, a buont yn sgwrsio'n aml o flaen y tân ym mwthyn Joseph. Ond ni chroesawodd bob ymwelydd o Gymru i'w gartref, yn enwedig y rheini fu wrthi'n cloddio'n ddibaid yn y gweithfeydd aur. Meddai, 'I'm tired of hearing how they expect to strike it rich month after month'. Ni allai guddio'i ddirmyg at ariangarwch rhai o'i gyd-wladwyr, a honnodd fod yr holl siarad am gyfoeth a'r trachwant am aur yn wrthun iddo:

24 June 1887
Gold! Gold! Gold! – is on every tongue while the fine surface of the soil is shamefully neglected. Each man, myself excepted, appears to have come here to seek his fortune.

Mae'r geiriau hyn yn gamarweiniol i raddau gan iddo ef un tro fuddsoddi £40 mewn menter cloddio am aur gyda rhai o'i gyd-Gymry. Fel arfer, bu'n anffodus, oherwydd cyn gynted ag y tynnodd ei fuddsoddiad o'r fenter, daethpwyd o hyd i aur.

Gwelsom eisoes iddo dosturio wrth y brodorion du pan oedd yn yr ysbyty, a chafwyd enghraifft arall o'r agwedd ddyngarol hon ym mis Gorffennaf 1887:

28 July 1887
I met an Aborigine. He seemed half starved. I took him into my cottage and invited him to share a meal with me, and I shared my blankets with him during the night. He could speak fair English.

Enw'r gŵr oedd Equinhup, ond cafodd y llysenw 'Tom Clarke' gan y bobl wynion. Aethpwyd â'i dir oddi wrtho gan

Gomisiynwyr y Rheilffordd a bu'n brwydro i gael iawndal ganddynt. Ysgrifennodd Jenkins y llythyr canlynol ar ei ran a'i gynghori i fynd i'r orsaf i'w gyflwyno i'r Comisiynwyr:

Maldon
28 July 1887
Gentlemen and Brothers too,
I am the last of the Aborigines tribes in these parts. I do humbly wish you to compare two lots of Title Deeds.
   I received mine from the Author of Nature, while the land occupied by all the railways is titled by the white man's lawyers.
Always humble. Praying your charitable consideration.
Equinhup. (Tom Clarke)

O ganlyniad, cafodd £1 mewn arian a'r addewid am ragor yn y dyfodol.

Er nad oedd y driniaeth a gafodd Jenkins ym Maldon cynddrwg o bell ffordd â'r hyn a ddioddefodd Equinhup, roedd yn dal i gael ei boenydio'n hiliol o bryd i'w gilydd. Fe'i poenwyd yn arw gan dincer o Wyddel a oedd wedi cynnig yn aflwyddiannus am ei swydd gyda'r Cyngor. Bu'r Gwyddel yn ei ddilyn yn feddw ar hyd y strydoedd, ac yn ceisio'i gythruddo drwy ganu'n uchel, 'Taffy was a Welshman, Taffy was a thief'. Trawodd Jenkins yn ôl mewn modd effeithiol dros ben. Cyfansoddodd bennill sarhaus, ac ni chafodd ragor o drafferth gan y Gwyddel:

> Taffy was a Welshman
> But never was a thief,
> It was the Tincer Satan
> That stole a leg of beef.
> And cooked it for his dinner
> On a rusty piece of tin.
> And stole the pound of solder
> To buy a glass of gin.

Gwaethygu wnaeth ei iechyd. Lledodd gwynegon poenus i'w ddwylo ac un o'i goesau, a chloffai wrth gerdded. Roedd yn dal i dderbyn llythyrau'n gyson oddi wrth ei deulu a'i ffrindiau yng Nghymru, ac ychwanegodd hynny'n fawr at ei hiraeth. Cawn awgrym yn y pennill canlynol ei fod yn gobeithio dychwelyd i Gymru ryw ddydd a chael adrodd ei holl helyntion wrth ei gydnabod:

> 9 November 1887
> Un hynod fydd yr awr
> Ar ôl y pellter mawr
> A'r amser maith
> Cawn adrodd wrth y bwrdd
> Ofidiau daeth i'm cwrdd
> A'm hachos fyned ffwrdd
> Tros foroedd llaith.

Wrth i 1887 ddirwyn i ben cawn gofnod athronyddol a hynod lawen:

> On this last day of the year when I look back on my pains and troubles and on my joy and contentment they seem of no importance. It is the present moment that matters. the past and the future are out of our reach ... I have never been so contented in the pursuit of my work as in 1887. It is my sincere opinion that it is sinning against Nature that brings discontentment, while to be in unity with it in doing good brings lasting bliss. Goodbye 1887, I am loathe to leave you.

Nododd hefyd: 'I will be seventy years of age on 27 February 1888, being the age of my father when he died'. Crwydrodd ei feddyliau'n ôl i ddyddiau ei ieuenctid ym Mlaenplwyf wrth iddo agosáu at oed yr addewid, a mynegodd ei ofid na fyddai ei rieni wedi bod yn fodlon ar ei stad isel yn y wlad dramor hon:

1 January 1888

> Rwyn mhell o dir fy ngwlad
> A'r fan lle ces fy ngeni,
> Pe gwelsai mam a thad
> Y dull y cawn fy mhoeni,
> Dymuno wnaethent hwy
> Cans faint eu serch tuag attaf,
> Am i ryw haint neu glwy
> Roi diwedd arall arnaf.

Ond eto mynnai ei fod wedi cael lloches o fath:

> Cyrhaeddais borthladd tawel
> Ar ôl y dymestl faith
> A'm gyrrodd o Drecefel,
> Caf orphwys ambell waith.

Efallai ei fod yn nes at wireddu ei ddymuniad i adael y bywyd hwn nag y tybiai, oblegid dyma a ddywedodd nesaf: 'I find it best not to make my bed in the morning here, for at bed time ... I may find a black or tiger snake coiled between the blankets'.

Ar ddechrau'r dyddiadur hwn, cyfeiria at y mannau addoli oedd i'w cael ym Maldon, er gwaethaf natur arw'r dref:

25 January 1888
There are twelve separate denominations in this small place. Each minister preaches different precepts, but none touch that golden sermon, 'The Sermon on the Mount.' Young and old can understand it. It is sufficient guide for all men and women to live by and to die by.

Roedd adeg y Pasg yn gyfnod o wyliau a hwyl arbennig ym Maldon. Trefnwyd nifer o weithgareddau ac yr oedd yn gyfle i'r trigolion fwynhau gwahanol fathau o adloniant.

4 April 1888
A large fair was held on Easter Monday ... with all sorts

of entertainments ... Among the competitions was the Greasy Pole on which was fixed a bank note thirty five feet up, which was the award for anyone who reached it... There were scores of failures, but to-wards dusk a boy of sixteen, Jack Llewelyn managed to reach it.

Ond dilynwyd difyrrwch y Pasg gan newyddion trist:

9 April 1888
I received a telegram informing me of the death of my great friend David Evans of Rheola.

Bu farw Evans yn 49 mlwydd oed. Dros y blynyddoedd, cawsai Joseph groeso twymgalon a lletygarwch ganddo ef a'i wraig Margaret, a hynny yn ystod rhai o'i gyfnodau tywyllaf yn Awstralia. Bu ef hefyd yn gefn i David Evans, ac roedd wedi adeiladu llaethdy i Margaret Evans gan lafurio mor galed nes iddo achwyn 'my hands were sore and cracked from mixing clay and carting stones for the dairy'. Ar 10 Ebrill, â chalon drom, teithiodd Joseph dros gan milltir i dalu'r deyrnged olaf i'w gyfaill mynwesol. 'It was the biggest funeral I have seen in the Colony; 22 carriages plus a hearse and scores of riding horses including pedestrians covering over a mile of road.' Roedd David Evans yn ŵr uchel ei barch, a cholled aruthrol i'r gymdeithas Gymreig oedd ei farwolaeth, ac yntau'n gymharol ifanc.

Yn dilyn yr angladd dychwelodd Joseph yn syth i'w waith ym Maldon. Dros y blynyddoedd roedd y dref wedi tyfu'n gymuned lewyrchus a hyderus. Trigai dros dair mil a hanner o bobl ynddi, ac yn 1884 agorwyd rheilffordd newydd o Maldon i Castlemaine. O'i fwthyn, medrai Joseph weld yr holl ddatblygiadau newydd yng nghymeriad a chynllun y dref. Yn y dyddiau cynnar roedd tafarn ar bob cornel, ac o fewn cylch o bum milltir sefydlwyd trigain o 'saloons' at wasanaeth y

Un o gostau byw a bod Joseph yn ei fwthyn

trigolion. Ond cadwyd cydbwysedd drwy godi deg o gapeli, ac
adeiladwyd 'Temperance Hall' ar gyfer y dirwestwyr.
Mynychodd Joseph Jenkins y neuadd honno yn gyson, a
chyfrannodd at yr achos. Un o'i hoff lefydd bwyta oedd
McArthur's Bakery, oherwydd roedd yno gasgliad diddorol o
lyfrau, a rhoddwyd i Joseph yr hawl i'w ddarllen pryd y mynnai.
Yn naturiol ddigon treuliai lawer o'i oriau hamdden yno. Yn y
dref hefyd roedd yna ddau fanc, marchnad lewyrchus, llys barn,
a swyddfa bost. Gallai'r trigolion fwynhau amryw o
weithgareddau, gan gynnwys rhai cerddorol a noddwyd yn
bennaf gan y Cymry. Cafwyd dosbarthiadau canu, a sefydlwyd
amryw o gorau, a band pres sy'n dal mewn bodolaeth heddiw.
Sylwai Joseph ar y berw o'i gwmpas, gwelai'r trenau'n mynd
heibio dair gwaith y dydd, a chlywai sŵn peiriannau'r
cloddfeydd aur. Gallai glywed hefyd leisiau'r plant a fynychai'r
ysgol a sefydlwyd yn 1873, a chefnogodd benderfyniad
llywodraeth y dalaith i roi addysg am ddim i'r plant. Dyma'r
ddelfryd a goleddai yn Nhregaron gynt.

Er bod ei waith yn undonog a llafurus, mynnodd Joseph Jenkins ei gyflawni mewn modd trwyadl a chydwybodol. Ymfalchïai yn y ffaith ei fod, wrth gadw'r dref yn lân, yn gwneud gwaith a oedd er lles iechyd y gymdogaeth gyfan. Ar 9 Tachwedd cafodd hoe bleserus o'r llafur di-ben-draw:

> 9 November 1888
> Today is the Prince of Wales' birthday. I dont care very much for him, but I enjoy the public holiday. I honour his mother the queen.

Yna, wrth i Joseph Jenkins wthio'i whilber ar hyd strydoedd Maldon ar fore'r 22ain o Dachwedd a pharatoi i sgubo'r stryd, sylwodd fod llenni'r siopau a llawer iawn o'r tai heb eu hagor, ac wedi holi, cafodd wybod fod John Lewis, Llandeilo, wedi marw. Felly roedd y dref wedi colli un o'i chyfoethogion amlycaf, a bu ei farwolaeth yn golled i'r capel cynulleidfaol Cymraeg gan fod y gŵr hwn wedi dangos haelioni mawr tuag at yr achos. Â chryn rwysg, cludwyd ei gorff mewn hers a dynnwyd gan chwech o geffylau du wedi eu harwisgo'n briodol. Dilynwyd yr arch gan dorfeydd anferth a chladdwyd ef ym mynwent Maldon.

Gofynnodd gweddw John Lewis i Joseph Jenkins gyfansoddi englynion i goffâu ei gŵr. Roedd yntau'n barod iawn i wneud hynny ac aeth ati hefyd i ysgrifennu llith yn cofnodi ei fywyd a'i holl rinweddau. Ond o ran yr elw, ni fu werth y ffwdan, oherwydd ni chafodd gydnabyddiaeth deilwng gan Mrs Lewis:

> 30 November 1888
> I composed three englynion and five hundred lines of prose describing his life in the Colony. I read it over to the widow who appeared to be well pleased. She offered me the princely payment of six pence for my trouble! She was a true native of her country, having been born in Llangeitho!

Capel Cymraeg yr Annibynwyr ym Maldon

Yn dilyn cyfnod o wres llethol ar ddiwedd y flwyddyn, dechreuodd deimlo effeithiau'r gwynegon unwaith eto. 'I am walking lame ... it's a sure sign of rain', meddai, ac ar Ddydd Calan 1889 cafwyd storm enbyd. Pistylliodd y glaw gan lenwi'r cwteri i'r ymylon:

> 1 January 1889
> The storm is coming right over Maldon ... thunder can be heard ... It is dark all around ... Before 5 o'clock the flood was over most of the footbridges and some were swept away. I lost one of my shovels ... The flood entered the Times Office and destroyed all the type and machinery... About 12 persons already reported to have been drowned and more may be counted ... without mentioning the pecuniary losses.

Yn dilyn y storm, galwyd ar unwaith am wasanaeth Joseph Jenkins i drwsio'r difrod, a bu'n rhaid iddo lafurio'n galed am ddiwrnodau:

3 January 1889
I was up before 5 o'clock and hurried to examine the
damage ... I was ordered to mend the Eagle Hawk
Bridge. I was there for three hours making room for the
water to run away.

4 January 1889
I went to clear and wheel the mud and gravel from the
water channel in front of the Railway Tavern, or rather
Hotel as they call every shanty here in this Colony ... I
have to work hard all day filling holes in the footpaths
and clearing the mouths of the culverts ... I was in front
of a house of ill fame; some fools were robbed at
different times. Serve them right! ... The state of the
weather is remarkably variable in this colony and very
trying for the constitution of the inhabitants.

Erbyn 9 Ionawr roedd y tywydd yn danbaid unwaith eto a
Joseph yn achwyn, 'I found it hot ... I was obliged to retreat now
and then under the shade of a tree close by ... I met William Rees
at noon and we had a conversation in the Welsh language ...'

Er mawr dristwch i Joseph, bu'r hen William Rees farw
ymhen chwe mis wedi hynny. Roedd hwn, fel David Evans, wedi
bod yn gyfaill ffyddlon i Joseph Jenkins, ac wedi treulio 33 o
flynyddoedd yn Awstralia. Cyn iddo farw gofynnodd i Joseph
lunio'i ewyllys, a Joseph hefyd a alwodd y meddyg ato pan
welodd ei gyflwr yn gwaethygu. Bu wrth ochr ei gyfaill hyd y
diwedd.

Wrth i'r flwyddyn 1889 fynd yn ei blaen, dal i gronni a
wnaeth cysgodion afiechyd. 'I fear I will be unable to work for
my health – it looks dark ahead – for I am among strangers from
whom I cannot expect to get assistance of any kind!'

Ceisiodd Joseph godi ychydig ar ei ysbryd drwy ysgrifennu
llinellau fel y rhain:

> Dont vex and regret for the past
> Now is the time for good culture.
> Determine to hold to it fast,
> Avoid the dread of the future.

Ond haws oedd ysgrifennu na theimlo'n bositif, oherwydd roedd colli hen gyfeillion wedi gadael gwacter yn ei fywyd. Ar ddiwrnod ei ben blwydd yn 71 oed cofnododd, '27 February, I do feel myself failing every day, especially in my walking'. Ar Ddydd Gŵyl Dewi cafwyd Joseph wrth ei waith fel arfer ond yn teimlo braidd yn siomedig ynglŷn â'r difaterwch ynghylch ei nawddsant yn nhref Maldon:

> 1 March 1889
> Very little sign of any Sports seen here on St. David's Day ... There are great 'Turns' at Melbourne, Ballarat, Sandhurst, Geelong and all the big places through the Colony ... Each person wears the artificial leek ... singing Welsh Songs, with different sorts of sports that used to be patronised by the Ancient Britons ... The Welsh people are very indifferent in Australia about keeping up their ancient national and her original language ... The Irish on the other hand are very particular on that point and keep together well.

Darllenodd yn y *Cambrian News* am yr helyntion yng Nghymru ynglŷn â'r degwm. Er iddo gydymdeimlo ag achos y ffermwyr a chyfaddef bod y dreth yn un anghyfiawn, ni allai gefnogi dulliau treisgar:

> Sunday, 12 May 1889
> I was sorry to read of a scuffle between the police and some Cardiganshire farmers about the payment of tithes. It is a very unjust tax but that is not the right way to get rid of it. They have faithful M.P.'s to plead their case in the House of Commons.

Er iddo fod yn arloeswr mewn amryw o feysydd ac yn rhyddfrydol ei farn ar lawer o bynciau'r dydd, gallai fod yn geidwadol iawn hefyd. Gwrthwynebai'n chwyrn unrhyw awgrym o roi'r bleidlais i ferched, ac meddai, 'If women are allowed to vote they will turn the world upside down'. Mae'n ddiddorol nodi mai menywod Awstralia oedd y rhai cyntaf yn y byd i gael pleidlais!

Serch ei bryderon gwleidyddol am ferched, yr oedd Joseph, fel llawer iawn o'i gyd-wladwyr, yn barod iawn i blygu glin i'r Frenhines Victoria:

Friday, 24 May 1889
I was up at 5 o'clock. It will be the Queen's weather through all the colonies. It is the 70th anniversary for the Queen of the Saxons and the mother of the Prince of Wales. I am one year and nearly three months older than her – but the Queen never took my advice in experience ... I took a holiday in her name to-day ... Sports were numerous on the occasion.

Trwy gydol ei oes ysgrifennodd linellau'n llawn gweniaith amdani:

> God bless the English Queen
> I had a day of rest;
> Of all the monarchs that have been
> She is among the best.

Ym mis Gorffennaf cafodd gyfle i fynychu achlysur arbennig iawn:

28 July 1889
I have been invited to attend a special occasion. It will be a noted day to-day in this place. They are going to cut the first sod of the long talked about and delayed Railway from Maldon to Lanacoori about 15 miles long...

Mae'n sicr i'r digwyddiad hwn ddwyn atgofion iddo am agoriad
rheilffordd yr M&M flynyddoedd ynghynt, ond er ei fod ymhlith
y gwahoddedigion ym Maldon, prin bod iddo'r un amlygrwydd
ag yng Ngheredigion yn y chwedegau.

Gwaethygodd ei wynegon. 'I am lame and painful ... the
rheumatism is so severe in my left knee that I have a strong stick
and the handle of the shovel to keep me up when trying to walk.'
Serch hynny, i ŵr oedrannus saith deg un mlwydd oed, dangosai
asgwrn cefn a dycnwch anhygoel:

4 August 1889
I managed to be at my work before 7am at the Hospital
grounds. I was ordered to cross cut large fallen timber
close to the Shire Hall ... The trees were Tasmanian Gum
planted eighteen years previously and straight as any
ship's mast ... They were grubbed for fear of falling on
the fine building during a storm.

Ni chynigiai ei fwthyn gysur iddo bob tro, chwaith:

15 August 1889
My cottage has a corrugated roof ... it becomes
unbearably hot in the sun's rays and small boys like
casting stones on it deliberately to annoy me. Inside, the
mice disturb me as they tear at my book and papers. To-
night I have placed strychnine in their oatmeal, perhaps
that will quiet them.

Ac ychydig dros wythnos yn ddiweddarach torrwyd i mewn i'w
fwthyn unwaith eto:

28 August 1889
I was at work at 6.30 am ... When I came home for dinner
I was astonished to find that some one or more had been
in the house and took many valuable things away. No
doubt somebody was watching me planting the key of the

front door, otherwise they could not find it. It was put back, but not in the same place.

Ac yntau mor fregus ei iechyd, roedd digwyddiadau creulon o'r fath bron yn ddigon iddo golli ei ewyllys i fyw. 'I am lame, very tired and shall have to give up and use my few extra pounds, then go out to the bush and starve there. That, I believe, will be my fate.'

Ym mis Rhagfyr gwelwn ei fod yn dal i ddioddef:

Tuesday, 10 December 1889
Having arrived home at quarter past 5pm I found that another pane of my glass window was broken and many valuable things were taken and strewn outside. My bank book was in one of my diaries between the leaves. The thief or thieves did not notice that. I missed two I.O.U's, one for £10 and the other for £30 with many other small things ... I was out of temper and went to the Police Barracks ... This is the sixth time I've been robbed in four years.

Daliai i fynd i'w waith ond cafodd ei demtio i roi'r ffidil yn y to:

17 December 1889
Filling in holes in the footpath to Tobin and other streets... They expect an old man to work in this country for his meals every day ... Some employers say frankly that the old men ought to be hanged in order to make room for the young men. I think very often that they are right in respect of their merciful idea. It is better to hang a man at once and give plenty of slack to the rope, than to 'pine' him in every shape for years ... All must die once.

Ni ddaeth cyfnod y Nadolig â fawr o gysur iddo gan fod y dysentri'n dal i'w boeni:

22 December 1889
This chronic dysentery will stick to me as long as my
life. It is always fatal to an aged man in this colony. It is
a very troublesome disease ... When a man is obliged to
attend to the call of nature about nine times in nine hours
... where all the privies are kept locked except those that
belong to Hotels.

Wedi treulio'r Nadolig ar ei ben ei hun, penderfynodd ymlacio
rywfaint. Ar Nos Galan cerddodd i dafarn cyfagos ac, am
ychydig, ildiodd i'r demtasiwn o geisio ffoi o'r byd a'i dreialon:

31 December 1889
I went up to the Miners Hotel and had a glass of port
wine and brandy to drink the health of the past year. I
was back soon. Should I be able to open my eyes at the
dawn and outlive the year, I do trust that it will be to my
advantage in comfort and improvement.

Nid oedd yn flin gan Joseph Jenkins weld diwedd 1889; wedi'r
cwbl, bu'n flwyddyn o dristwch, salwch, ac ymgecru. Wedi iddo

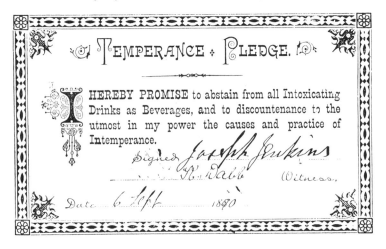

Ar y cyfan, cadwodd Joseph at ei addewid yn Awstralia

ddioddef yr holl erledigaethau, mae'n hawdd cydymdeimlo ag ef wrth iddo, ar adegau fel hyn, ddymuno dod â'r cyfan i ben:

> For all our troubles, pain and strife
> We have strange instinct for long life.
> With hope for better day to-morrow
> But cloudy skies may bring more sorrow.
> I often think that he is best
> Who's early called for quick rest.

PENNOD 20

GADAEL MALDON

Erbyn 1890 roedd Joseph Jenkins wedi treulio un mlynedd ar hugain yn Awstralia, ac roedd bellach yn 72 mlwydd oed. Roedd y gwaith corfforol didostur, y trasedïau personol, afiechyd ac eithafion yr hinsawdd wedi dweud arno, ond nid oedd ganddo ddigon o fodd i dreulio'i flynyddoedd olaf yn hamddena. Ac ystyried ei oedran, dangosodd ymroddiad anghyffredin wrth barhau i godi gyda'r wawr i wynebu diwrnodau o waith trwm. 'I was on my withered pins at 4.30 this morning ...' meddai, 'picking and shovelling all day ... The air was foul with the smoke of *bush* fires burning all around ... I could not get the smoke out of my nostrils.'

Dychwelodd yn flinedig i'w fwthyn, ac wrth orffwys am dipyn o dan dderwen gyfagos syrthiodd i drymgwsg. Breuddwydiodd ei fod wedi marw a bod y profiad yn un melys. Ar ôl dihuno dechreuodd fyfyrio am yr hedd a ddeuai petai mewn gwirionedd yn medru gadael ei fagad o ofidiau yn y byd creulon hwn. Fel y bardd Keats yn ei 'Ode to a Nightingale' yr oedd Joseph 'half in love with easeful death', ac aeth ati i lunio penillion i fynegi ei deimladau:

6 Chwefror 1890
    Tan bren derwen mi orweddais
    Un tewfrig a changhenog iawn

Tan ei chysgod yno cysgais
Heibio hanner y prydnawn,
Fel pe buaswn yn y gladdfa
Tan bren ywen wyrdd ei wedd
O! mor hyfryd yw gorphwysfa
Y mwyafrif yn y bedd.

Parhaodd ei hwyl bruddglwyfus am rai dyddiau, ac ar y Sul
cerddodd ddwy filltir i fynwent Maldon a threulio tua phedair
awr yno'n darllen y geiriau ar feddau rhai o'i hen gyfeillion.
Rhoddwyd llawer o Gymry i orffwys yn naear Awstralia, ond
hunllef i Joseph Jenkins oedd y posibilrwydd y gallai gael ei
gladdu yno. Coleddai ddyhead cryf yn ei galon am gael
dychwelyd i Gymru a chael gorwedd gyda'i gyndeidiau a'i deulu
yn naear Ceredigion.

Ni welai unrhyw arwydd fod yna obaith i'w freuddwyd gael ei
gwireddu, ac wrth i'r flwyddyn 1890 fynd rhagddi, gwaethygu
wnaeth ei gyflwr, a pharhau wnaeth ei anlwc. Ar ddechrau mis
Mawrth cafodd anhap pan arllwysodd ddŵr berwedig dros ei
droed. Yn ôl ei ddisgrifiad roedd yn 'blistered and swollen so
that I could not walk'. Ceisiodd drin y llosg ag olew had llin gan
roi powltis arno bob nos i leddfu ychydig ar y poen. Er ei
ymdrechion, wnaeth y driniaeth fawr o les, a chwynodd, 'Rwy'n
glaf, rwy'n gloff, rwy'n boenus'. Ond yn dristach byth, meddai,
'I have no friends to console me at Maldon these dreary days …
or to fetch my necessities of life such as water and firewood'. Yn
ei gyfyngder pentyrrodd yr hen atgofion a'r hen ddyheadau yn ei
feddwl:

21 March 1890
I wish my eldest daughter could be at hand … the one
that is dead. I did assist her when she had her arm
dreadfully scolded in boiled starch.

Bu'n rhaid iddo ddioddef y poen arteithiol yn ei droed am wythnosau lawer. Yn isel iawn ei ysbryd, aeth ati ym mis Ebrill i lunio'i feddargraff ei hun, gan ddechrau â'r llinellau:

12 Ebrill 1890
>   Marw sydd raid, nis gwyddom pryd,
>   Pa fodd, pa fan, yn hyn o fyd …

Ond un o nodweddion amlycaf Joseph Jenkins ar hyd ei oes fu ei wytnwch corfforol a'i benderfyniad, ac ar ôl bod yn clafychu am dros ddau fis, fe'i cawn yn ôl wrth ei waith erbyn canol Mehefin. Roedd wedi llunio rhyw fath o esgid arbennig i'w droed chwith:'I made a big soft special slipper for my left foot which is still too sore and swollen to fit into my boot', ac yn y modd truenus hwn y ceisiodd ailafael yn y dasg o ennill ei damaid. Gan nad oedd wedi derbyn unrhyw dâl gan Gyngor Maldon yn ystod ei absenoldeb o naw wythnos, nid oedd ganddo fawr o ddewis. Mae'r disgrifiad ohono'n gweithio, 'limping between the arms of my wheelbarrow', yn ennyn ein cydymdeimlad.

Ond nid yr un Joseph Jenkins ydoedd y tro hwn. Ciliodd yr awch am waith wrth i'w gryfder ballu a'i iechyd ddirywio, ac ar 17 Mai edrychai ei gyflwr yn wirioneddol ddifrifol wrth iddo gwyno, 'I felt myself shaky and giddy … I was unable to walk forward and I felt as if I was dead drunk … I fell backward like a loose gate'. Daeth dau ddyn ato i'w helpu, ond er iddynt geisio'i berswadio i fynd i'r ysbyty ym Maldon, gwrthododd.

Nid oedd y gofid cyson am ei sefyllfa ariannol yn fawr o help chwaith. 'No wages since these last nine weeks! How can I live? Starve Jo!' I ychwanegu at ei ofid, dioddefodd bwl gwaeth o ddysentri yn ystod y cyfnod hwn, ac fe'i meddiannwyd eto gan y dyhead am farwolaeth:

23 May 1890
I am completely miserable and would rather die than live.
It appears now that my diaries will never go to Wales …
I am low in body, spirit and mind. I have not eaten an
ordinary meal for ten days. I have a gripping pain in my
belly – the effects of chronic dysentery. I was praying to
my God last night to be released and go quickly to the
Majority for lasting peace.

Aeth ati i baratoi ar gyfer y gwaethaf:

25 May 1890
I crawled to bed at 6 o'clock … I am obliged to leave my
door unbolted that somebody may come in to find my
corpse after death.

Wrth i'w gyflwr ddirywio, ymwelodd gweddw ei hen gyfaill
William Rees ag ef. Er iddi geisio bod yn garedig, ni chynigiodd
ei geiriau fawr o gysur iddo, oherwydd yr hyn a wnaeth oedd
cynnig bedd iddo!:

27 May 1890
The plain and kind old woman Catherine Rees came to
see me, she had 2 miles to come in her 77th year of age
– Mrs Rees wishes me to be buried inside their burying
ground … she sees that I cannot exist long like this.

Ac yntau mewn cyflwr mor druenus, mae'n rhyfedd nodi bod
ei feddwl yn dal i gorddi â chasineb tuag at Betty. Unwaith eto
mae'n rhoi'r bai am y cyfan arni hi: 'I had all sorts of bad and
cruel treatment while in Wales, where I was robbed of all my
comforts and property by one who swore to behave otherwise to-
wards me.' Pryd bynnag y byddai ei gyflwr corfforol yn isel,
byddai ei deimladau o elyniaeth tuag at ei wraig yn cynyddu'n
ddireolaeth.

Gallwn ddyfalu mai ei deimlad o euogrwydd, neu o leiaf ryw

agwedd ar ei gyflwr meddyliol, a wrthodai ganiatáu iddo o leiaf gydnabod mai Betty oedd wedi cynnal y teulu er iddo gefnu ar Drecefel, ac na wnaeth hi unrhyw ymdrech i rwystro'r plant rhag ysgrifennu at eu tad. Dangosodd Betty hefyd gryn garedigrwydd tuag ato drwy ddanfon arian i'w gynnal mewn cyfnodau anodd. Ond rhaid oedd i Joseph gael beio rhywun arall am ei sefyllfa. Gan amlaf, beiai'r cyfan ar yr anlwc a ddaeth i'w ran o gael ei eni ar ddydd Gwener, ond yr oedd ei wraig hefyd yn gocyn hitio cyfleus pa na fyddai dim byd arall yn taro.

Wrth weld ei gyflwr yn gwaethygu, galwodd Catherine Rees am y meddyg, a mynnodd hwnnw fod Joseph yn mynd i'r ysbyty ym Maldon. Ar ôl cael triniaeth yno, a chael bwyd da a gorffwys, fe'i gwelir yn codi fel ffenics o'r fflamau ac yn ailafael yn ei waith. Roedd hyn yn rhyfeddol o ystyried ei salwch, a'i gred ei fod ar ei wely angau. Ond er iddo gael gwellhad yn yr ysbyty, roedd yn gynddeiriog bod yn rhaid iddo dalu dwybunt yr wythnos am ei driniaeth, a chofnododd yn ei ddyddiadur: 'It's a crying shame'.

Ar ôl gwella dechreuodd ymddiddori unwaith eto ym mywyd economaidd Awstralia. Yr oedd yna gryn anniddigrwydd yn y wlad ar y pryd, a amlygodd ei hun mewn streic forwrol fawr. Parlyswyd y porthladdoedd wrth i forwyr adael eu llongau, ac o ganlyniad, codai prisiau nwyddau'n feunyddiol gan wneud bywyd yn anodd iawn:

20 August 1890
The strike increases through all the Colonies, 23 big ships remain at Melbourne alone. They cannot go to sea for want of hands. Every commodity is rising in price rapidly, even bread, when plenty of wheat and flour can be had inland.

Ar 25 Awst clywodd Jenkins fod y streic yn erbyn perchenogion y llongau'n dwysáu a bod prisiau nwyddau'n dal i godi. 'Everything for a man's provision is dearer, even the fruits and cabbages, carrots and potatoes.' Nid oedd hyn yn newyddion da i rywun fel yntau oedd ar gyflog pitw, ond roedd ef wedi rhagweld anawsterau o'r fath ers blynyddoedd wrth iddo sylwi bod y wlad ifanc yn gwario ac yn benthyca gormod. Gwaethygodd y streic:

Even the ship's officers have joined the Union and the stock of coal is out ... there is no coal to burn for gas to light the cities and towns ... I fear that the thieves and burglars will take advantage of the dark season.

Teimlai fod hyd yn oed cyfraith a threfn mewn perygl wrth i'r llywodraeth orfod cymryd camau pendant i gadw rheolaeth. 'A thousand extra Constables were sworn in at the city of Melbourne alone.' Clywodd hefyd fod y perchenogion llongau'n derbyn arian o Loegr er mwyn ceisio gorfodi'r streicwyr i ddychwelyd i'w gwaith:

30 August 1890
The ships' owners bitterly oppose the strike and are backed from England with £80 millions sterling according to the Telegrams, in order to bring the officers and men to a condition of starvation.

Yng nghanol yr argyfwng hwn daeth y newyddion am farwolaeth David Davies, Llandinam, y gŵr y bu'n canfasio mor frwd o'i blaid yn etholiad 1865. Mor wahanol y bu bywydau a gyrfaoedd y ddau oddi ar hynny. Cododd Davies i fod yn un o ddiwydianwyr amlycaf Cymru yn ystod y bedwaredd ganrif ar bymtheg, tra disgynnodd Jenkins i reng isaf cymdeithas yn Awstralia:

10 September 1890
David Davies, the great contractor and coal proprietor
has died. He was only a poor top sawyer when 25 years
old and 71 when he died. He would have been a
millionaire ... The wheel of fortune did much in his
favour but was stopped at last!

Dioddefodd golledion teuluol hefyd. Mewn llythyr oddi wrth
ei ferch Nel cafodd wybod am farwolaeth ei mab Ieuan yn saith
mlwydd oed. Disgrifiodd sut y bu i'r bachgen ddioddef
effeithiau'r dwymyn goch, ar er iddynt geisio'i waedu, yn ôl
arfer y cyfnod, ni ddaeth adferiad. Soniodd Nel hefyd am
ddewrder y crwt bach wrth iddo wynebu angau gan erfyn ar ei
rieni i beidio â galaru amdano. I ŵr a oedd yn dyheu am gael
gweld ei deulu unwaith eto, roedd cael gwybod ei fod yn awr
wedi colli un o'r wyrion na chafodd erioed gyfle i'w weld yn
ergyd drom iawn. Yn yr un llythyr soniodd Nel fod Benjamin,
brawd ieuengaf Joseph, yn clafychu ac wedi cadw i'w wely ers
deufis oherwydd y dicáu.

Yn naturiol ddigon codai'r gair 'dicáu' arswyd a thristwch
ynddo, ac ar 2 Rhagfyr gwireddwyd ei bryder wrth iddo dderbyn
copïau o *The Welshman* a'r *Cambrian News* a darllen bod
Benjamin wedi marw ar 15 Hydref. Hwn oedd ei hoff frawd, a
ffefryn y teulu oll. Yn berson disglair, enillodd gymwysterau
cyfreithiwr a sefydlu swyddfa yn Llambed. Teimlodd Joseph ei
golled i'r byw:

2 Rhagfyr 1890
Er pelled wyf, collais beth dagrau. Yr oeddwn mor hoff
o'm brawd Benjamin ... Mae'n hynod o dda gennyf ei
fod wedi byw yn gysurus gyda Jenkin ei frawd a bu yn
geidwad arno yn ein hen drefdadaeth.

Yr oedd hyd yn oed yr elfennau fel petaent yn troi yn ei erbyn. Wrth iddo geisio rhoi'r teimladau hyn ar bapur, trawyd Maldon gan storm fawr o fellt a tharanau, ac o'i fwthyn gwelodd fuwch yn cael ei tharo gan lucheden a'i lladd. Yna, fel yn y Beibl, cafwyd digwyddiad arall i'w brofi i'r eithaf wrth i bla o locustiaid ddisgyn ar y tir. 'The locusts covered the rail track making it so greasy that the wheels of the engine failed to grip and the train came to a halt ... these pests devour all sorts of green as they travel onward; vegetables, wines, corn, grass etc.'

Ond ni allai hyd yn oed y newyddion trist o Gymru na'r digwyddiadau ym Maldon ei hun ei gadw rhag ei dasg ddyddiol o ladd ysgall ar y stryd fawr a charthu'r budreddi o siopau'r cigyddion. Roedd yn rhaid iddo ennill ei damaid; gweithio neu lwgu oedd hi.

Serch hynny, daliai un peth i'w boeni. Oddi ar farwolaeth David Evans, Rheola, roedd wedi mynd yn fwyfwy gofidus ynghylch yr un dyddiadur ar ddeg a adawsai yng ngofal ei gyfaill, ac ofnai y byddai'r croniclau gwerthfawr hyn o'i fywyd yn mynd i ebargofiant wrth i eiddo David Evans gael ei werthu. Wrth iddo heneiddio gosodai bwys arbennig ar eu hachub a'u cadw fel tystiolaeth o lafur ei fywyd. Roedd yn ymwybodol hefyd o'r ffaith ei fod yn byw yn ymyl y dibyn ac y gallai farw cyn gwireddu ei ddyhead i'w danfon yn ôl i'r hen wlad. 'If I do not reach Wales my intention is to send my diaries there so that somebody may have the chance to know how I fared as their Antipode [sic].'

Ar ôl treulio'r Nadolig ar ei ben ei hun, ar 31 Rhagfyr 1890 cychwynnodd am Inglewood i hen gartref David Evans, Rheola, a llwyddodd i ddod o hyd i'r dyddiaduron. Tra oedd yno gofynnodd gweddw David Evans iddo lunio'i hewyllys ac i fod yn bresennol yn arwerthiant y fferm ym mis Chwefror 1891.

Profodd diwrnod yr arwerthiant yn achlysur trist wrth iddo weld
ffrwyth holl lafur y blynyddoedd yn cael ei werthu'n rhad, a'r
cwbl yn mynd rhwng y cŵn a'r brain wrth gael ei drosglwyddo
i ddwylo estron. Yn ei iselder gwnaeth y sylw hwn: 'What a man
will build up, time will pull down'.

Tua diwedd y mis cafwyd glaw mawr a llifogydd. Gan fod
dathliadau'r Pasg ym Maldon yn y fantol, bu'n rhaid galw ar frys
am help Joseph Jenkins. Meddai, 'I had to unblock the
footbridges and clear the channels ... it was heavy work to move
by barrow the mud, the sand and clay'. Er hynny llwyddodd y
gŵr 73 mlwydd oed i sicrhau bod dathliadau'r Pasg, sy'r un mor
bwysig ym Maldon hyd heddiw, yn mynd rhagddynt.

Ond wedi peryglon y llifogydd, daeth peryglon tân i boeni
Maldon. Mewn amglychiadau a oedd yn ddirgelwch, llosgwyd
siopau dillad, siopau esgidiau, siopau bwyd a siopau llyfrau'n
ulw. Mewn trefi a chanddynt gymaint o adeiladau pren, roedd tân
yn berygl cyson; ond yn ffodus y tro hwn ni chollwyd un bywyd.

Er mor fregus ei iechyd ef ei hun, gwelodd Joseph Jenkins
amryw o'i gyfoedion yn ymadael â'r byd hwn o'i flaen. Ym mis
Awst 1891 bu Rees Jones farw o'r dicáu. Hwn oedd y gŵr a
gododd i fod yn rheolwr y Beehive Golden Claim, y mwyaf
llewyrchus o'r ddwy ar hugain o gloddfeydd aur yng nghyffiniau
Maldon. Yn grwt ifanc dechreuodd weithio wrth ochr ei dad yn
y gwaith mwyn yng Nghwmystwyth, ond ymhen blynyddoedd
penderfynodd ef a'i wraig, a hanai o Benrhiw-pâl, ymfudo i
Awstralia i geisio gwell byd. Bu'r wlad newydd yn garedig iawn
wrthynt, a chymaint oedd eu llwyddiant nes iddynt fedru codi tŷ
moethus yn Church Sreet, Maldon. O bryd i'w gilydd
gwahoddwyd Jenkins yno, a daethant yn gyfeillion. Gadawodd
Rees Jones naw o blant ar ei ôl, yr hynaf yn ugain, a'r ieuengaf
yn fabi bach. Disgrifiwyd ei angladd gan Joseph: 'Rees Jones

had a swell funeral … Twenty five carriages followed a beautiful hearse drawn by two black horses … the coffin was covered with wreaths … withered flowers over a withered body'. Cafodd angladd anrhydeddus, a phrin y byddai wedi cael gorymdaith mor grand petai wedi aros yn unigeddau gogledd Ceredigion.

Ym mis Tachwedd, gofynnodd gweddw William Rees i Joseph am gymorth i gywain y gwair, ac roedd ef mor barod ei gymwynas ag erioed. Ar ddiwrnod llethol o boeth arfogodd ei hunan ar gyfer y gwaith. 'I soaked a big piece of calico in water and wrapped it around my head and I placed a green cabbage leaf inside my hat as a precaution against sun stroke.' Ar adegau fel hyn hiraethai am ddolydd gleision Trecefel a dyfroedd croyw afon Teifi, ac ychwanegwyd at ei hiraeth yn y cyfnod hwn pan dderbyniodd lythyr gan ei nai, Jenkin Jenkins (Aeronian), mab ei frawd, Cerngoch, yn ei annog i ddychwelyd:

> Dychwelwch – deuwch i Walia, Cofiwch
>   Fod Trecefel yma.
> Mae eich anwyliaid – dyaid da
>   Yn aeddfed am roi i chwi Noddfa.

Yn fuan wedyn aeth Joseph ati i gyfansoddi cerdd Saesneg dan y teitl 'The Old Home', a'i danfon i'r *Tarrangower Times*:

THE OLD HOME

'Tis many a year from home I've been, but I'd like to try somehow
To see the old folk once again; but they won't know me now.
But still the thought of dear old home does oft a pleasure bring,
But I have changed and they have changed, and changed has everything.

I'd like to see the old play-ground, and the green lanes where I've strolled,
I think I'd know my way around, though now I'm getting old,
And the grist mill with the water-wheel, the turnstile and the brook,
And the angler sitting by the stream, with his bait upon the hook.

With the blackberries upon the hedge, and the little birds at play,
And the willows and the meadows, do they look as green today?
And the song-birds on the branches, would their music sound as sweet?
And the glow-worms in the bushes, where the lovers used to meet.

And the old churchyard with tombstones thick, some crumbling in decay,
I think I could the old spot find, where they laid a friend away.
And the old school I remember yet, with ink-stained desk of yore,
With the scolds and birching then I got, but the master's now no more.

And by the pathway, near the church, two old graves together;
And the tombstones sinking in the earth, leant one against the other.
Beneath were friends in life, now in their graves long undisturbed they lie,
It seemed in death a touching thing, for tombstones thus to tie.

What matters it when death does come, and in the grave you're lain?
The friends you knew are very few who'd wish you back again;
And p'haps its well, for when you're old, you're often in the way,
So it's natural-like such things should be, as age to youth gives way.

Mae llinell olaf y gerdd yn awgrymu bod trefn rhagluniaeth yn mynnu bod yr hen yn gwneud lle i'r ifanc, ond nid yw hynny'n wir bob tro, oherwydd gyda'r llythyr nesaf a dderbyniodd o Gymru daeth y newyddion brawychus fod Jenkin Jenkins (Aeronian) wedi marw ar 17 Hydref 1892. Nid oedd Aeronian ond yn 46 mlwydd oed, yn ŵr o allu arbennig a enillodd ei blwyf fel bardd medrus. Bu'n llythyru'n gyson â'i ewythr, a gadawodd ei farwolaeth fwlch mawr. Roedd y teulu wedi profi trallod eisoes, oherwydd bu gwraig Aeronian farw ar enedigaeth ei hunfed plentyn ar ddeg, ar 27 Ebrill 1890 yn 39 mlwydd oed, a bu'r ferch hynaf, Margaret, farw o'r dicáu ar 27 Mai 1889. Bu marwolaeth Aeronian yn ysgytwad i Joseph Jenkins, gan ddyfnhau ei deimladau o anobaith ac iselder ysbryd. Wrth gofio am y deg o blant a adawyd yn amddifad, mynegodd Joseph y dyhead hwn yn ei ddyddiadur: 'I do hope I will be able to see them before I join their parents'.

Yn rhyfeddol, er gwaethaf yr holl ergydion personol a ddioddefodd, daliai Jenkins i boeni am sefyllfa economaidd Awstralia, ac ar ddechrau 1893 mynegodd ei deimladau'n ddiflewyn-ar-dafod:

3 January 1893
This Colony is going headlong into disaster ... It is heavily in debt to the tune of £50 million while it craves for still more loans ... Up to twelve banks have failed ... The London Chartered Bank has closed its doors. It is short of half a million pounds.

Byth oddi ar iddo lanio yn Awstralia, roedd wedi condemnio dull y ffermwyr o amaethu. Fe'u beirniadai am beidio â gwrteithio'r tir, a hefyd am beidio â darparu ar gyfer y cyfnodau anochel o sychder a barodd i filiynau o greaduriaid glafychu a marw.

Yn ystod wythdegau'r bedwaredd ganrif ar bymtheg tyrrodd tua 70,000 o fewnfudwyr i dalaith Victoria. Benthycodd y llywodraeth dros ddau can miliwn o bunnoedd er mwyn gwella'r ffyrdd, adeiladu rheilffyrdd a chreu gwaith i'r trigolion. Fel Cardi craff gwelai Joseph Jenkins mai peth peryglus oedd benthyca ar y fath raddfa, a theg nodi ei fod ef wedi gweld y golau coch saith mlynedd ynghynt:

21 December 1885
All mortgages bear interest rates of between 7% and 12%. For how long can things go on in this way? Only time will tell, but the day of reckoning cannot be far off ... When I arrived in the Colony in 1869, my share of the public debt was £4-13-4, but it is now £32.

Yn ôl Joseph, yr unig ffordd i sicrhau ffyniant Awstralia oedd gofalu am y tir:

1 January 1893
No nation can survive unless it improves the surface of
its soil through proper cultivation, employing labour at
fair wages.

Ymestynnodd cysgod y dirwasgiad cyn belled â Maldon, ac yn
ei sgil tyfodd yr achosion o dorcyfraith yn y gymuned gan
effeithio arno ef yn bersonol:

26 July 1893
Unemployment is rife … many families are starving. I
left a new bucket outside my door under the veranda and
it was stolen. Every schoolboy here is a downright thief.

Unwaith yn rhagor bu ei fwthyn, North Gate Railway Lodge,
yn darged rhwydd i ladron a fandaliaid. Wrth ddychwelyd yno un
diwrnod ym mis Tachwedd 1893, fe'i siomwyd yn fawr i weld fod
ei gartref wedi ei ddifrodi'n sylweddol: 'My two windows have
been broken, they were riddled by stones thrown by schoolboys'.
Cwynodd fod y plant yn gwbl afreolus: 'the larrikins are the
reckless governors of the place … parents have no control over
them … they will steal and break anything they see and molest
undefended people', ac fe'i pryfociwyd i'r fath raddau nes iddo
benderfynu cymryd camau cryfach yn eu herbyn:

29 January 1894
I made a start for work at 6.30 a.m. and came home for
dinner – I found some of the wicked schoolboys near my
Cot so I did load my gun in their sight and that made
them measure a safe distance very quick!

Ym mis Mawrth aeth at brifathro'r ysgol, Mr Smith, i gwyno
am ymddygiad gwarthus y plant, ond ni chafodd fawr o ymateb
gan hwnnw gan iddo fynnu nad ei gyfrifoldeb ef oedd
ymddygiad y plant y tu allan i oriau ysgol. Mae'n bosib y

byddai'r prifathro wedi ymateb yn wahanol petai'n ymwybodol o gyflwr iechyd Joseph. Dioddefai o hyd o effeithiau'r dysentri, a chymaint oedd ei ddolur nes iddo orfod cymryd 'fifty drops of laudanum to ease the pain and enable me to go to work'.

Serch hynny, nid o gyfeiriad y *larrikins* y daeth yr ergyd drymaf oll, ond o Gymru, mewn llythyr a dderbyniodd ym mis Mai:

> 6 May 1894
> I had a letter yesterday from a friend to say that my brother John (Cerngoch) died suddenly when waiting outside the house without anybody with him on 24 March 1894. This gave me a shock as I was very fond of him always, and we were of the same opinion on every subject.
>
> > Brŵd a hoff oedd y brawd hwn
> > Y goreu un a garwn.

Roedd wedi colli nid yn unig frawd ond hefyd gyfaill a rannai ei ddiddordebau mewn llên a barddoniaeth. Yn unigrwydd ei fwthyn teimlai'n gwbl ddiymadferth wrth ddarllen ac ailddarllen y newyddion anhygoel yn y *Cambrian News* am farwolaeth ac angladd ei frawd: 'A large concourse of people had followed the body from Penbryn to Rhydygwin Chapel'.[1] Yn ei drallod gwibiodd ei feddwl yn ôl dros y trigain mlynedd er claddu ei chwaer fach Esther yn 1832, pan oedd ef a Cherngoch yn llanciau ym Mlaenplwyf, ac meddai, 'I wish I could join Esther in Rhydygwin to escape the pain of living'.

Bu marwolaeth Cerngoch yn ysgytwad mor ofnadwy nes gorfodi Joseph i wynebu gwir realiti ei sefyllfa. Dyfynnodd o'r Salmau: 'Truan ydywf ac ar drancedigaeth'. Sylweddolodd y byddai'n rhaid iddo wneud trefniadau pendant os oedd am

---

[1] *The Cambrian News*, 30 Ebrill 1894.

John Jenkins (Cerngoch), brawd iau Joseph Jenkins

ddychwelyd i Gymru neu fe fyddai'n rhy hwyr. Aeth ar ei union
at y Cyngor er mwyn rhoi rhybudd iddynt y byddai'n rhoi'r
gorau i'w waith fel glanhäwr strydoedd Maldon ymhen mis.
Roedd wedi penderfynu mynd adref i Gymru o'r diwedd.

Aeth ati yn ystod Gorffennaf i roi trefn ar ei bethau, ond ar ôl
treulio'r holl flynyddoedd yn Awstralia, buan y canfu nad peth
hawdd oedd hynny. Bu'n hael ei fenthyciadau i amryw o bobl ond
nawr roedd angen yr arian arno. Cerddodd o gwmpas cartrefi'i
ddyledwyr yn erfyn am gael ei arian yn ôl, ond siom enfawr a'i
hwynebai ym mhobman. 'I did not get one farthing back of all the
money I lent … the money amounted to over £200.'

Anodd hefyd oedd cael unrhyw un i brynu'r bwthyn a'i holl eiddo gan mor dynn oedd y sefyllfa economaidd. Ac fel pe na bai hyn i gyd yn ddigon, gwelodd yr hwliganiaid gyfle pellach i ymosod arno fel cigfrain a'i boenydio yn y modd mwyaf creulon:

28 July 1894
When I arrived at my Cot before 9 p.m. I found that burglars had been there. The front window had been broken with the frame and part of the brick wall taken down ... they put my house on fire ... it was a damnable and cruel attempt ... my life is in danger ... I was afraid to go out ... I could not venture to look for the police ... I found 7 of my big diaries outside spread about ...

Y diwrnod canlynol ceir y cofnod truenus: 'I tried to block up my windows with boards and rags to keep out the cold'. Nid oedd ganddo ddigon o arian i brynu gwydr a thrwsio pethau'n iawn. O ganlyniad roedd y bwthyn nawr yn dywyll, a phrin y medrai ddarllen nac ysgrifennu. Eto daliodd ati, ac er bod ei ysgrifen yn anoddach nag arfer i'w deall, dengys y cynnwys pa mor isel ac argyfyngus erbyn hyn yr oedd ei gyflwr meddyliol:

30 July 1894
Poor Jo. Start for Wales as soon as you can or somewhere else. The grave would be safe from burglars and swindlers. My brother John is lucky. Nobody will disturb him in his resting place at Rhydygwin burial ground. Nobody will be able to torment me therein, death would be a boon for me ... I have suffered cruelty towards me in all shapes without the least cause or provocation – The history of my life has been wounds in this dreary world.

Un dyhead yn unig oedd ganddo ar ôl erbyn hyn:

31 July 1894
I should like to see my grandchildren before my dissolution.

Roedd y diwrnodau cyn iddo lwyddo i drefnu mordaith adref yn rhai hir, ac fe'i llethwyd gan unigrwydd. Dechreuodd ddifaru iddo roi'r gorau i'w waith mor gynnar, a disgrifia'i gyflwr:

> Rwy'n eistedd wrth y tân
> Heb neb yn agos ataf,
> Pe bawn i'n llunio cân
> Does neb i wrando arnaf.

Ar ben y cwbl ni ddaeth unrhyw seibiant rhag ymosodiadau'r *larrikins* melltigedig, a bu'n rhaid iddo fod ar ei wyliadwraeth yn gyson. Ar 14 Awst torrodd rhywun i mewn i'r bwthyn a dwyn £5, a daeth Joseph i'r casgliad, 'somebody must have a key to open my door ... I never read of so bad a thieving place as this Township ... This fine country is glorious, but her inhabitants could not be worse!' Dyma feirniadaeth hallt ar drigolion Maldon pan oedd yn teimlo ar ei isaf, ond nid oedd yn gwbl deg oherwydd derbyniasai gryn garedigrwydd gan amryw o rai eraill yn ystod y deng mlynedd y bu'n byw yno.

Teimlai Joseph ansicrwydd mawr wrth feddwl am ei ddyfodol, ac ailgydiodd hunandosturi ynddo. Wrth ymgolli mewn gwaith caled, llwyddai i reoli'r gwendid hwn, ond wedi rhoi'r gorau i'w swydd ym Maldon teimlai ar goll. Er mai caled ac amhleserus fu honno yn fynych, enillai rywfaint o foddhad a hunan-barch wrth iddo gadw strydodd Maldon yn lân. Llanwyd y gagendor gan iselder ysbryd:

27 August 1894
Poor Jo ... No Pay. No job. Cheer up. You wont be a stumbling block long to anybody in this friendless world.

Gofidiai na fyddai'n gallu wynebu treialon y fordaith ac ofnai y byddai'n cael trafferth i brynu tocyn:

28 August 1894
It will be an odd thing if the Brokers will accept me as a
passenger on the Mail Boat ... But I will try ... They take
more crippled old men than me on board when properly
paid.

Ac yntau'n ddi-waith, a heb unman i sianelu ei
anniddigrwydd, dechreuodd gorddi a theimlo'n ddig tuag at
bawb a phopeth unwaith eto. Daeth yr awdurdodau a reolai
Awstralia dan ei lach:

30 August 1894
This colony is going headlong to destruction for the
mismanagement of her Legislators. Each member
receives his £300 a year for blundering ... and going
millions into debt ... After working hard and honestly all
my life ... according to the cruel law of Victoria they
must put me in prison for a month, afterwards out to the
Bush to starve! ... Democratic Australia treats honest
people worse than ordinary thieves!

Drannoeth daeth y newyddion fod Mary, gweddw John Lewis,
un o wŷr cyfoethocaf Maldon, wedi marw. Er ei bod hi'n hanu o
Langeitho, prin fu'r cymorth a gafodd Joseph Jenkins ganddi yn
ystod ei flynyddoedd cynnar yn y dref. Hyn, a'i hwyliau isel,
mae'n debyg, sy'n cyfrif am y cofnod moel hwn yn sôn am ei
marwolaeth:

31 August 1894
Mary Lewis was a very covetous lady not much short of
a hundred years old with the best house in Maldon, and
with hard cash in the banks.

Er bod Joseph yn llawn pryderon am y daith, penderfynodd y
dylai gael dillad gweddus ar ei chyfer:

11 September 1894
I went to the Post Office Barings Bank to order £10 in cash
... having lodged £5 for a new suit of the best colonial
tweed ... I must try and prepare something for my intended
long voyage – if I will be alive and well enough to embark
on the Mail Boat ... I am afraid of the sea voyage in my old
age ... I have cut and trimmed my grey beard, there is
nothing that belongs to me now growing but my beard.

Ymhen yr wythnos teimlai'n fwy ffyddiog, a chododd yn
gynnar ar 17 Medi gan gofnodi: 'It is a beautiful morning – this
is a fine country but the snakes and flies will be out soon ...' Er
ei fod yn edrych ymlaen at gefnu ar Awstralia erbyn hyn,
parhaodd ei ddiddordeb brwd ym mywyd politicaidd talaith
Victoria. Roedd yna etholiad cyffredinol ar y gorwel, ac roedd
Joseph yn hallt ei feirniadaeth o'r ymgeiswyr seneddol:

19 September 1894
There are three sorts of candidate – The Squattors and
Landgrabbers, The Working Class and Tradesmen, and
the Farmers and Labourers. All of them are quite useless
when they are in opposition to each other ... The Paterson
Government has resigned giving way to G. Turner, St
Kilda, and his Liberal Ministry.

Ysgrifennodd yn gyson at ei deulu a soniodd wrthynt ei fod yn
bwriadu hwylio ar yr *SS Austral* ar 10 Tachwedd gan obeithio
cyrraedd adref erbyn y Nadolig. Danfonodd gopi o'r papur
newydd *The Age* at Jenkin ei frawd ym Mlaenplwyf i gyrraedd
'cyn y Ffeiriau Cyflogi Caethweision a morwynion dros y
flwyddyn'. Ond nid oedd ei drafferthion drosodd o bell ffordd.
Yn ogystal â'i ofid cyson am ei iechyd, gofidiai hefyd am ei
sefyllfa ariannol. Nid oedd wedi derbyn £90 a oedd yn ddyledus
iddo gan Gyngor Tref Maldon, ac yr oedd yn llawn pryder 'that

I will lose my wages through the Stratagem of the Clerk of the Work [sic]'. Ni welodd byth mo'r arian hwnnw. Prin bod ganddo ddigon erbyn hyn i dalu am docyn. 'I must look out', meddai, 'otherwise I will be unable to embark homeward.'

Erbyn canol Hydref roedd y sefyllfa'n dechrau mynd yn drech nag ef, ac ar yr ail ar bymtheg cwynodd, 'I feel myself getting weaker every day'. Dychwelodd yr hen baranoia a'r ymdeimlad fod pawb yn ei erbyn:

> I have been a sgapegoat long enough in this life ... The world can go on without me, as well as the Emperor of all the Russians, and even the Pope of the Vatican! ... For all that, I am proud of my life ... but I should like to see my grandchildren before I go.

Cwynodd ei fod yn rhwym ac angen meddyginiaeth: 'I feel bound and I took too much senna'. Ond gwnaeth hynny iddo deimlo'n 'loose and gripey', a dechreuodd ofni sefyllfa gyffelyb ar y llong:

26 October 1894
If this should happen on board among hundreds of passengers they would fling me overboard without consultation.

Gorweddai'r gofid am arian fel cwmwl drosto. Wedi iddo fethu â chael y £90 gan Gyngor Maldon, rhoddodd gynnig arall ar berswadio'r bobl oedd yn ei ddyled i dalu'r arian yn ôl:

2 November 1894
I took a long walk about the township (of Maldon) to-day as a collector, for money lent in good faith ... but my creditors are downright swindlers and complete rogues. I did not receive a farthing I had lent from my hand to different people at their word ...

Ymhlith ei ddyledwyr roedd llawer o Gymry. '4 November John Davies called to-day ... but he had no money ... he told me that he was going to the Hospital to pay all his debts.'

Erbyn 7 Tachwedd roedd wedi drysu'n llwyr: 'I dont know where to begin ...', a gofidiai am adael ei fwthyn a'i eiddo ar drugaredd y *larrikins* a'r lladron. 'I must leave all the heavy things behind, no-body will give me a farthing of money for anything ... I have no friend that deserves anything as a gift, neither money nor principles.' O ystyried ei haelioni at eraill yn ystod ei gyfnod ym Maldon, roedd yn gyfaddefiad trist i gofnodi nad oedd ganddo'r un ffrind ac yntau wedi treulio'r holl flynyddoedd yn Awstralia. Rhaid cofio, serch hynny, fod llawer o'i gydnabod wedi marw erbyn hyn, ac yr oedd ef ei hun mor annibynnol fel nad oedd yn hawdd iddo wneud ffrindiau agos.

Methodd Joseph â chael lle ar yr *SS Austral*, a dechreuodd feddwl na châi weld Cymru fyth eto, ond llwyddodd i grafu digon o arian i dalu am docyn ar yr *SS Ophir* a oedd i hwylio am Brydain ar 24 Tachwedd. Erbyn hyn, roedd wedi derbyn y ffaith y byddai'n rhaid iddo adael y rhan fwyaf o'i eiddo yn Awstralia, ond yr oedd yn benderfynol o achub ei ddyddiaduron. Bu'r rhain yn gymdeithion ffyddlon iddo ac yn rhan annatod ohono drwy gydol ei oes. Nid oedd am eu colli ar unrhyw gyfrif. Hyd yn oed petai'n marw ar y fordaith, byddai'r rhain yn dal yn destament huawdl i'w fywyd lliwgar, ac yn ffenestr ar fywyd Awstralia i genedlaethau'r dyfodol:

14 November 1894
Busy all day mending my portmanteau in order to pack my Diaries and manuscripts for Wales. Should I happen to die on the ocean, they will dispatch me cheap and easy. I hope that my Diaries will reach their destination at (Pont) Llanio Station in the care of Ebenezer and

Elinor Evans, Tyndomen. I will not live long to bother
them ... I was over 50 years when I was transported [sic]
to this part of the Globe. My conscience is clear.

O'r diwedd daeth yr awr i ffarwelio â'r cyfan. Y noson cyn
ymadael, yn naturiol ddigon, teimlai'n sobor o anesmwyth. 'I
was in bed early last night but could not remain in bed for two
hours and was quite sleepless.' Yna, yn gynnar ar fore 23
Tachwedd 1894 gadawodd North Gate Railway Lodge am y tro
olaf. Cafodd gymorth dau gymydog i gario 'my box and
portmaneau' i ddal trên 6.15 a.m. o Castlemaine i Melbourne.
Wedi'r holl dreialon a brofodd yn y dref hon, ei gofnod olaf am
Maldon oedd, 'I am obliged to go without due payments of many
hundreds of pounds, but I do consider that I leave a home where
I spent ten years comfortably in spite of my defaulters'.

Ymddengys, er gwaethaf yr anawsterau, ei fod braidd yn drist
i adael y dref a fu'n noddfa iddo yn ystod ei ddegawd olaf yn
Awstralia. Ond eto, er i'r wlad newydd brofi'n ddihangfa iddo, ni
lwyddodd i lwyr ymgartrefu ynddi. Dal i wibio rhwng ei ddau
fyd a wnaeth ei feddyliau a'i deimladau, a'i ddymuniad diysgog
oedd cael gorffwys yn naear Cymru. Ymladdodd frwydr lew yn
erbyn hiraeth ac euogrwydd llethol dros y blynyddoedd, ac yn
awr wrth i realiti ei freuddwyd fawr o ddychwelyd i Gymru
nesáu, rhaid oedd iddo baratoi ar gyfer tensiynau ac ofnau
newydd. Wrth adael Maldon, mae'n sicr iddo ddyfalu pa fath o
groeso fyddai'n ei ddisgwyl yn Nhrecefel.

Yn ddiddorol ddigon, Maldon oedd un o'r trefi cyntaf yn
Awstralia i gael ei dynodi fel 'tref hanesyddol nodedig', ac mae'r
cof am Joseph Jenkins yn dal yn fyw ynddi hyd heddiw.
Dymchwelwyd ei fwthyn, ond erys y sianelau dŵr a'r ffosydd y
bu ef mor ofalus ohonynt. Yn ei ddyddiaduron llwyddodd i ddal
awyrgylch a bwrlwm y dref ym mlynyddoedd olaf y bedwaredd

ganrif ar bymtheg, a gyda chyhoeddi detholiad ohonynt gan ei
ŵyr, Dr William Evans, yn dwyn y teitl *Diary of a Welsh
Swagman*[1], rhoddodd Joseph Jenkins enwogrwydd pellach i'r
dref. Prin bod neb o'r trigolion gan mlynedd yn ôl wedi deall
gwir gyfraniad y Cymro ecsentrig hwnnw a gerddai ar hyd y dref
y tu ôl i'w whilber. Efallai y byddent wedi bod yn fwy gofalus
ohono petaent yn gwybod ei fod, yn ei fwthyn gyda'r nos, yn rhoi
sylwebaeth fanwl ar yr hyn a welodd ac a glywodd yn ystod y
dydd.

---

[1]   *Diary of a Welsh Swagman 1869-1894.* Abridged and notated by William Evans. The
Macmillan Company of Australia Pty Ltd (1975).

PENNOD 21

RWY'N MYND TUA CHYMRU

Wedi cyrraedd Melbourne am hanner awr wedi naw y bore ar 23 Tachwedd, aeth Joseph Jenkins ar ei union i swyddfa'r Orient Line. Yno, am £26-15-6, prynodd docyn caban sengl ar yr *SS Ophir* a oedd i hwylio drannoeth i Ddociau Tilbury, Llundain. O'r diwedd gallai ymlacio ychydig oherwydd bu'n gofidio na châi brynu tocyn oherwydd ei oedran a chyflwr ei iechyd. Ar 24 Tachwedd aeth ar fwrdd yr *Ophir* er mwyn hwylio am 6.30 p.m. Wrth edrych o gwmpas y llong rhyfeddodd at ei maint. 'It is', meddai, 'a wonder to me that it would move!'

Adeiladwyd yr *Ophir* yn Glasgow yn 1891, ac roedd iddi bedwar dec. Pwysai 6,814 o dunelli ac fe'i gyrrwyd gan beiriannau ager a allai gynhyrchu 10,000 h.p. Oddi ar y fordaith gyntaf ar yr *Eurynome*, bum mlynedd ar hugain ynghynt, bu newidiadau sylweddol ym myd llongau, ac roedd yr *Ophir* yn un o'r rhai mwyaf modern. Petai Joseph wedi medru rhag-weld y dyfodol, byddai'r brenhinwr ynddo wedi teimlo cryn falchder o wybod mai'r *Ophir* a ddefnyddiwyd ym 1901 'as a Royal Yacht to convey the Duke and Duchess of York to Australia to open the Federal Parliament'.[1]

Trwy gyd-ddigwyddiad, ar yr *Ophir* yn 1898 y teithiodd Jonathon Ceredig Davies, yr awdur o Landdewibrefi. Wrth sôn

---

[1] Gweler Atodiad 3.

Yr Ophir, llong a adwaenid fel 'the Queen of the Indian Ocean'

am y fordaith ymfalchïai yng nghysylltiadau brenhinol y llong: 'The *Ophir* was one of the finest steamers of the Orient Line ... It was ... a favourite boat of their majesties; the present King and Queen travelled by it to Australia and other ports of the world. So I have the pleasure to go out to Australia in a boat which soon will become a Royal Yacht.'[1]

Ffarweliai Joseph â gwlad oedd yn gwbl wahanol i'r un y dihangodd iddi yn ôl yn 1869. Dros y blynyddoedd llwyddodd Awstralia i ddiosg llawer o nodweddion yr hen drefedigaeth ar gyfer troseddwyr, ac erbyn y 1890au roedd yno ymdeimlad newydd o genedligrwydd. Unwyd y gwahanol daleithiau i ffurfio Cymanwlad Ffederal Awstralia yn 1901, a mynegwyd yr ysbryd newydd hwn yng ngeiriau Henry Lawson, un o feirdd enwocaf Awstralia: 'We are lords of ourselves, our land is our own'.

Wrth i'r *Ophir* godi angor, ni phoenai Joseph mwyach am y wlad lle bu'n chwysu am chwarter canrif, gan faint ei ddyhead am gyrraedd Cymru. Ond roedd yna ofn ym mêr ei esgyrn hyd yn oed nawr na fyddai'n llwyddo i gyrraedd yno, ac mai cael ei gladdu yn y môr fyddai ei dynged:

> Rwy'n mynd tua Chymru gyda brys
> Heb graig nag awel groes:
> Ond cyflymach yw fy mrys
> Tua'm taith i ddiwedd oes.

Er mai teithio yn yr ail ddosbarth a wnâi'r tro hwn eto, roedd yr amodau byw yn fwy moethus o lawer nag ar yr *Eurynome*, felly roedd yr argoelion yn ffafriol am fordaith gyfforddus. Cofnododd: 'We left Port Melbourne and steamed past the Heads where many good ships are wrecked ... ship steaming well all

[1] J.C. Davies, *Life Travels and Reminiscences.* Cyhoeddiad preifat yn Llanddewibrefi (1927) VI, t 125.

night on a smooth and pleasant sea,' – tipyn gwahanol i'r noson gyntaf stormus honno ar yr *Eurynome* pan gafodd ei daflu o'i wely bedair gwaith wrth hwylio heibio sir Fôn. Hefyd gwnaeth ei gyd-deithwyr ar yr *Ophir* well argraff arno; nid ymddangosai neb ar fwrdd y llong hon yn anwar. 'There is nothing but order and civility to be seen.'

Wedi i'r llong adael Melbourne, angorodd ryw dair milltir o Adelaide, ac ar 28 Tachwedd cynhaliwyd cyngerdd ar ei bwrdd i ffarwelio ag Awstralia. Ar y trydydd diwrnod rhoddodd Joseph ei arian yn sêff y llong er mwyn ei gadw'n ddiogel. Wedi'r holl flynyddoedd o lafur diddiwedd roedd ganddo'r swm anrhydeddus o £32 a thair sofren felen. Cofiodd hefyd am ei ddyled i Catherine Rees a danfonodd lythyr ati'n diolch am ei charedigrwydd yn ystod ei dostrwydd. 'I expressed my gratitude to her for being like a mother to me when I was unable to take care of myself ... she wished me to be buried with her husband in his vault, but my wish is to be buried in Welsh soil ...'

O'r dechrau'n deg penderfynodd ei fod am fwynhau'r fordaith. Fel ar y fordaith gyntaf ymddiddorodd yn fawr yn y llong gan roi disgrifiadau manwl ohoni yn ei ddyddiadur:

> She has three big anchors in the forecastle between 1 and 4 tons and 2 main anchors on deck each weighing 7 tons... the crew consisted of 160 officers and the passengers numbered around 300.

Ni chafodd ei wawdio a'i ddirmygu gan unrhyw un o'i gyd-deithwyr fel ar yr *Eurynome* gynt, ond erbyn hyn roedd ganddo brofiad helaethach o'r byd mawr ac nid gwladwr 'diniwed' o gefn gwlad Ceredigion oedd ef mwyach. Darparwyd digonedd o weithgareddau ar gyfer y teithwyr, gan gynnwys mabolgampau a gynhaliwyd ar 10 Rhagfyr:

10 December 1894
A big sports and all sorts of racing was held ... two good
runners ran 10 times around the ship without stopping.
Even women and children ran short stages for money ...
scores of small children from 1 to 8 years of age are on
board – they have their passage free – and it is a wonder
to see how straight the 2 and 3 year olds can run along
joyfully even when the ship is rolling sideways.

Ymhyfrydai Joseph yn y bwrlwm o'i amgylch. Cafwyd
gornest 'tug of war' ar y dec a bu llawer o fetio ar y canlyniad.
Bu hefyd bob math o 'raffles consisting of mostly watches,
pocket knives, valuable pipes, rings and jewels'. Wedi diwrnod
difyr yn gwylio'r cyfan, trodd Joseph Jenkins i'w wely am 9 o'r
gloch, ond nid cyn gwneud y sylw miniog: 'I left them paying
the winners who mostly drank away the money won'.

Gwthiwyd yr *Ophir* yn gyflym trwy'r tonnau gan y peiriannau
grymus, ac ar 12 Rhagfyr cyrhaeddodd borthladd prydferth
Colombo yn Ceylon. Rhyfeddodd Joseph wrth weld dwsinau o'r
brodorion yn heidio ar y dec er mwyn gwerthu pob math o
drugareddau. Gan feddwl ei fod yn cael bargen, prynodd sigârs;
ond druan ohono, cafodd ei ddal unwaith eto. 'I bought a large
box of cigars for half a crown containing 120 cigars ... but some
bought the same quantity for 1/6. Poor Jo! Always in too much
of a hurry!'

Yn y porthladd gwelodd weithwyr yn llwytho cannoedd o
flychau o de Ceylon i'r howld, a hefyd dwy fil o dunelli o lo
Cymreig er mwyn gyrru'r llong. Pryderai Joseph ychydig wrth
glywed rhai o'r morwyr yn dweud yn gellweirus, 'the cargo is so
heavy she may stick in the mud of the Suez Canal!'

Wrth i'r llong deithio drwy Gefnfor India tua'r Môr Coch
roedd yn amlwg bod Joseph wrth ei fodd. 'What a delightful

scene all round, the ship goes well and steady. Last night one third of the passengers were sleeping on the decks. Most of them took their bedding with them.' Ond ychwanegodd, 'They are a nuisance in the morning'. Ers dyddiau Trecefel arferai Joseph godi am bump y bore, ond yma ar y dec, roedd yn rhaid iddo fod yn ofalus rhag sathru ar y 'sleeping bundles' fel y galwodd nhw. Am y tro cyntaf ers chwarter canrif, ers y dyddiau pell hynny pan fu'n gloddesta ac yn diota yn nghwmni Cyrnol Powell yng ngwesty'r Talbot, cawn Joseph Jenkins yn byw fel sgweier:

> I went on deck and had a smoke … read for two hours in the forecastle of the ship … Nothing can hinder my pleasure … I can see more than I wish to possess. I really think that I have seen as much as her Majesty the Queen Victoria … This is as well, if not better, than to possess it and be growled at when any part of the estate goes wrong through war or famine.

Ychydig iawn o amser i hamddena a gawsai yn ystod ei flynyddoedd yn Awstralia, ond yn awr ar yr *Ophir* roedd hi'n nefoedd ar y ddaear, gyda phopeth wrth law:

> Barbers and hair cutters are plentiful and are ready to attend for sixpence … Plenty of Bars with Bass Beer in bottles, sixpence a bottle is rather high for a pint … All sorts of spirits are not very dear unless you ask for the best.

Ond y pleser mwyaf oedd gwybod bod peiriannau'r llong yn ei gludo'n nes at Gymru ddydd a nos, ac meddai, 'I live in hope to see Welsh soil early next year at the end of the first week in January'. Yn naturiol ddigon, ar ôl yr holl flynyddoedd, pryderai sut fath o groeso fyddai'n ei ddisgwyl ar aelwyd Trecefel, ond roedd yr awydd i weld ei blant a'i wyrion yn drech na'r ofnau hyn. Wrth nesáu at y Môr Coch ceir arwyddion nad oedd ei iechyd yn dda iawn:

19 December 1894

Approaching the Red Sea ... Yr wyf yn hiraethu am weld
Cymru er fy mod yn ddigartref yno ... I wish I was in
Wales to see my children and grand children ... I am
doubtful whether I will be able to succeed ... I am
shaking all over from head to toe, and painful to myself
in many movements ... Even dressing and undressing
myself twice a day. I feel nearly unable to put my
stockings off and on ... I am longing to see Wales once
more before going to my last rest.

Edrychai ymlaen yn eiddgar at weld y llong yn cyrraedd Camlas
Suez. Bu agoriad hon yn 1869 o fantais enfawr i'r teithwyr a
wynebai'r fordaith flinderus o Brydain i Awstralia. Gellid yn awr
osgoi'r daith hir o gwmpas y Cape of Good Hope. Wrth hwylio
drwy'r Môr Coch rhyfeddai Joseph at lesni'r môr, ac ni allai ddeall
pam y cafodd ei alw'n goch! Yna, ar 22 Rhagfyr daeth yr hyn y
bu'n ei hir ddisgwyl i'r golwg. 'I can see the land of Egypt and a
lighthouse on the rocks.' I un wedi ei drwytho yn ei Feibl roedd y
profiad o deithio drwy'r parthau hyn yn fythgofiadwy, a llenwir
tudalennau'r dyddiadur â chyfeiriadau at hanes yr Israeliaid.

O'r diwedd profodd y wefr o hwylio i mewn i Gamlas Suez, a
sylwi wrth y fynedfa fod yno, 'fine buildings of brick walls with
ornamental trees'. Roedd angen gofal mawr i hwylio drwy'r
gamlas:

23 December 1894

The Suez canal is 85 miles long... sandy and level as far
as the naked eye could see... not straight but it zig zags
like an ordinary river... there are many beds and narrow
places... the ship is obliged to be steered by a pilot with
caution... not over five miles an hour otherwise it would
disturb the water and swell it to break down the brittle
and sandy sides.

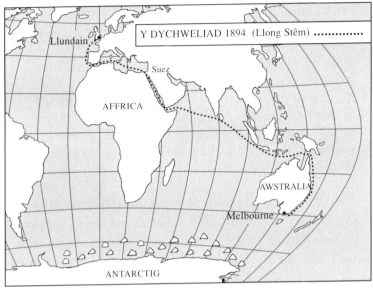

Y daith hwylus a chyflym tuag adref

Bu diddordeb eithriadol gan Joseph erioed mewn creu ffosydd a chamlesi; yn wir fe'i hystyriai ei hun yn dipyn o awdurdod ar waith o'r fath oddi ar y dyddiau pan fu'n ceisio newid cwrs afon Teifi a gwella tiroedd Trecefel. Daeth cyfle yn awr i edmygu campwaith Ferdinand de Lesseps, cynllunydd y gamlas, a chyfaddefodd mai hwylio trwy'r gamlas oedd un o brofiadau mawr ei fywyd.

Ar ddydd Llun, 24 Rhagfyr, gadawodd yr *Ophir* Port Said a sylwodd Joseph fod y dŵr yn llawn llaid am filltiroedd, 'and drives the sand as far as the Canal which causes much expensive dredging'. Wrth i fore'r Nadolig wawrio, edrychai ymlaen at y dathliadau a drefnwyd, ond yn anffodus trodd y tywydd yn ddrwg pan gododd y gwynt a chreu tonnau uchel. Serch hynny, llwyddodd y teithwyr i fwynhau cinio da, ond 'no roasted geese [y tro hwn eto!] ... but an abundance of excellent plum pudding and all the other festive foods of the Season'.

Gwaethygodd y tywydd ar Ŵyl San Steffan, ac roedd hi'n anodd sefyll ar fwrdd y llong, felly treuliodd Joseph y diwrnod yn gorwedd ar ei wely yn gwrando ar sŵn y llestri'n dymchwel: 'the loose tins and other things were thrown in all directions as if scores of Tinkers plied their trade throughout the ship'. Gyda'i hiwmor du ychwanegodd, 'It was a storm at sea but I have seen many worse in my lifetime!' A phwy allai wadu hynny?

Difrododd y storm un o gyrn simdde'r llong a gobeithiodd Joseph 'that the propellers will hold and the Welsh coal will drive the vessel on'. Tawelodd y rhyferthwy ymhen rhai dyddiau, ond ni thawelodd y storm oesol ym mynwes Joseph Jenkins, a daeth ymdeimlad o annhegwch i'w boeni unwaith eto. Er bod gan y teithwyr ail ddosbarth gaban, nid oedd ganddynt yr un cyfleusterau â theithwyr y dosbarth cyntaf, ac roedd hynny'n dân ar ei groen:

26 December 1894
One of my main discomforts on board is I have no convenient place to write or any sort of reading ... it is too crowded ... and my cabin is too dark. There is plenty of light and air day and night in the grand saloon with libraries, writing desks etc etc ... We dare not enter their premises and walk on their fine decks ... There are all sorts of swells, M.P.'s, lawyers, preachers, priests etc etc. How long will the world continue to support two sorts of inhabitants – one sort to scorn and tramp on the other? ... Death will relieve both, and that will be all in all.

I raddau, roedd gweld golygfeydd newydd yn feunyddiol yn ei gadw rhag digio gormod, a chyn bo hir nesaodd y llong at arfordir yr Eidal lle gwelodd Fynydd Etna am y tro cyntaf. 'I can see Italy close and Mount Etna glowing ... the mountains are covered in snow.' Wedi i'r llong angori yn Naples gallai weld 'steamers of all sizes ... and Mount Vesuvius pouring out its smoke and glowing fire at the top'. Gwnaeth hyn gymaint o argraff arno fel y brysiodd yn syth i yrru llythyr at ei frawd Jenkin ym Mlaenplwyf ac at ei ferch Nel yn Nhyndomen i sôn am yr holl ryfeddodau a welodd ar y fordaith.

Wedi hwylio drwy'r Môr Canoldir daeth yr *Ophir* i Gibraltar, a gollwng angor yn ymyl Canolfan y Llynges yno. Chwyddwyd balchder imperialaidd Joseph Jenkins wrth weld 'some of the strongest ships that England possesses called the Mediterranean Fleet including torpedo boats and other ships of war ... Artillery men are ready for action should it be required'. Er ei holl dreialon roedd yn ddiysgog yn ei barch tuag at yr Ymerodraeth Brydeinig.

Ar Ddydd Calan 1895, wrth i'r *Ophir* anelu am Fae Biscay, gwaethygodd y tywydd:

SS Ophir
Tuesday, 1 January 1895
On board the ship *Ophir* ... Rough and stormy ... Very cold and uncomfortable on deck ... she steers against the head in a complete gale ... The breakers are thrown heavily over the decks and even as high as the Bridge.

Yn ôl yng Nghymru roedd y llythyr a dderbyniodd y teulu gan Joseph Jenkins yn eu hysbysu o'i fwriad i ddychwelyd, yn naturiol wedi ennyn teimladau cymysg iawn yn eu plith, a disgwylient amdano â pheth anesmwythyd. Er eu bod wedi cadw mewn cysylltiad ag ef drwy gyfrwng llythyrau, eto i bob pwrpas, dieithryn fyddai ef iddynt ar ôl cyfnod mor faith. Er y byddai'r merched hynaf, Nel, Mary a Jane, yn ei gofio'n iawn, dim ond rhyw frith gof amdano fyddai gan Tom ac Anne, a chan mai dim ond babi bach deunaw mis oedd John David, yr ifancaf, pan

Anne, merch Joseph Jenkins

adawodd ei dad, ni fyddai ganddo ef unrhyw gof ohono. Ond pa fath o groeso fyddai Betty'n ei roi i'w gŵr afradlon? Wedi'r cwbl, yr oedd mwy o reswm ganddi hi na neb arall i'w gollfarnu. Mae'n sicr fod yna gryn bryder ar aelwyd Trecefel wrth i ddydd tyngedfennol y glanio agosáu. Yn ffodus, mae gennym dystiolaeth bendant o'r sefyllfa yn Nhrecefel oherwydd dilynodd Anne arfer ei thad o gadw dyddiadur manwl, beunyddiol. Mae'n ddiddorol nawr i ddilyn y dyddiadur hwn ochr yn ochr â dyddiadur Joseph a oedd yng nghanol berw'r storm ym Mae Biscay. Gartref, yn Nhrecefel, doedd fawr ddim wedi newid ar yr wyneb:

Trecefel
1 January 1895
Hard frost with snow on the ground. Children came for
their new year's gifts … which has been the custom for
more than half a century here. Daniel Pugh, servant, had
to take the horses to put some sharp nails in their shoes,
the road being too slippery for them to walk.

Tom went to Tregaron to arrange about meeting father
in London. Uncle Jenkin (Blaenplwyf) kindly wrote to
inform us that the HMS *Ophir* is due at Tilbury Docks,
Friday next.

Allan ar y môr daliai'r *Ophir* i frwydro drwy'r tonnau.
Ceisiodd Joseph Jenkins fynd mas ar y dec ond fe'i gyrrwyd i
lawr gan y morwyr er ei ddiogelwch ei hun:

SS Ophir, Bay of Biscay
2 January 1895
Wednesday. It looks boisterous. We may have a dance by
the ship. We can see Portugal on our right, it gets more
boisterous and the sea showing more sprays on its
surface, sign of storm ahead!

Stormus fu cychwyn y daith i Joseph Jenkins yr holl
flynyddoedd yn ôl yn 1868, ac mae'n amlwg mai stormus fyddai
diwedd y daith cyn i'r *Ophir* gyrraedd diogelwch y porthladd. Ni
ddatgelodd Joseph fawr ddim o'i deimladau mewnol ei hun wrth
iddo nesáu at Gymru. Mae'n wir ei fod yn gwireddu ei freudd-
wyd o gael treulio'i flynyddoedd olaf ymhlith ei hen gydnabod,
ond ar yr un pryd wynebai'r dasg o geisio ailgysylltu cadwyn a
dorrwyd mor ddisymwth chwarter canrif ynghynt. O bryd i'w
gilydd yn ystod y fordaith, poenai am gynhesrwydd y croeso
fyddai'n ei aros.

Yn y cyfamser, 'nôl ar yr hen aelwyd, mae Anne yn cofnodi'r
newyddion am ei thad a ddaeth i Drecefel:

Trecefel
2 January 1895
Roads very slippery ... letters from Uncle Jenkin and
another from brother John both containing information
about my father. He has fortunately been in very good
health during the voyage, therefore able to enjoy and
appreciate the grand sights.

Go brin bod unrhyw 'grand sights' i Joseph mwyach, oblegid
gwaethygodd y storm:

SS *Ophir*, Bay of Biscay
3 January 1895
The storms were increasing ... and the ship was both side
rolling and pitching. We are enclosed down in our
cabins... The storm ... is furious now. We dare not go
out for the strength of the wind.

Er bod Anne a'i mam yn ceisio cyflawni eu gorchwylion
beunyddiol, roedd yn amlwg bod dyfodiad Joseph ar eu meddwl
yn wastadol:

Trecefel
3 January 1895
Snow falling during the night ... when Mother and I
seated ourselves by the breakfast table Tom came in
wrapped in his overcoat, he had been with Uncle
Jenkin... Tom told us they had arranged to meet Father
at Tilbury Docks, London. Daniel Pugh, the servant,
drove him to meet Uncle and make for Lampeter where
they intend to catch the train for Carmarthen or
Aberystwyth en route for London by night mail.

Allan ar y môr roedd y storm yn ei hanterth, a bu'n rhaid i'r
llong fwrw angor am rai oriau:

Ym mherllan Trecefel ar droad y ganrif. O'r chwith i'r dde: Jane Davies, Frithwen, merch Joseph Jenkins. Anne Evans, Tynant, mam Betty Jenkins. Anne Jenkins, merch Joseph. Betty Jenkins, gwraig Joseph. Mary Jones, Pencefn, merch Joseph. Evan Jenkins, Nantgwyllt. Tom Jo Jenkins, mab Joseph.

SS Ophir
4 January 1895
This morning I went on Deck and found that the wet and
windy storm is still raging ... the ship had her anchor
cast last night about 8 o'clock; after stopping about 4
hours she resumed her voyage for London ... not quite as
rough ... but still a complete storm.

Erbyn hyn roedd Tom, ei fab, a Jenkin, ei frawd, ynghyd â dau
gefnder, wedi dal y trên i Lundain, er mwyn paratoi i gwrdd ag
ef. Byddai John David, ei fab ieuengaf, a oedd bellach yn feddyg
yn ysbyty Bethnal Green, yn ymuno â hwy yno. Arhosodd Anne
a'i mam yn Nhrecefel ond roedd si eisoes wedi lledu drwy'r
gymdogaeth am ddychweliad Joseph Jenkins. Bu llawer yn
ymweld â Threcefel – y rhai mwyaf busneslyd am weld beth
oedd ymateb Betty, ond eraill oherwydd eu consýrn am y teulu:

Trecefel
4 January 1895
Thawing and slippery ... Miss Owens Penrallt called to
see and sympathise with us in our loneliness during
Tom's absence.

Ar 5 Ionawr 1895 cafwyd y cofnod olaf yn nyddiaduron
Awstralia Joseph Jenkins wrth iddo ddisgrifio'r llong yn
cyrraedd aber afon Tafwys:

London
5 January 1895
Before I went to bed last night I went on deck ... it was
rough and stormy ... the breakers were coming over the
deck an up to the forecastle to the annoyance of the big
folks ... I heard the Anchor dropped on the mouth of the
Thames at 4.30 a.m., but went back again for an hour. At
5.30. I went on deck and found it wet and windy ... not
so boisterous as it was last night – we are on a smooth sea

– Mouth of the Thames. The ships will not be taken to the Dock for hours yet.

Gwaethygu wnaeth y tywydd yn Nhrecefel, ac roedd hi'n amlwg bod y gwragedd yn anesmwyth. Cawsant wybodaeth am y sefyllfa ddiweddaraf gan John:

Trecefel
5 January 1895
Cold and snowing ... Late getting up having spent a restless night ... The latest intelligence we have received was a letter from brother John to say the ship *Ophir* was not expected until some time to-day and that he had met Tom and Uncle Jenkin at Paddington Station.

Ymwelodd Thomas Evans, brawd Betty, â Threcefel i gael y newyddion diweddaraf am ei frawd-yng-nghyfraith. Hefyd, daeth Mary, merch Joseph Jenkins, i holi am ei thad.

Trecefel
6 January 1895
Uncle Tynant, John Maestir and Mary Fro drove up to get news about father, we were very sorry we could not acquaint them with much.

O'r diwedd, yn hwyr y prynhawn ar 5 Ionawr, clymwyd yr *Ophir* wrth borthladd Tilbury. Roedd 'Odyssey' Joseph Jenkins bron ar ben.

Ar y cei, yn aros yn bryderus amdano, safai ei bum perthynas a oedd ar bigau'r drain ac yn teimlo'n anesmwyth. Wrth i'r teithwyr ddisgyn o'r llong o'r diwedd, nid adnabu'r un ohonynt Joseph Jenkins i ddechrau. Bu'n rhaid i Jenkin, ei frawd, fynd at y dieithryn a gofyn yn betrus, 'Ai ti yn wir yw Joseph?'[1] Roedd Jenkin, a adnabuasai Joseph mor dda, wedi'i syfrdanu. Roedd y

[1]   *Diary of a Welsh Swagman 1869-1894*, t. 216.

dyn a adawodd Drecefel yn 1868 dros chwe throedfedd o daldra, yn ŵr cydnerth, hunanhyderus, a chanddo olwg o awdurdod. Ond roedd y person roedden nhw'n ei gyfarch nawr yn wargrwm a musgrell, wedi heneiddio y tu hwnt i bob adnabyddiaeth. Oherwydd ei gyflwr bregus, penderfynodd y cwmni aros yn Llundain am ddwy noson er mwyn iddo gael cyfle i gryfhau rywfaint ar ôl y siwrnai, ac ar fore Llun daliasant y trên cyntaf o Paddington i Gymru. Arhosodd John yn Llundain.

Fin nos ar 7 Ionawr, daeth gwas Trecefel â'r 'wagonette' i stesion Tregaron i gwrdd â'r parti o Lundain a'u hebrwng yn ôl i'r fferm. Cludwyd Joseph Jenkins filltir olaf ei daith dros afon Teifi i fyny'r lôn, a'r wlad wedi rhewi'n gorn o'i amgylch. Ni allwn ond dyfalu beth oedd ei feddyliau wrth iddo gyrraedd y tŷ, gan fod y dyddiadur yn fud. Rydym yn ffodus dros ben bod geiriau Anne ar gael:

> Trecefel
> 7 January 1895
> Hard frost ... The wagonette arrived containing Father, Uncle Jenkin, cousin J. Lloyd, brother Tom and Evan Jonathon. I went out to welcome them. Mother could not, she felt it very much. Wil Lloyd Llanfairfach, Hugh Williams Derigaron and Gwilym Evans called later to see Father. It seems he has altered very much and his memory is defective.
>
> I trust Mother and all of us will be reconciled after his coming and that we will all feel comfortable.

Ni ellir beio Betty am fethu â mynd allan i'r clos i gyfarfod â'i gŵr. Mae disgrifiad cynnil Anne yn awgrymu ei bod dan gryn deimlad, ond nid oes gennym ddarlun o'r sefyllfa pan ddaeth wyneb yn wyneb ag ef o fewn y tŷ. Pardduwyd hi droeon gan Joseph Jenkins rhwng cloriau ei ddyddiaduron, ond yn awr fe fyddai'n dibynnu'n llwyr ar y croeso a roddai hi iddo ar aelwyd Trecefel. Gobeithiai Anne am gymod wedi'r blynyddoedd hir o edliw a drwgdeimlad, ond byddai hynny'n gofyn am lawer o amynedd a gostyngeiddrwydd ar y ddwy ochr er mwyn lliniaru peth ar yr atgasedd fu'n bodoli am chwarter canrif a mwy. Roedd gan Joseph a Betty weddill eu bywyd i geisio datrys eu hanawsterau – ond a fyddai hynny'n ddigon?

PENNOD 22

MARW SYDD RAID

Wrth iddi wawrio ar fore 8 Ionawr 1895, gorchuddiwyd dolydd Trecefel â chaenen o lwydrew. Yn ôl ei arfer cododd Joseph Jenkins yn blygeiniol. Wrth edrych drwy ffenestr ei ystafell gwelodd yr olygfa y breuddwydiodd amdani laweroedd o weithiau yn ystod blynyddoedd maith ei alltudiaeth. Yn fynych, ac yntau'n llafurio o dan haul tanbaid Awstralia, hiraethai am gael cerdded ar lannau Teifi ar fore iachus fel hwn. Heddiw, gwireddwyd y freuddwyd honno ac ni fyddai'n rhaid iddo wynebu'r llwch ar strydoedd Maldon fyth ragor. Ei obaith y bore cyntaf hwnnw oedd y byddai'n gallu treulio gweddill ei flynyddoedd mewn heddwch yn ei fro enedigol.

Ond ar ôl chwarter canrif roedd cymaint wedi newid. Dieithriaid oedd y plant, i bob pwrpas, er iddo lythyru â hwynt yn gyson dros y blynyddoedd, ac nid peth hawdd fyddai ceisio ailafael mewn pethau wedi cyfnod mor faith.

Bu Betty'n ddigon cwrtais wrtho, er nad oedd fawr o wres yn ei chroeso, a phwy fedrai ei beio am hynny? Yr oedd yr hen ŵr a groesodd drothwy Trecefel yn ddieithryn iddi hithau hefyd wedi chwarter canrif hir. Yn ystod y blynyddoedd hynny, bu'n rhaid iddi greu bywyd o'r newydd er mwyn magu'r plant, ac fe wnaeth hynny, er gwaethaf yr anawsterau. Bu'n rhaid iddi hefyd geisio claddu'r gorffennol, ond yn awr fe ddisgwylid iddi anghofio am bob cam a chroesawu ei gŵr yn ôl i'r aelwyd.

Buan y deallodd Joseph Jenkins ei fod erbyn hyn yn estron yn ei wlad ei hun. Efallai bod yna fanteision i'w cael, wedi'r cwbl, yn y caban hwnnw yn ymyl y rheilffordd ym Maldon. Er y cyntefigrwydd, roedd yno annibyniaeth a rhyddid. Tybed a fyddai wedi bod yn ddoethach iddo wrando ar yr hen Catherine Rees a derbyn ei chynnig o ddarn o dir ym mynwent Maldon yn ymyl ei gŵr? Byddai hynny'n llai poenus na chael ei ddadrithio'n llwyr. Ond yr oedd yr awydd i ddychwelyd i Gymru yn rhy gryf, a'r dymuniad i gael ei gladdu yn naear ei fro gynefin wedi tyfu'n obsesiwn. Un tro yn Awstralia ysgrifennodd, 'I have changed and they have changed and changed has everything', ond prin y sylweddolodd holl rym y geiriau hyn nes iddo gyrraedd yn ôl.

Roedd ei ymadawiad sydyn yn 1868 wedi bod yn sioc i bawb, ac wedi creu cryn gynnwrf yn yr ardal, felly roedd ei ddychweliad yn ddigwyddiad o bwys i bobl y fro. Er bod miloedd wedi gadael sir Aberteifi yn ystod y cyfnod hwn, a llawer ohonynt wedi croesi'r môr, prin oedd y rheini a ddychwelodd i'r sir ar ôl cyfnod mor hir. Roedd pob un am gyfarfod â Joseph Jenkins, neu o leiaf ei weld, a heidiodd y cymdogion i Drecefel. Mae Anne, ei ferch, yn sôn am lu o bobl yn galw heibio i gwrdd â'i thad ar y diwrnod cyntaf. Erbyn hyn, roedd amser wedi pylu cof Joseph, a chafodd anhawster i adnabod rhai ohonynt:

8 January 1895
Roderick Evans, Rhatal, Aunt and Cousin Jane, Derigaron, Wil Rowlands Ystrad and Mr Jones all came to see father. Aunt (Derigaron) was the only one he recognised since his arrival in this country, and he seemed exceedingly pleased to see her. They had a long chat by the parlour fire.

Drannoeth daeth ymwelydd a oedd yn llai derbyniol i'r teulu:

9 January 1895
Wil Rees Waunfawr, who was under the influence of
drink called late in the evening and insisted on seeing
Father.

Roedd hwn yn un o gyn-bartneriaid Joseph Jenkins ac un a
fyddai'n yfed gydag ef yn y tafarnau. Yn groes i ewyllys Anne
a'i mam, mynnodd ddod i mewn i'r tŷ. Roedd ei bresenoldeb yn
anathema iddynt, ac ofnent y byddai hen broblem y ddiod yn
ailgodi'i phen. Wedi i Joseph eu gadael am Awstralia, roedd
Betty wedi hyfforddi ei phlant i ofni a chasáu alcohol, a daeth
Anne yn aelod gweithgar o'r British Women's Temperance
Association, a'i hethol i bwyllgor gwaith y Tregaron Temperance
Association. Credai'r ddwy mai alcohol oedd wrth wraidd yr holl
ofid a phoen fu yn Nhrecefel ar hyd y blynyddoedd, ac ni
chaniateid unrhyw alcohol yn y ffermdy ond at bwrpas

Tystysgrif Anne, y ddirwestwraig ddiwyro

meddygol. Er bod Joseph wedi dod i delerau â'r ddiod yn Awstralia, gwyddai Anne am y perygl iddo ildio i'r demtasiwn unwaith yn rhagor o dan ddylanwad rhai o'i hen ffrindiau. Ni wyddys beth ddigwyddodd wedi i Wil Rees ddod i'r tŷ y noson honno, ond gallwn fod yn weddol sicr na phrofodd yr un croeso twymgalon a gynigid i ymwelwyr eraill.

Un o'r ymwelwyr hynny oedd brawd i ffrind Joseph yn Awstralia y mae Anne yn cyfeirio ato ar 19 Ionawr 1895: 'Mr Jones, Penwern, came to see father to get an account of his brother Walter who had been in Australia for 26 years'. Gallai Joseph Jenkins gyfeirio at ei brofiadau ef a Walter Jones yn cloddio am aur droeon yn Awstralia, ond heb fawr o lwc. Bu'r ddau hefyd yn cydweithio ar nifer o ffermydd, gan gadw mewn cysylltiad â'i gilydd dros gyfnod o chwarter canrif. Dro arall galwodd gŵr ieuanc o Dal-sarn heibio yn gwneud ymholiadau ynglŷn ag eiddo David Evans, Rheola. Unwaith eto medrai Joseph fod o gymorth oblegid ef fu'n cynorthwyo gweddw David Evans i osod trefn ar bethau wedi marwolaeth ei gŵr.

Bu holl ymweliadau'r cymdogion yn dipyn o straen ar y teulu. Dechreuodd Joseph Jenkins deimlo'n flinedig, ac ar ben y cyfan cafodd annwyd trwm a'i cadwodd yn gaeth i'w wely am rai dyddiau. Gadawsai Awstralia yng ngwres llethol yr haf a'i gael ei hun yng nghanol oerni'r gaeaf yng Ngheredigion.

Erbyn hyn, Tom y mab a ffermiai Drecefel, ac roedd wedi hen arfer gwneud penderfyniadau. Peth anodd fyddai i'w dad beidio ag ymyrryd, yn enwedig felly i un mor weithgar â Joseph Jenkins. Yr oedd Tom hefyd wedi etifeddu rhai o wendidau amlycaf ei dad, ac ar adegau byddai yntau'n ymhél â'r ddiod, er mawr ofid i'w fam a'i chwaer. Byddai angen ysbryd cymodlon Anne weithiau i gadw'r heddwch, a soniodd yn fynych fod Tom 'in a bad mood'.

Wedi dod yn ôl i Gymru, daliodd Joseph Jenkins ati i gadw dyddiaduron. Yn anffodus, nid yw'r rhain ar glawr, ac yn ôl yr hanes cawsant eu dinistrio. O ganlyniad, collwyd croniclau gwerthfawr a fyddai'n dadlennu ei feddyliau yn ystod ei flynyddoedd olaf. Rydym yn ffodus tu hwnt bod Anne wedi cydio yn y traddodiad teuluol, ac ar ei chofnodion hi y dibynnwn am gip o hanes ei thad yn hwyrddydd ei oes. Dechreuodd hi gadw dyddiadur yn 1886, a llanwyd 61 o gyfrolau erbyn iddi farw yn 1948. Mae'n ddiddorol nodi fod dyddiaduron Joseph Jenkins a'i ferch Anne yn pontio dros 120 o flynyddoedd.

Erbyn 21 Ionawr, mae Anne yn nodi bod ei thad yn ddigon cryf i fynd mor bell â Thregaron yng nghwmni hen gyfaill iddo, sef David Jones y maswn: 'he walked the mile or so... without difficulty'. Nid oedd y dref wedi newid rhyw lawer, ond roedd yna un ymweliad y bu'n rhaid iddo'i wneud. Byth oddi ar iddo glywed y newyddion trist am farwolaeth ei hoff ferch, Margaret, bu'n dyheu am gael sefyll yn ymyl ei bedd; felly arweiniodd David Jones ef i'r fynwent newydd a leolwyd ar ddarn o dir wedi ei roddi gan Gyrnol Powell, Nanteos. Cysegrwyd y fynwent yn 1883 a Margaret oedd y cyntaf i gael ei chladdu yno. Arhosodd Joseph ar ei ben ei hun ar lan y bedd am beth amser, ac mae'n siŵr i'r atgofion lifo'n ôl. Wedi'r profiad emosiynol hwn, cerddodd yn ôl i'r sgwâr i weld y gofgolofn newydd a godwyd i Henry Richard, A.S. (1812 - 1888).

Roedd Joseph Jenkins yn hen gyfarwydd â Henry Richard, oherwydd buont yn gyfoedion yn y maes gwleidyddol yng Ngheredigion. Bu Henry Richard yn aflwyddiannus yn ei gais i fod yn aelod seneddol dros sir Aberteifi, ond yn y diwedd, cafodd ei ethol yn aelod dros Ferthyr Tudful ac agorodd hynny yrfa ddisglair iddo ar lwyfannau rhyngwladol. Bu bywydau Joseph Jenkins a Henry Richard yn gwbl wahanol, ond anfarwolwyd y

*Dadorchuddio cofeb Henry Richard yn 1893 – o flaen hoff westy
Joseph Jenkins, y Talbot*

ddau ohonynt. Erbyn heddiw, cydnabyddir cyfraniad Joseph
Jenkins, a chodwyd cofeb iddo ym Maldon ar 27 Tachwedd 1994
i ddathlu 'his monumental contribution to the life of a rural
worker in Victoria as recorded in his diaries'. Wrth iddo syllu ar
yr anrhydedd i Henry Richard ar sgwâr Tregaron yn 1895, prin
y breuddwydiai Joseph y byddai ef hefyd yn cael ei goffáu
ymhen can mlynedd yn Awstralia bell. Ac fel un â pharch mawr
at addysg, fe fyddai'n sobor o falch bod ei ddyddiaduron yn cael
eu hystyried yn ffynhonnell bwysig o hanes.

Yn raddol, dechreuodd Joseph ddod i delerau â'i fywyd
newydd. Ymddiddorodd yn yr hyn a welai o gwmpas y fferm, a
mentrai yn amlach y tu hwnt i'w ffiniau. Erbyn 18 Chwefror
teimlai'n ddigon hyderus i fynd am dro i'w hen gartref,
Blaenplwyf. Bu hynny'n anodd gan fod yr hen genhedlaeth wedi
diflannu a John (Cerngoch) a Benjamin eisoes wedi marw.
Meddai Anne, 'He was much affected by the visit and recalled

the days of his youth when his mother, father and young Benjamin were still alive'. Daliai ei frawd, Jenkin, i fyw ym Mlaenplwyf ar ei ben ei hun; ystyrid ef erbyn hyn yn ŵr o ddylanwad yn y cylch, ac roedd yn henadur parchus ar Gyngor Sir newydd Ceredigion.

Yn ystod ei flynyddoedd hir yn Awstralia, soniodd Joseph Jenkins yn fynych am ei awydd i weld ei wyrion, ac ym mis Chwefror trefnwyd iddo gyfarfod pob un ohonynt, a rhoddodd bunt yr un iddynt i gofio am eu tad-cu.

Nid oedd pob achlysur yn ystod y cyfnod hwn yn dwyn yr un hapusrwydd, serch hynny. Ceir llawer awgrym yn nyddiadur Anne fod ei thad yn dechrau cyfeillachu â ffrindiau llai dymunol, oherwydd ar ddechrau 1895 ysgrifennodd:

> 1 January 1895
> How little we know of the future and what 1895 will bring us ... It is well that the veil cannot be lifted.

Efallai ei bod hi'n beth da nad oedd modd i'r teulu rag-weld y dyfodol, oherwydd wedi ymdrech glodwiw i goncro'i wendid yn ystod ei flynyddoedd maith yn Awstralia, ymhen ychydig wythnosau ar ôl dychwelyd, dechreuodd Joseph lithro i'w hen arferion. Ceir tystiolaeth i'r sefyllfa anhapus yng ngeiriau Anne:

> 15 February 1895
> Father went into town which put Mother in a very bad humour.

> 19 March 1895
> Father went into town – Thomas George, Shoemaker brought him home.

> 3 July 1895
> Father went to town early and came home in a very bad humour and much the worse for drink.

Yn anochel, dychwelodd yr hen densiynau a thaflwyd cysgod eto dros Drecefel wrth i ofnau gwaethaf Betty gael eu gwireddu. Achoswyd loes calon i Anne hefyd. Tra gallai nodi gyda balchder yn ei dyddiadur, 'forty new people have signed the pledge' ac annog pobl i beidio yfed, yfai ei thad lond bol o gwrw yn nhafarnau'r ardal. Gwnaeth hynny ei safle fel un o arweinwyr mwyaf blaenllaw dirwest yn lletchwith a bron yn amhosib:

4 July 1895
Father and Joseph [cefnder] were on the spree all day.

15 July 1895
Father in town and returned home late, very much the worse for drink. David Lewis brought him home.

Er mwyn osgoi'r tensiynau cynyddol yn Nhrecefel, trodd Joseph Jenkins at y feddyginiaeth a ddefnyddiodd droeon mewn amgylchiadau tebyg, ac er gwaethaf ei gyflwr bregus a'i oedran, ceisiodd ymdaflu i waith y fferm. Ni fedrai mwyach gael catharsis drwy lafur caled, ond o leiaf gallai fwrw ati i wneud rhywfaint o waith ysgafn:

26 March 1895
Tom and father mending gaps in Caesharno hedge.

3 April 1895
All hands carrying the corn to the stack ... father included.

Cafodd ddihangfa gyson hefyd wrth ymweld â'i ferched, Jane yn Derigaron, a Nel yn Nhyndomen. Daeth yn agos iawn at Nel ac ymwelai â hi bron yn feunyddiol. O'r plant i gyd, mae'n debyg mai hi a gadwodd y cysylltiad agosaf ag ef yn Awstralia drwy ddanfon llythyrau ac anrhegion iddo. Ar ôl iddo ddychwelyd, ceisiodd Betty roi cartref iddo, ond oherwydd y rhwyg a

*Yn atig Tyndomen, cartref Nel, merch Joseph, y cadwyd y
dyddiaduron am saith deg o flynyddoedd*

achoswyd gan y ddiod, byw bywydau ar wahân a wnaent i bob
pwrpas. Roedd hi'n 56 mlwydd oed erbyn hyn, ac ar ôl helyntion
cythryblus ei bywyd, yn dyheu am flynyddoedd tawel a digyffro
yng nghwmni'r plant. Ond nid felly y bu. Ym mis Hydref cafodd
ddamwain ddifrifol a ddisgrifir gan Anne:

> 26 October 1895
> The mare Star while drawing the gambo trod on Mother's
> foot causing her to fall. The wheel went over her at waist
> level and she sustained fractures of both collar bones and
> ribs.

Galwyd ar unwaith am ei nai, Dr Evan Evans, Greengrove.
Llwyddodd i drin ei chlwyfau a'i gwneud yn gyfforddus, ond
wrth roi archwiliad iddi, gwelodd ei bod yn dioddef o glefyd y
galon. Cafodd Betty orchymyn i orffwys a syrthiodd y
cyfrifoldeb o ofalu am ei mam a'i thad ar Anne, gyda rhywfaint

o gymorth gan y merched eraill.

Meddai Anne ar alluoedd anghyffredin, a thrwy gymorth ariannol ei thad-cu, Jenkin Evans, Tynant, cafodd gyfnod o addysg mewn ysgol yn Kensington, Llundain. Fel ei thad, ymddiddorai'n fawr mewn llyfrau. Darllenodd yn eang o blith y clasuron ac mae'n sôn am y blas a gafodd wrth ddarllen *Adam Bede* gan George Eliot a gweithiau Dickens a Trollope. Porai hefyd trwy gyfrolau o farddoniaeth Gymraeg a Saesneg, ac etifeddodd ddawn ysgrifennu ei thad a'i ddyfalbarhad i gadw dyddiadur. Yn awr roedd yn rhaid iddi droi at waith y fferm, yn ogystal â chynorthwyo'i brawd, Tom, yn Nhrecefel. Gyda chymorth y forwyn Eliza, 'hired ... for £14-10 per annum plus a dress'[1], gwnâi dros 500 o ganhwyllau mewn wythnos, a chynhyrchwyd pwysi lawer o fenyn a chaws er mwyn eu gwerthu ym marchnad Tregaron.

Ceisiodd Joseph Jenkins hefyd wneud ei ran, a châi bleser yn gofalu am y defaid a chwynnu'r ardd. Ym mis Gorffennaf aeth allan i saethu:

7 July 1895
[Father] being out with his gun to keep the crows from spoiling Caepant farm.

Ond yn anorfod, dechreuodd ei iechyd ddirywio, ac er i'w mam gael adferiad wedi'r ddamwain, teimlai Anne bwysau ei chyfrifoldeb. Ysgrifennodd yn 1898, 'May God be with us, for we are but few now'. Wrth i'r misoedd fynd yn eu blaen gwanychodd cyflwr ei thad yn enbyd, ac ym mis Mehefin 1898 teimlai'n sicr ei fod ar fin marw, felly danfonodd am Anne:

---

[1]   Yn ôl y dyddiadur am 1863 talwyd cyflog o £4-15 i forwyn 'plus seed for planting potatoes'. Erbyn 1898 roedd y cyflog wedi codi ddecpunt, a chynigid 'dress' yn rhan ohono.

27 July 1898
Father informed me that he was going to die to-night and
proceeded to give me some wise counselling.

Nid yw Anne yn datgelu natur y cynghorion hyn, ond bu ei
thad yn barod iawn â'i gyngor i eraill drwy gydol ei oes. Ni
wireddwyd y broffwydoliaeth am ei dranc y noson honno, ac fe
welodd Joseph Jenkins y wawr yn torri, ond o hynny ymlaen
bu'n rhaid iddo gadw fwyfwy i'r tŷ, ac nid oedd hynny'n ei
blesio ryw lawer. Methai fynd am ei dro arferol i Dyndomen ac
aeth yn fwy musgrell a dryslyd:

28 August 1898
Father created a disturbance during the night and
prevented Mother and I from having our usual sleep.
Father did not leave his bed all day.

Erbyn hyn roedd angen gofal cyson arno a bu'n rhaid iddo
ddibynnu ar Anne a'i mam. Er bod gan Betty reswm digonol i
deimlo'n ddig iawn tuag at ei gŵr, yn ôl tystiolaeth Anne bu'n
ddigon haelfrydig i'w warchod yn ei afiechyd. Mae'n sicr i'w
hamynedd gael ei brofi i'r eithaf lawer gwaith, ond ceisiodd
sicrhau ei fod yn cael pob gofal yn ystod ei ddyddiau olaf.

Bu Joseph yn argyhoeddedig ei fod ar fin marw ddwsenni o
weithiau dros y blynyddoedd, ond erbyn diwedd Awst 1898,
roedd yn hollol amlwg i bawb yn Nhrecefel fod y diwedd mewn
golwg. Galwai Dr Evan Evans yn gyson i weini arno, ond doedd
dim meddyginiaeth ar gael mwyach. Cofnododd Anne:

19 September 1898
Father very peevish ... Father worse ... he floats in and out
of consciousness.

Erbyn 25 Medi roedd ei gyflwr wedi dirywio i'r fath raddau
nes iddynt ddanfon am ei frawd, Jenkin, o Flaenplwyf a'i chwaer,

Jane, o Frithwen. Yn ôl Anne, 'He was conscious of their presence but could not speak to them'. Y bore wedyn pan aeth Anne mewn i'w ystafell sylwodd, 'Father was fast sinking'. Gyrrwyd ar unwaith am Nel o Dyndomen a bu hi ac Anne yn gwylied eu tad nes iddo dynnu ei anadl olaf. Yng ngeiriau Anne, 'Nel watched over him with me until the end came about 1pm'. Nid yw'n sôn bod ei mam yn bresennol yn ystod ei oriau olaf, ond byddai'n deg tybio bod y straen yn ormod iddi. Mor aml yn ystod ei fywyd y darluniodd Joseph Jenkins ei afiechydon a'i agosrwydd at farwolaeth, gan fynegi ei ofn y byddai'n marw ar ei ben ei hun ac ymhell o'i gynefin. O leiaf cafodd y cysur o farw yn Nhrecefel a'i ddwy ferch yn ei ymyl.

Ar unwaith, anfonodd y ddwy chwaer am 'Mrs Jones, Tanrhiw, to come and assist to do the last services for him, after which his body was laid in the spare bedroom'. Aeth Tom i Dregaron i wneud y trefniadau ar gyfer yr arch, a hefyd 'to make arrangements for the hearse and wagonette'; ond mae Anne yn nodi bod y teulu wedi penderfynu peidio ag argraffu 'mourning cards'. Torrai hynny ar y traddodiad teuluol, oherwydd cafwyd cardiau o'r fath pan fu farw aelodau eraill o'r teulu, gan gynnwys y plant. Hefyd, ni chafwyd teyrnged i'w tad yn y *Cambrian News* na'r *Welsh Gazette*. Pan fu farw ei frodyr, Benjamin a John (Cerngoch), ac aelodau eraill o deulu Blaenplwyf, danfonwyd adroddiadau llawn i'r papurau. Yr unig gyfeiriad at farwolaeth Joseph Jenkins yw cofnod byr, tila yn *Yr Ymofynydd* ym mis Rhagfyr 1898:

MEDI 26ain yn 81 mlwydd oed, Joseph Jenkins (Amnon II) Trecefel, Tregaron. Claddwyd ei ran farwol y Gwener canlynol, yn ymyl ei berthynasau, ym mynwent Capelygroes. Gwasanaethwyd ar yr achlysur gan y Parch J. Davies, Alltyplaca; yn cael ei gynorthwyo gan y

Parchn. L. Williams ac E.E. Jenkins. Yr oedd yr angladd yn lluosog anarferol, yn cynwys dros 80 o gerbydau. Gadawodd yr ymadawedig weddw a chwech o blant ar ei ol – dau fab a phedair merch – i'r rhai y dymunwn y goreu o'r ddau fyd.[1]

Mae'n amlwg mai dymuniad y teulu oedd ei gladdu heb fawr o rwysg a chyda chyn lleied o gyhoeddusrwydd ag oedd bosib.

Trefnwyd yr angladd ar gyfer 30 Medi. Yn ôl Anne, 'the day was wet and stormy'. Cynhaliwyd gwasanaeth yn y tŷ, ac yno 'Uncle John preached at 10.30 a.m. on the very appropriate words – ''Trefna dy dŷ, canys farw fyddi, ac ni byddi byw'''. Tyrrodd y cymdogion i Drecefel ar ddydd yr angladd. Er iddo dreulio cyfran helaeth o'i fywyd ymhell o fro ei febyd, cofid amdano o hyd fel arweinydd, ac fel un a geisiodd unioni anghyfiawnderau. Cofid am ei ymdrechion i ledu manteision addysg, ac am ei ymgyrchoedd i ddod â'r rheilffordd i'r rhan hon o Geredigion. Felly, pan gododd yr angladd ar ei ffordd i fynwent Capel Undodaidd y Groes, Llanwnnen, dilynwyd yr arch gan bedwar ugain o gerbydau. Yn y fynwent gwasanaethwyd gan y Parchedig Enoch Jenkins, ac ymgasglodd torf enfawr ar lan y bedd.

Ond yr oedd ergyd bellach yn aros teulu Trecefel. Wedi'r angladd, aethant i mewn i'r capel i glywed yr ewyllys yn cael ei ddarllen. Cofnodir yr achlysur gan Anne:

30 September 1898
After all was over, my Father's will was read by Uncle John, Tancoed at the chapel; – it was given him by sister Nell to whom father had bequeathed all his property both personal and real. It was a shock to us all that they could have behaved so cruelly to-wards us all.

[1]   *Yr Ymofynydd*, rhif 132 (Rhagfyr 1898).

Betty, gwraig Joseph Jenkins, yn ei henaint

Wrth adael y cwbl i Nel a diystyru ei wraig a'r plant eraill yn
llwyr, llwyddodd Joseph Jenkins hyd yn oed o'r tu hwnt i'r bedd,
i ddial ar Betty unwaith eto. Er mai hi, gyda pheth help gan ei
thad, fu'n cynnal y teulu ar hyd y blynyddoedd, ac er mai hi fu'n
gyfrifol am gadw Trecefel a thalu'r rhent o £150 y flwyddyn, ni
chafodd unrhyw gydnabyddiaeth am hynny gan ei gŵr. Petai'r
ewyllys yn cael ei gweithredu'n llythrennol fe fyddai Betty, Tom
ac Anne heb gartref a heb gynhaliaeth. Cymaint oedd pryder
Betty wrth glywed cynnwys yr ewyllys nes iddi ofyn, 'A oes
hawl gyda fi fynd adre i Drecefel heno?' Fe allai'r penderfyniad
anffodus hwn fod wedi rhwygo'r teulu a chreu diflastod mawr.

Yn ffodus, nid felly y bu. Aeth John David, y mab ieuengaf,
ati i geisio cael cyfaddawd, a thrwy ei ymdrechion ef cafwyd
canlyniad boddhaol. I raddau helaeth diddymwyd bwriadau
Joseph Jenkins, fel y tystir yn nyddiadur Anne:

5 October 1898
Brother John went to Tyndomen and brought sister Nell
up [to Trecefel] to settle affairs regarding Father's will,
which was done amicably to our pleasure.

Daeth heddwch unwaith eto i aelwyd Trecefel a threuliodd Betty
weddill ei hoes hir yno. Bu hi farw ar 24 Chwefror 1919 yn 91
mlwydd oed, gan oroesi ei gŵr o un mlynedd ar hugain. Yn ystod
ei horiau olaf bu ei chwe phlentyn o'i chwmpas, ac yn eironig
ddigon cynhaliwyd ei hangladd ar 27 Chwefror, sef dydd pen
blwydd Joseph. Claddwyd Betty yn ei ymyl ym mynwent Capel
y Groes ger Llanwnnen, a chodwyd beddfaen urddasol drostynt.

Hyd y gwyddom, ni chadwodd Betty ddyddiadur, felly mae'n
rhaid dibynnu ar yr hyn a ddywedodd eraill amdani. Mae digon
o dystiolaeth am deithi meddwl Joseph yn ei eiriau ef ei hun, ond
prin yw'r wybodaeth uniongyrchol am gymeriad ei wraig.

Cofeb hardd y teulu ym mynwent Capel y Groes, Llanwnnen

Mynych yw'r sôn amdani yn nyddiaduron ei gŵr, ond ar y cyfan cyfeiriadau rhagfarnllyd ydynt. Petai Joseph wedi medru syrthio ar ei fai yn amlach, mae'n debyg y byddai wedi bod yn berson mwy bodlon ei fyd, ond yn anffodus, drwy gydol ei gyfnod yn Awstralia bu'n gaeth i'w orffennol, er mai dianc rhagddo oedd ei fwriad. Gadawodd i gasineb gronni o'i fewn, ac o ganlyniad methodd osgoi'r cyfnodau o iselder ac anhapusrwydd a ddaeth yn fynych i'w lethu.

Cawn ddarlun cwbl wahanol o Betty yn nyddiadur Anne. Ceir ynddo ddigon o dystiolaeth iddi ddangos cryn gryfder cymeriad wrth gynnal teulu a gofalu am Drecefel wedi ymadawiad dirybudd ei gŵr. Yn y llythyr a ddanfonodd at Joseph wedi iddo lanio yn Awstralia, mae'n ymddangos ei bod hi'n awyddus i gymodi ac yn barod i faddau i'w gŵr am eu gadael. Daeth hynny'n amlwg hefyd chwarter canrif yn ddiweddarach wrth iddi gytuno i roi cartref iddo yn ystod blynyddoedd olaf ei fywyd. Roedd Joseph Jenkins wedi llythyru'n gyson â'i deulu ar hyd y blynyddoedd, ac er nad yw'r llythyrau hynny ar gael, ceir digon o dystiolaeth yn ei ddyddiaduron fod ei wraig a'i blant yn barod i ddanfon arian ato pan fyddai mewn trafferthion. Dengys hynny fod yna ysbryd maddeugar tuag ato yn dal i fod ar aelwyd Trecefel.

Er ei holl wendidau – ac yr oeddynt yn lluosog – ni ellir gwadu fod Joseph Jenkins yn gymeriad diddorol a galluog. Yn ystod ei oes anturus llwyddodd o fewn cloriau ei ddyddiaduron, nid yn unig i ddinoethi ei gymeriad ef ei hun, ond hefyd i roi darlun byw a chyflawn o'r ddau fyd hollol wahanol y bu'n troi ynddynt. Adwaenir ef yn Awstralia fel 'The Pepys of the Soil', teyrnged y byddai ef, mae'n sicr, wedi ei gwerthfawrogi'n fawr iawn o gofio'i ddiddordeb angerddol yn y tir. O'r diwedd mae'n cael y gydnabyddiaeth a wrthodwyd iddo mor aml yn ystod ei fywyd, ac fe fyddai hynny hefyd wedi ei blesio'n arw.

Ciliodd y stormydd a drawodd fywydau Joseph a Betty mor aml, a thawelwch cefn gwlad Ceredigion sy'n amgylchynu eu gorffwysfa heddiw. Rhoddwyd darn o 'brain coral' o'r Great Barrier Reef ar eu bedd ryw drigain mlynedd yn ôl gan eu hŵyr, Tom Jo Davies, Frithwen, i nodi'r cysylltiad ag Awstralia; ond erbyn heddiw, er mwyn diogelwch, cedwir y cwrel yn y capel. Ar y beddfaen, cerfiwyd pennill a gyfansoddwyd gan Joseph Jenkins ar noson anesmwyth yn ei gaban ym Maldon pan oedd yn myfyrio ar gwrs ei fywyd:

> Marw sydd raid, nis gwyddom pryd
> Pa fodd, pa fan yn hyn o fyd.
> Ac os yw bywyd i ni'n rhodd,
> Mae marw hefyd yr un modd.
> Can's beth fo'n rhan, mae'n eithaf eglur,
> Cawn chwareu teg gan Awdur Natur.

DIWEDDGLO

Ysgrifennodd Joseph Jenkins 58 o ddyddiaduron yn ystod ei oes. Mae 33 ohonynt yn sôn am y cyfnod yng Nghymru, a chyfeirir atynt fel dyddiaduron Trecefel; mae'r cyfrolau sydd ar gael o'r casgliad hwn yn y Llyfrgell Genedlaethol yn Aberystwyth. Perthyn y pump ar hugain sy'n weddill i'r cyfnod yn Awstralia ac fe'u cedwir yn y State Library of Victoria ym Melbourne. Erbyn heddiw ystyrir y dyddiaduron hyn yn ffynonellau pwysig ar gyfer astudio hanes cymdeithasol Cymru ac Awstralia yn ail hanner y bedwaredd ganrif ar bymtheg. Yn hyn o beth gwireddwyd gobeithion eu hawdur.

Ym mis Tachwedd 1894, wrth iddo baratoi ar gyfer gadael Maldon a dychwelyd i Gymru, pryderai Joseph Jenkins yn fawr am ddiogelwch ei ddyddiaduron, felly fe'u paciodd yn ofalus a'u gyrru at ei ferch, Nel, yn Nhyndomen ger Tregaron. Wedi ei farwolaeth yn 1898 rhoddwyd y dyddiaduron a ysgrifennwyd yn Awstralia yn yr atig yn Nhyndomen, ac yno y buont hyd nes i'w ŵyr, Dr William Evans, ddeg a thrigain o flynyddoedd yn ddiweddarach, ddechrau ymddiddori ynddynt. Bu ef yn gardiol-egydd enwog iawn yn Llundain, ac wedi iddo ymddeol dych-welodd i'w filltir sgwâr. Aeth ati i ddarllen a chopïo detholiad o'r llawysgrifau. Roedd hynny'n gamp ynddi hi ei hun a bu wrthi am dair blynedd yn eu hastudio. Yna, yn 1975, ymddangosodd y gyfrol *Diary of a Welsh Swagman,* ac nid gormodiaith yw ei galw'n 'best-seller' oherwydd cafodd dderbyniad ysgubol.

Yn y wasg yn Awstralia bu'r adolygwyr yn hael eu canmoliaeth:

The diaries are an amazing discovery ... of immense significance. (*Examiner Tasmania*, 9 Sept 1975)

A detailed and observant diary ... Jenkins probably ranks amongst one of the world's most insistent diarists. (*Books Post Review*, 16 Oct 1975)

A diarist whose writings add much, not only to our knowledge of history, but also to our understanding of it. (*Advertiser*, Geelong 6 Sept 1975)

Jenkins recorded the trivia of life that form the very essence of history, while remaining an exciting and true Victorian adventure story. (*Financial Times*, 12 March 1976)

ac mae'r diddordeb dwfn hwn ym mywyd a gwaith Joseph Jenkins yn parhau.

Mae trigolion Maldon yn dal i ymfalchïo yn eu tras Gymreig hyd heddiw, ac mae enwau strydoedd megis Jenkins Street, Lewis Street, Beynon Street, Evans Street a Davies Street yn ein hatgoffa o'r hen deuluoedd a ymsefydlodd yn y dref. Mae'r capel Cymraeg lle bu Joseph yn addoli yn dal i sefyll, er mai prin y clywir yr heniaith o fewn ei furiau erbyn hyn, ac y mae McArthur's Bakery, lle treuliai Joseph ei awr ginio yn bwrw golwg dros y llyfrau a gedwid yno, i'w weld o hyd.

Wrth gerdded o amgylch y strydoedd gellir gweld y camlesi a'r cwteri a gloddiwyd ganddo. Roedd cadw'r rhain yn glir ac yn lân yn un o'i ddyletswyddau pwysicaf tra oedd yn byw yn y dref. Yn anffodus, tomen fach o rwbel yn unig sy'n nodi lleoliad North Gate Railway Lodge lle bu'n byw am dros ddeng mlynedd, ond tra oeddwn ym Maldon yn ymchwilio ar gyfer y

*Paul Turner, y cyfarwyddwr ffilm, ger y cwbl sy'n weddill o fwthyn
Joseph ger yr orsaf ym Maldon*

gyfrol hon, bûm yn ddigon ffodus i gael nifer o sgyrsiau â
Frances Gray a oedd yn byw nid nepell o'r fan. Roedd ganddi
ddiddordeb mawr yn hanes y swagman o Gymru. Mewn llythyr
ataf, dyddiedig 1 Medi 1991, mae'n cynnig darlun trist o
ymadawiad Joseph o Maldon:

> When I look through my window and over Joseph's
> place, I can almost see him turning his back on this ...
> town where much of his life was made miserable by the
> attitudes of the townspeople. Heading towards the
> railway station a few yards away, and knowing that
> behind him ... there were some waiting to walk into his
> cottage and cast lots for the possessions he'd been forced
> to leave behind, since no-one would buy the goods which
> he could not take away ... He never accepted the
> Australian lifestyle ... he suffered dreadfully at times,
> but he remained a loner and went away ... His cottage

did not last long after his departure. It was occupied, but not cared for, and before long it fell apart ... He frequently mentions snakes inside his cottage, sometimes in his bed. Geographically, that patch is snake territory, and whenever council fellows are clearing up there, the snakes are disturbed and enter my back patch ... it has always been like that.

Gan i Joseph fod yn bur feirniadol, ar adegau, o ymddygiad rhai o bobl Maldon, ni chroesawyd llyfr Dr Evans gan bawb. Yn ôl Frances Gray:

When the Diary [of a Welsh Swagman] was first published, the old timers were quite upset, to put it mildly, after reading that they were descended from the liars and thieves who tormented Joseph's daily life.

Ond buan iawn y daethpwyd i sylweddoli gwir werth y dyddiaduron a gwir arwyddocâd camp Joseph Jenkins. Yn 1978 gosodwyd y *Diary* ar restr ddarllen holl ysgolion uwchradd Victoria, a deuai myfyrwyr yn eu heidiau i Maldon er mwyn gwneud y 'Swagman's Tour'. Ymddengys bod y lle wedi troi'n Fecca i athrawon a myfyrwyr erbyn hyn.

Mae'n rhyfedd meddwl bod disgynyddion y *larrikins*, a fu'n gymaint o boendod i'r gŵr o Drecefel, yn ei ystyried heddiw yn ffigur o bwys. Byddai gwybod hynny wedi rhoi boddhad mawr iddo.

Ym mis Tachwedd 1994 codwyd ffynnon fechan yn gofeb iddo yng ngorsaf Maldon i nodi canmlwyddiant ei ymadawiad â'r dref. Cwynai yn aml am sychder y wlad a'r effaith andwyol a gâi ar y tir, felly roedd dewis ffynnon yn gwbl addas. Erbyn hyn, yr eironi yw bod y dyddiadurwr o Gymro'n enwocach yn Awstralia nag yn ei wlad ei hun.

ATODIAD 1

TEULU BLAENPLWYF A THRECEFEL

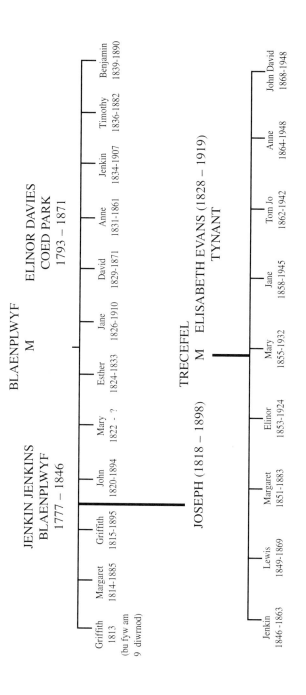

JENKIN JENKINS
BLAENPLWYF
1777 – 1846

BLAENPLWYF
M

ELINOR DAVIES
COED PARK
1793 – 1871

Griffith
1813
(bu fyw am
9 diwrnod)

Margaret
1814-1885

Griffith
1815-1895

John
1820-1894

Mary
1822 - ?

Esther
1824-1833

Jane
1826-1910

David
1829-1871

Anne
1831-1861

Jenkin
1834-1907

Timothy
1836-1882

Benjamin
1839-1890

TRECEFEL

JOSEPH (1818 – 1898)   M   ELISABETH EVANS (1828 – 1919)
TYNANT

Jenkin
1846-1863

Lewis
1849-1869

Margaret
1851-1883

Elinor
1853-1924

Mary
1855-1932

Jane
1858-1945

Tom Jo
1862-1942

Anne
1864-1948

John David
1868-1948

ATODIAD 2

Dyma gopi o'r ewyllys a luniodd Joseph Jenkins cyn iddo fynd ar fwrdd yr *SS Eurynome* yn Lerpwl a hel ei draed am Awstralia.

N.L.W. G.E. Owen Collection 12816

Will of Joseph Jenkins dated 10 December 1868

Deed of Gift

To all to Whom present shall come; I Joseph Jenkins parish of Caron isclawdd, county of Cardigan. Know ye that I the said Joseph Jenkins for and in consideration of the love and affection which I have and do bear towards my loving wife and children, Elizabeth, Lewis, Margaret, Elinor, Mary, Jane, Tom Jo,. Ann and John David Jenkins all in the same parish and county, have given and granted and by these presnts [sic] do freely give and grant unto the said my wife and children their heirs, executors and ofspring [sic.], all my property consisting all the live and dead stock now remain on my farm according to schedule. I do hereby attached and signed, being now my property and the same to be equally divided between my said wife and children according to the value of the attached inventory signed by my own hand and bearing even date. To have and to hold all the goods chattels, Money and secuity for Money now belonging to me, their heirs, executors, administrators or assigns form this date, also I appoint my father in law Jenkin Evans of Caemawr Dihewid, Cardiganshire, and the Rev. Latimer Maurice Jones the Vicarage Carmarthen to be the Trustees in order to carry out my intention in these presents of equally dividing my said property according to whats [sic] inserted in the schedule and inventory hereinafter described and signed. Also I do wish to have an additional stamp of 1 12 0 to this deed in due time and let authority know that I could not procure it at the time of my writings and signature hereof. I witness whereof I have hereunto set my hand and seal this day of December 1868.

JOSEPH JENKINS

Witnesses   Francis Mc Namee   9 Islington Liverpool

P.W. Mc Namee, 38 Manchester St. L'Pool

Inventory of Property

Corn ar the barn and so on	40	0	0
6 stacks of Corn at the haggard	120	0	0
2 ricks of hay at	75	0	0
Thatch and straw	12	0	0
Wheat in the ground at	20	0	0
8 horses at	110	0	0
32 head of horned cattle	160	0	0
53 sheep at	38	0	0
37 lambs at	14	0	0
15 pigs at	12	0	0
Fowl at	1	0	0
2 pairs of harness	10	0	0

1 Thrashing Machine at	28	0	0
1 Winnowing Machine	4	0	0
4 Wheelbarrows at	2	0	0
1 Spring Cart	10	0	0
3 ploughs and 8 harnesses	15	0	0
1-4 horse gwebber [sic]	4	0	0
1 scuffler at	1	10	0
1 potato digger at	4	10	0
1 chaffing machine at	5	10	0
Farming tools, carpentry and so on at	10	0	0
Timber in lower shed	7	10	0
Ladders and so on	1	0	0
Timber outside doors	3	0	0
Timber at storehouse	5	6	0
Do. at Kiln house	3	0	0
Potatoes in greves and so on	45	0	0
Turnips at	5	0	0
Manure in ground for next crop	60	0	0
20 Gates and posts	8	0	0
Iron and steel wire	4	0	0
Household furniture	65	0	0
1 Roller - 2 cars at	1	10	0
Turff	6	0	0
Aeron Vale share	100	0	0
Llanddewi cots.	130	0	0
Sister Anne's share	15	0	0
Club Money Beehive			
per bond of Miss Jones Executors -			
Bond at Mr Jones of Llandysul	1800	0	0
Interest for 3 years	45	0	0
Sundry debts due on Diary	50	0	0

re Witness my hand this 10th day of December 1868 Joseph
Jenkins

Debts again.

To Father in law	70	10	0
Lampeter Bank Deed at	51	10	0
Sundry debts to Mr. Morgan David Rowlands			
Smiths Shoemakers Servants etc.	30	0	0
	152	0	0

ATODIAD 3

Teithiodd Joseph Jenkins i Awstralia ar yr *SS Eurynome* yn 1868. Derbyniwyd yr wybodaeth ganlynol gan Guildhall Library, (Lloyd's Marine Collection) Llundain.

SS Eurynome

An iron schooner with two bulkheads built on the Clyde at Glasgow in 1862. It was 210 feet in length, 35 feet wide, 22.9 feet deep and the gross tonnage was 1163. The vessel was owned by J. Heap and registered at Liverpool port. The master during Joseph Jenkins' voyage in 1868 was Walter Watson, born in Devonshire in 1828. The ship was built as a cargo vessel but also carried a limited number of passengers. In 1881 the Eurynome disappeared without trace on a voyage to Australia.

ATODIAD 4

Teithiodd Joseph Jenkins o Awstralia ar yr *HMS Ophir* yn 1894.
Derbyniwyd yr wybodaeth ganlynol gan Guildhall Libraries and
Art Galleries, Corporation of London.

HMS Ophir
Steel Twin Screw Steamer.
Built at Glasgow October 1891, by R. Napier and Sons.
Gross tonnage 6910. Length 465 feet.
Owned by Orient Steam Navigation Co. Ltd.
Class + 100 A1.

The Ophir was designed for passenger and mail service with
little carrying space for cargo and was the first twinscrew ship on
the Australian run. Her luxury made her popular with passengers
and she was generally considered the 'Queen' of the Indian
Ocean. In 1901 she was chosen as the Royal Yacht for the Duke
and Duchess of Kent, late King George V and Queen Mary when
they toured Australia. During the First World War she became
H.M.S. OPHIR, an armed merchant cruiser and later a hospital
vessel. The Ministry of Shipping Service List (World War One)
adds the information that she was an armed merchant cruiser
from 26 January 1915 to 29 July 1919. She was purchased by the
Admiralty in 1918 and converted into a hospital ship. In
February 1919 she was laid up in the River Clyde with other
surplus ships and finally broken up in Troon, Scotland in 1922.

ATODIAD 5

Ar y dudalen gyferbyn gwelir yr unig gofnod sydd gennym o lythyr oddi wrth Betty at Joseph. Nid yw hwn, hyd yn oed, yn ei llaw hi, ond yn hytrach copi ydyw a wnaeth Joseph o'r llythyr gwreiddiol a'i gadw ar ddalen ar wahân yn ei ddyddiadur. Ni allwn ond dyfalu pam y penderfynodd Joseph gopïo a chadw'r llythyr hwn.

ATODIAD 6

Trecefel,

near Tregaron.

January 7th 1872

Dear Father

This is the first letter for me to write this year. We are thinking of sending you five pound as a new years gift. Uncle Ben was here before Uncle David went back to America asking mother if she would give her name to them for said he we are going to gather between us all as children of Blaenplwyf twenty five pounds to send you. iwell said mother

Tudalen gyntaf llythyr oddi wrth Margaret at ei thad. Enghraifft brin a gwerthfawr o'r ugeiniau, os nad cannoedd o lythyrau a yrrwyd rhwng Joseph a'i deulu a'i gydnabod – ac a gollwyd. Dengys yr enghraifft hon nid yn unig ganlyniad parch y rhieni at addysg, ond hefyd beth ar ddawn gynhenid y teulu.

MYNEGAI